Éloges de la trilogie Les étés sur la côte
LE VENT D'ÉTÉ

« Mme Monroe présente une variété d'idées et d'aperçus [...] avec sensibilité, esprit et intelligence [...] [et] imprègne le cadre de son livre de tant de couleurs et de chimie que tous les lecteurs seront dévorés par l'envie de s'y rendre et de le découvrir après seulement quelques pages. Ses personnages sont pénétrés par cette atmosphère, tout comme ses lecteurs... En effet, Mme Monroe en saisit l'essence et la répand sur ses pages à travers des histoires qui touchent le cœur et l'esprit de ses lecteurs. Si *Le vent d'été* fait partie d'une trilogie, c'est aussi une histoire à part entière de profondeur et de compassion. C'est une lecture parfaite pour la plage, et bien plus encore. »

— *The Huffington Post*

« Des personnages singuliers, complexes que l'on apprend à aimer... Mary Alice Monroe continue de rendre Charleston fière d'elle avec son œuvre authentique et réfléchie. »

— *Charleston Magazine*

« Les images frappantes que nous présente Mme Monroe des odeurs, des goûts et des paysages de la côte de la Caroline du Sud nous amènent jusqu'à la porte de Sea Breeze, de sorte que même si vous êtes chez vous, loin de l'océan, vous pouvez imaginer que vous vous y trouvez. »

— *The Herald Sun*

« Mme Monroe explore avec adresse les problèmes singuliers auxquels toute femme fait face... Ce sont des femmes modernes confrontées aux questions épineuses que sont l'identité et la raison d'être dans le monde d'aujourd'hui, tellement différent de celui qu'a connu leur grand-mère quand elle était jeune mariée... *Le vent d'été,* écrit avec un charme du Sud convaincant et avec sollicitude, explore les liens entre sœurs et les défis modernes propres à la condition féminine avec une chaleur et une affection authentiques. »

– *BookPage*

« Voici une série dans laquelle j'encourage vivement tout le monde à se jeter. C'est une lecture parfaite pour la plage, et je sais que vous vous investirez

– *A Southern Girls Bookshelf*

Les étés sur la côte

LA FIN DE L'ÉTÉ

Les étés sur la côte

LA FIN DE L'ÉTÉ

Mary Alice Monroe

Traduit de l'anglais par
Sophie Beaume et Sébastien Arviset

Ce livre est une œuvre de fiction. Les noms, les personnages, les lieux et les événements sont le produit de l'imagination de l'auteure ou sont utilisés dans un cadre fictif. Toute ressemblance avec des événements, des lieux ou des personnes mortes ou vivantes est le résultat du hasard.

Titre original anglais : The Summer's end

Éditeur : François Doucet
Traduction : Sophie Beaume et Sébastien Arviset
Révision linguistique : Isabelle Veillette
Correction d'épreuves : Nancy Coulombe, Féminin pluriel
Conception de la couverture : Matthieu Fortin
Photo de la couverture : © Thinkstock
Mise en pages : Sylvie Valois
ISBN papier 978-2-89767-338-3
ISBN PDF numérique 978-2-89767-339-0
ISBN ePub 978-2-89767-340-6
Première impression : 2016
Dépôt légal : 2016
Bibliothèque et Archives nationales du Québec
Bibliothèque et Archives Canada

Éditions AdA Inc.
1385, boul. Lionel-Boulet
Varennes (Québec) J3X 1P7, Canada
Téléphone : 450-929-0296
Télécopieur : 450-929-0220
www.ada-inc.com
info@ada-inc.com

Diffusion
Canada : Éditions AdA Inc.
France : D.G. Diffusion
Z.I. des Bogues
31750 Escalquens — France
Téléphone : 05.61.00.09.99
Suisse : Transat — 23.42.77.40
Belgique : D.G. Diffusion — 05.61.00.09.99

Imprimé au Canada

Participation de la SODEC.
Nous reconnaissons l'aide financière du gouvernement du Canada par l'entremise du Fonds du livre du Canada (FLC) pour nos activités d'édition.
Gouvernement du Québec — Programme de crédit d'impôt pour l'édition de livres — Gestion SODEC.

Catalogage avant publication de Bibliothèque et Archives nationales du Québec et Bibliothèque et Archives Canada

Monroe, Mary Alice
[Summer's end. Français]
La fin de l'été
(Les étés sur la côte ; 3)
Traduction de : The summer's end.
ISBN 978-2-89767-338-3
I. Beaume, Sophie, 1968- . II. Titre. III. Titre : Summer's end. Français. IV. Collection : Monroe, Mary Alice. Étés sur la côte ; 3.

PS3563.O511S93314 2016 813'.6 C2016-940739-X

À mes filles –
Claire Dwyer, Gretta Kruesi et Caitlin Kruesi.
Vous êtes mes héroïnes.

L'HEURE INSULAIRE
par Marjory Wentworth

Traversant les degrés de la nuit par des flammes
qui fondent les longues heures précédant l'aube,
doucement le soleil retire un suaire de brouillard
de l'île embrumée. Il embrasse la surface de la Terre
    en train de mûrir,

là où les maisons enveloppées de sommeil émergent des ténèbres
telles de la semence répandue en grande quantité le long des routes.
Les réverbères sont toujours allumés. Dessous passent les voitures.
Des navires épuisés et leurs passagers
auxquels est donné le temps d'ordonner les souvenirs de la nuit,
tandis que le jour se déploie devant eux
telle une offrande indésirable.
Chaque heure gaspillée s'égrenant
dans l'horloge de leur esprit.

Une femme se lève de son lit pour s'asseoir à sa fenêtre
et attendre que la lumière du jour se saisisse du monde
et se mette en place en un tourbillon.
Elle est à la recherche d'un enfant,
du fantôme d'un enfant, d'une trace,
de sa voix faible dans le vent,
d'un sourire taillé sur la face de la lune…
de tout signe, d'un signe quelconque
d'un milliard d'étoiles.

Et tandis que les crevettiers glissent vers le large
dans les premières lueurs, elle observe
un dauphin prisonnier du marais
en train de nager en cercles infinis.

CHAPITRE 1

C'était l'aube d'une nouvelle journée d'été. Mamaw serra contre ses maigres épaules le doux jeté de cachemire. Des éclats de lumière perçaient la noirceur veloutée qui surplombait la crique et des ombres d'une couleur d'étain dansaient sur l'herbe pointue du marais tels des fantômes célestes.

Mamaw était assise dans un énorme fauteuil en osier qui se trouvait sur la véranda arrière, les jambes blotties sous elle. La brume était humide sur son visage et la fraîcheur précédant le lever du soleil semblait pénétrer directement jusqu'à ses os. Elle semblait ne plus pouvoir se réchauffer depuis le départ de Lucille. Il lui arrivait souvent désormais, après avoir été sortie d'un sommeil agité, de se rendre dehors dans l'espoir que l'air frais la calme. Elle avait trouvé peu de réconfort ou de paix dans cette fraîcheur. Au loin, l'océan Atlantique, son ami à l'humeur changeante, rugissait comme une bête affamée. Les vagues dévoraient les dunes à un rythme incessant dont les échos résonnaient sur Sullivan's Island.

Bien qu'il se soit écoulé plus d'une semaine depuis la mort de Lucille, elle sentait toujours près d'elle la présence de sa vieille amie, tournant autour d'elle dans la mort comme elle l'avait fait dans la vie. Chère Lucille. Bien sûr, personne n'échappait à la mort, Mamaw le savait. D'ailleurs, la mort ne lui était pas étrangère. À 80 ans, elle ne pouvait évidemment pas être épargnée par la disparation d'êtres chers. Ainsi avait-elle enterré ses parents et, trop tôt, son fils et son mari. Ce soir, cependant, elle avait l'impression que le passé était plus vivant que le présent tandis que les souvenirs de ceux qu'elle avait aimés repassaient dans son esprit comme si c'était hier.

Mamaw prit une longue respiration saccadée. Au loin, elle entendit la complainte de la sirène d'un navire. D'un arbre à proximité, un oiseau se mit à pousser ses sifflements aigus matinaux… *Un cardinal*, se dit-elle.

Elle l'écouta, tirée de son apathie par ce chant au point du jour. Elle regarda la lumière du matin qui, peu à peu, illuminait l'horizon, révélant la pointe déchiquetée des herbes de mer, les palmiers encerclant un hamac, ainsi que le pont Ravenel Bridge, dominant, et qui, au loin, apparaissait comme deux grands vaisseaux à voile. Lentement, le soleil levant illuminait la noirceur et retirait le suaire qui lui recouvrait le cœur et elle sentit son désespoir se dissiper avec la brume. Mamaw prononça donc pour lui une action de grâce avant de respirer profondément cet air frais à l'odeur de boue.

Une nouvelle journée commençait. Le pire était passé.

Vieille idiote, se réprimanda-t-elle tandis que, de gris, le ciel devenait bleu, *mais regarde-toi donc, assise dans le noir en deuil de ton amie. Si Lucille t'apercevait ainsi, en train de te morfondre dehors dans la fraîcheur humide, en chemise de nuit, le savon qu'elle te passerait !* Qui avait le temps de flâner ? Leur plan pour l'été n'était pas terminé ! En effet, en mai, Mamaw avait invité à Sea Breeze ses trois petites-filles, qui étaient presque des étrangères l'une pour l'autre ; et elles étaient venues. C'était la première fois en 10 ans qu'elles étaient réunies. Il était vrai que, jusqu'à maintenant, cet été avait été tumultueux, riche en changements et tournures d'évènements, fait de hauts et de bas, de joie et de chagrin. Mais il fallait porter à son crédit le fait qu'elles aient traversé ces vicissitudes *ensemble*. Eudora, Carson et Harper avaient ainsi redécouvert cet amour sororal qu'elles partageaient lors de ces étés où elles étaient enfants et qu'elles jouaient ensemble, ici, à Sullivan's Island. Au lieu de hurler à la lune, elle devrait sauter de joie !

Pourtant, il restait encore tant à faire et le temps lui manquait. On était déjà en août. Les tortues de mer terminaient une autre saison, les enfants allaient retourner à l'école et les balbuzards, se diriger bientôt vers le sud en compagnie des autres oiseaux migrateurs et des papillons. La fin de l'été approchait à grands pas et bientôt, ses filles de l'été s'en iraient, elles aussi.

Mamaw sentit un pincement au cœur rien qu'à y penser. Elles allaient lui manquer ; leurs gentils visages, leur bavardage, leurs larmes, leurs rires, les pas dans la maison, les drames, les câlins et les baisers généreusement offerts. Quel été ç'avait été !

Son sourire s'évanouit. Il n'y aurait pas seulement ses petites-filles qui partiraient, cet automne. En effet, elle aussi quitterait Sea Breeze. Une fois que celle-ci serait vendue, elle s'établirait dans une maison de retraite. *Avec mes petites-filles et Lucille parties, je serai,* se dit-elle en tremblant, *tout à fait seule.*

Mamaw abaissa la joue jusqu'à la paume de sa main. Au moins savait-elle où elle se rendrait à la fin de l'été, mais où ses filles iraient-elles ? Chacune des femmes était incertaine de la direction qu'elle prendrait une fois qu'elle quitterait l'étreinte sûre de Sea Breeze. Dora était en instance de divorce, Carson était enceinte et Harper était, à défaut d'un meilleur mot, complètement à la dérive.

– Ah, Lucille, lança Mamaw à voix haute en s'adressant à la présence qu'elle sentait dans la lueur perlée. Tu étais celle qui, dans les moments sombres, me permettait de me reprendre. Nous les avons attirées jusqu'ici, et il y a pourtant toujours tant à faire pour accomplir notre plan, soupira-t-elle. Seule, je ne sais si je puis y arriver, mais je dois essayer.

Le regard de Mamaw s'éleva alors vers le ciel où de grands rayons de lumière rose et bleue continuaient de se faire jour à l'horizon, et un sourire se dessina sur son visage. La lune pouvait bien être partie, se dit-elle, mais le soleil se levait sur un jour nouveau.

~

Dans une autre chambre de Sea Breeze, Harper était allongée sur son lit dans la lumière d'acier, les mains sous la tête en train d'écouter le puissant rugissement de l'océan. *Comme les vagues étaient bruyantes, ce matin,* pensa-t-elle. Leur écho résonnait dans la nuit immobile. Ce son, si différent de ce à quoi elle était habituée en ville, la remplissait d'excitation.

À New York, Harper s'éveillait au son assourdissant des sirènes de police, des coups de klaxon et du martèlement des camions à ordures. Mais ici, tant de choses étaient différentes. *Elle* était différente. Au cours des derniers mois, depuis son arrivée à Sullivan's Island, son corps s'était lentement acclimaté, passant du rythme rapide et du sentiment d'urgence dont elle faisait l'expérience en ville au rythme plus lent et plus calme de la côte de la Caroline du Sud. Elle ne se rendait plus à des fêtes ou dans des bars où elle restait tard dans la nuit, pas plus qu'elle ne se jetait hors du lit le matin au son du réveille-matin. À Sea Breeze, ses journées étaient rythmées par le soleil. Couchée de bonne heure, levée tôt.

Harper sourit tout en se demandant si elle avait jamais anticipé à quel point elle prendrait plaisir à ce style de vie. Non, elle pensait que non. En fait, dans un premier temps, elle avait plutôt redouté la perspective de passer du temps à Sea Breeze cet été. Elle se rappelait son indignation quand, quelques jours seulement après son arrivée et celle de ses sœurs, Mamaw leur avait annoncé ses véritables intentions : que les femmes y passent l'été tout entier. Harper s'étira alors langoureusement tandis que la lumière devenait plus claire, donnant à la chambre une lueur perlée. Puis, tandis qu'elle se mettait sur le côté pour regarder par la fenêtre, sa main frôla quelque chose. Surprise, elle se redressa pour enquêter. Des feuilles de papier étaient répandues sur son lit et éparpillées par terre.

Elle se frotta les yeux tout en comprenant peu à peu. Son livre…

Elle avait dû s'endormir tout en lisant son manuscrit, se rendit-elle compte en bâillant. Se levant, elle ramassa les quelque 200 pages pour en faire une pile tout en prenant le temps de les mettre en ordre. Ce faisant, çà et là, ses yeux relisaient une phrase. *Pas mal,* se dit-elle. Les émotions et les paroles sonnaient juste. Mais bon, elle n'était pas une juge impartiale. Après tout, alors qu'elle n'était qu'une petite fille, sa mère lui avait fait comprendre avec brutalité qu'elle n'avait pas de talent. Elle était exactement comme son père, avait-elle dit d'un ton dédaigneux en repoussant les nouvelles et les poèmes qu'en néophyte, Harper avait tenté d'écrire. Sa mère étant une éditrice renommée, Harper avait pris ces paroles pour des vérités. Des décennies plus tard, ces mots fatidiques lui faisaient toujours mal.

Depuis, Harper n'avait jamais montré ce qu'elle écrivait à qui que ce soit. Elle avait embrassé une carrière d'éditrice tout en découvrant qu'elle avait du talent pour aider les autres avec leurs histoires, pour extraire leurs pensées les plus intimes et les coucher sur le papier.

Néanmoins, elle ne trouvait pas que revoir les écrits des autres lui donnait autant de plaisir que l'écriture. Aussi avait-elle continué (dans sa chambre, dans les cafés, dans les trains), secrètement, comme un plaisir interdit qu'elle pouvait s'offrir quand elle voulait exprimer sa colère ou son amusement. Ce n'était pas avant cet été, pendant cette période qu'elle s'était octroyée sans interruption (ou plutôt, ce temps que Mamaw lui avait imposé), que Harper avait décidé d'écrire un livre, un ouvrage complet, avec un début, un milieu et une fin. Jamais elle ne saurait si elle pouvait vraiment écrire un livre tant qu'elle n'en aurait pas terminé un. Et, pensa-t-elle en ramassant les feuilles, elle l'avait presque terminé.

Se relevant, Harper plaça le manuscrit sur son bureau et posa les mains sur la pile, submergée par un sentiment de propriété et de fierté.

C'était *son* livre.

Ses sœurs pensaient qu'elle avait pris un été de congé, impudemment oisive pendant qu'elles se démenaient pour trouver un emploi et un appartement. Il était vrai qu'elle avait apprécié sa pause à Sea Breeze, à jardiner, à nager, à bavarder avec ses sœurs et à errer jusqu'à l'extrémité de l'île. Mais en privé, elle avait aussi travaillé. Cependant, elle n'osait en parler à quiconque, car l'eut-elle fait, elle savait qu'on aurait voulu lire ce qu'elle avait écrit.

Non, pensa-t-elle, en glissant le manuscrit dans le tiroir du bureau. Elle le garderait rien que pour elle. Elle n'était pas extravertie comme Carson, sa sœur, qui était spirituelle et savait répondre du tac au tac ; ni impudente comme Dora, sa sœur aînée, qui avait des opinions tranchées sur tous les sujets, même quand on ne lui demandait rien. Harper, elle, s'exprimait sur le papier.

D'ailleurs, pensa-t-elle avec un sourire contrit, ses sœurs ne seraient guère heureuses d'apprendre que c'était à propos d'elles qu'elle écrivait.

De l'autre côté de sa fenêtre, elle entendit soudain les sifflements aigus et matinaux d'un oiseau en train de chanter dans les branches d'un arbre à proximité. Elle s'arrêta pour l'écouter tout en se demandant de quelle espèce était l'oiseau qui la réveillait tous les matins. Elle fit le vœu de l'apprendre. En effet, elle avait envie de connaître le nom des oiseaux, des arbres et des plantes de cette île qu'elle en était venue à aimer. Elle avait passé la totalité de ses 28 années dans des lieux pleins de beauté : à New York, dans l'appartement chic de sa mère qui dominait Central Park, dans la maison des Hamptons ainsi qu'au manoir de ses grands-parents en Angleterre, sans mentionner les pensionnats élitistes et l'université de l'Ivy League où elle avait étudié. Mais nulle part ne se sentait-elle autant chez elle ou si satisfaite, autant elle-même qu'ici, sur la côte de la Caroline du Sud, au bord de l'océan, à Sea Breeze.

Pourtant, elle partirait bientôt.

Cette pensée, qui lui vint spontanément, provoqua sa tristesse dans la douce musique du matin. Harper se rendit jusqu'à la fenêtre et ouvrit les lattes en bois de la persienne pour regarder à l'extérieur. Une lumière gris clair illuminait les ombres. Carson répétait constamment à quel point c'était magnifique d'être sur l'eau quand l'aube explosait sur l'océan. Elle pouvait montrer tant de passion pour tout ce qui concernait l'eau.

Soudain, Harper ressentit une envie d'assister à ce spectacle elle-même. *Pourquoi pas maintenant*? se demanda-t-elle. Avant qu'il soit trop tard. Qu'attendait-elle donc?

Rapidement, elle passa un maillot de bain et un short en jean, laça ses tennis. Aussi silencieusement que la souris dont elle portait le nom, elle fit coulisser la porte qui séparait sa chambre de celle de sa grand-mère. Celle-ci grinça sur le rail et Harper s'arrêta en grimaçant. Comme elle n'entendit pas Mamaw bouger dans sa chambre obscure, elle passa sur le tapis sur la pointe des pieds avant de refermer la porte derrière elle.

La maison était silencieuse, tout le monde étant encore en train de dormir au petit matin. Même Carson, qui, en dépit de tout ce qu'elle racontait, s'était mise à faire la grasse matinée après avoir annoncé qu'elle était enceinte. Concrétisant enfin sa fuite, Harper franchit à toute vitesse la porte d'entrée, consciente qu'elle était que le soleil n'arrêtait sa marche pour personne. L'air du matin, doux et frais, vint à sa rencontre. Le vent qui avait agité l'océan toute la nuit avait chassé l'humidité et la chaleur, rendant l'air matinal rafraîchissant, ce qui n'était guère habituel en août. Par ailleurs, dans le silence, tous les sons étaient amplifiés. Au-dessus d'elle, les feuilles du grand chêne bruissaient dans la brise et les feuilles des palmiers s'entrechoquaient. Sous ses pieds, le gravier crissait bruyamment tandis qu'elle traversait l'allée en toute hâte en direction du garage. La bonne vieille bicyclette toute rouillée y était, appuyée contre le mur. Elle la sortit du garage, l'enfourcha et partit.

Malgré ses 28 ans, Harper n'avait pas l'impression d'en avoir plus que 13 tandis qu'elle pédalait furieusement le long des rues. Les maisons du voisinage semblaient enveloppées dans l'ombre, leurs occupants toujours endormis dans le silence qui régnait dans l'île. Seuls quelques chats de gouttière traversaient silencieusement les rues à toute vitesse. Cet été, elle n'en avait pas vu autant, regroupés sur l'île, que dans ses souvenirs des étés passés à Sea Breeze quand elle était petite. On disait que c'était à cause des coyotes. Elle gardait les yeux grands ouverts tout en avançant le long de la rue paisible, passa devant l'église catholique Stella Maris, avec son clocher consacré, puis devant l'inquiétant fort Moultrie, avec ses terriers gigantesques, et enfin le long des restaurants fermés et désertés à cette heure. Seuls quelques joggeurs et, occasionnellement, une voiture partageaient la route avec elle.

Elle atteignit enfin l'extrémité nord de l'île, où Carson lui avait dit que se réunissaient les surfeurs. Elle quitta Middle Street en direction de la mer. Plusieurs voitures, toutes équipées de supports à planche de surf, occupaient les étroites rues transversales. Passée une haute barrière d'arbustes, Harper engagea les roues de son vélo dans le sable mou du sentier. Ce matin, les vagues étaient inhabituellement bruyantes. Puis, quand enfin le sentier donna sur la plage, elle s'arrêta pour reprendre son souffle.

Le ciel bleu sombre et la mer grise se rejoignaient pour former un horizon infini. Le soleil, quant à lui, ne se pressait pas pour atteindre son apothéose. Il se levait à son propre rythme, impérieux, radiant, éclatant dans son étalage de couleurs claires belles à pleurer qui se reflétaient sur l'eau. Harper se sentait petite en présence d'un spectacle si profond et pourtant, en même temps, elle s'y sentait liée, possédant les moyens de participer de son éternité semblable à celle d'un dieu. Dans ce moment éblouissant, elle sentit cette lumière scintillante pénétrer son âme pour la remplir d'espoir. Harper comprit enfin pourquoi Carson aimait tant ce moment et s'était levée jour après jour pour le capter. C'était vraiment spirituel.

Elle serra avec force le guidon de sa bicyclette de plage. Le jour nouveau s'ouvrait devant elle comme une page blanche prête à ce qu'elle la remplisse de ses mots, de ses pensées, de ses sentiments. Elle s'était donné cet été pour découvrir (enfin) ce qu'*elle* désirait faire de sa vie. Plus jamais elle ne suivrait docilement ce que *sa mère* avait prévu.

Elle ne savait pas ce que son avenir lui réservait. Mais dans la lueur du soleil levant, Harper était remplie du sentiment titillant que son avenir ne faisait que commencer.

~

La mer l'appelait. Allongée dans la pénombre de sa chambre, Carson était en train d'écouter le rugissement incessant de son vieil ami l'océan. Il était rare que les vagues se soient fait entendre aussi bruyamment qu'en ce moment. Quand ç'avait été le cas, Carson avait toujours saisi sa planche pour aller à l'eau. C'était dans sa nature de le faire : de l'eau salée coulait dans ses veines.

Cependant, ce matin, Carson ne sauta pas hors de son lit, mais resta plutôt allongée, sans bouger, les mains sur le ventre. En effet, elle n'était plus libre de suivre ses fantaisies. Elle n'était plus la surfeuse sans peur ni la globe-trotteuse capable de lever le camp, de partir quand elle le souhaitait.

Elle laissa ses doigts lui caresser doucement le ventre, toujours plat malgré la vie qui grandissait sous la peau tendue. Pour ce qui était de son intuition féminine, il faudrait repasser… Il avait fallu l'écholocalisation d'un dauphin très intuitif pour lui révéler qu'elle était enceinte.

– Oh, mon bébé, dit-elle d'une voix douce, que vais-je faire de toi ? Je ne suis pas mariée, je n'ai pas de travail, pas même mon propre chez-moi. Comment vais-je prendre soin de toi ?

Elle se rappela alors sa dernière conversation avec Lucille, la nuit où elle était morte. Carson était tiraillée sur ce qu'elle devait faire avec sa grossesse. Elle était allée trouver Lucille pour s'asseoir à ses genoux comme elle l'avait souvent fait enfant et, une fois de plus, elle lui avait demandé conseil. Lucille ne lui avait pas dit quoi faire ; ce n'était pas son genre. La femme âgée avait plutôt guidé les pensées de Carson pour qu'elle trouve sa propre réponse. Jamais elle n'oublierait ses paroles.

Tu dois suivre ton instinct. Écoute-le, fie-toi à lui, et tu sauras quoi faire.

Elle savait que Lucille avait raison. Quand elle surfait, Carson devait en effet se fier à son instinct sur la vague afin de savoir quand poser le pied à gauche ou à droite. C'était une question d'équilibre.

Et maintenant, elle devait écouter son instinct. En ce moment, c'était insensé qu'elle ait un enfant, et tous ses arguments rationnels s'y opposaient. Cependant, son instinct, bien davantage que ces arguments rationnels, avait parlé avec force et clarté. Son instinct, ainsi que ses hormones endiablées, se dit-elle avec un petit rire. Ainsi, allongée sur le lit, à écouter l'écho que produisaient les vagues qui roulaient sur le rivage, Carson savait qu'elle devait chevaucher cette vague jusqu'à destination.

— Eh bien, mon bébé, déclara-t-elle alors en se tapotant le ventre, maintenant, c'est toi et moi. Je ne prendrai pas la fuite.

~

Le bras de Dora fit taire le réveille-matin. Encore tout endormie, elle ouvrit une paupière : il était 7 h.

— Debout, marmonna-t-elle.

Dora bougea, hébétée, habituée à cette routine. Elle mit rapidement ses vêtements de course, se passa de l'eau froide sur le visage, appliqua une lotion hydratante contenant une protection solaire avant de faire quelques étirements. Cet été, elle avait appris que ses exercices devaient être faits dès qu'elle se levait, car si elle attendait, elle se laissait aller à trouver mille excuses nulles pour se convaincre qu'elle n'avait pas le temps. Ainsi avait-elle appris à prendre du temps pour ce qui lui importait.

Or, rien ne lui importait plus que son fils.

Dora traversa rapidement le couloir et ouvrit avec précaution la porte de la chambre de Nate. L'odeur de renfermé lui fit plisser le nez. En effet, Nate, au contraire des autres habitants de Sea Breeze, n'aimait pas dormir avec la fenêtre ouverte. Quand il s'agissait de ce qu'il aimait et n'aimait pas, il était virulent, ne perdant pas un instant pour vous faire savoir si quelque chose allait ou, plus fréquemment, n'allait pas. Elle se dirigea le long du lit et resta un instant immobile à regarder le visage de son fils de neuf ans.

Son cœur déborda d'amour pour lui. *Un enfant avait-il jamais eu l'air aussi angélique en dormant ?* se demanda-t-elle. Ses longs cils clairs battirent contre ses joues, et ses lèvres étaient légèrement entrouvertes tandis qu'il respirait bruyamment.

Pour son âge, il était petit, mais cet été, à Sea Breeze, son corps malingre s'était rempli et sa peau bronzée respirait la santé. Sea Breeze lui avait été bénéfique, et à plusieurs niveaux. Il aimait l'eau maintenant. Cela la fit sourire : elle l'appelait d'ailleurs son petit poisson. Tandis que son regard, affamé, parcourait le visage de son fils, elle remarqua que ses cheveux blonds hirsutes avaient besoin d'être coupés, et elle prit note mentalement de l'amener chez le coiffeur. Cependant, pensa-t-elle en soupirant, ce serait une bagarre, car Nate détestait se faire couper les cheveux.

Pauvre petit, pensa-t-elle encore en tendant la main pour repousser doucement les cheveux de son front sur lequel elle sentit de la sueur. Cependant, une coupe de cheveux serait le moindre des changements qu'il aurait bientôt à affronter : en effet, son fils pleurnicheur et obstiné, qui détestait tout changement, devrait passer de la scolarisation à domicile à une salle de classe. C'était une grave décision, qu'elle avait mis beaucoup de temps et d'effort à prendre. Cependant, Dora avait trouvé une école privée pour enfants intelligents ayant des besoins spéciaux, comme l'exigeait le syndrome d'Asperger de Nate. Cette école proposait un enseignement particulièrement individualisé et un soutien comportemental à l'échelle de l'école entière. Dora devait accepter le fait que Nate était plus grand et avait besoin d'autre chose que ce qu'elle pouvait lui donner. Il devait apprendre à communiquer et à socialiser avec ceux de son âge.

Elle soupira. Tous deux devaient l'apprendre, car l'isolement leur avait été néfaste.

L'une des conséquences de sa décision était par ailleurs son intention de s'établir à Mount Pleasant, plus près de l'école. Une nouvelle école, un nouveau foyer…

Elle se pencha doucement pour lui embrasser la joue tout en respirant son odeur. Quand il était éveillé, Nate n'aimait pas qu'on l'embrasse.

– Tout va bien aller, murmura-t-elle près de son oreille. Maman est là. Je ne te laisserai pas tomber.

~

Tandis que Harper pédalait pour retourner à Sea Breeze, son esprit se remplissait de mots susceptibles de rendre compte de ce lever de soleil magnifique : *irisé, chatoyant, étincelant, éthéré, exaltant…* Harper rangea le vélo dans le garage et courut vers la maison, impatiente de se glisser dans sa chambre sans un bruit et de se mettre à écrire. Elle voulait décrire ce qu'elle avait vu et les sensations qui avaient tourbillonné telles de brillantes couleurs. Tandis qu'elle traversait la véranda arrière, une toux attira son attention. Elle tourna alors la tête vers le coin le plus reculé de la véranda et fut surprise d'apercevoir sa grand-mère, assise droite, imposante, dans l'un des grands fauteuils en osier noir. Dans la pénombre, vêtue de sa longue chemise de nuit de coton blanc, Mamaw semblait presque fantomatique.

– Mamaw ! s'exclama Harper. Que fais-tu dehors ?

Mamaw sourit tandis que Harper s'approchait, mais c'était un sourire fatigué. Ses yeux bleu clair étaient enfoncés dans leur orbite et ses bras étaient serrés autour de son corps maigre comme si elle avait froid.

– Je n'arrivais pas à dormir. Je me suis réveillée très tôt, et je ne cessais de ruminer, lui répondit-elle en remuant la tête. C'est si fatigant quand ça arrive. C'est un malheur de la vieillesse. J'ai donc abandonné et je suis venue ici m'asseoir un moment en pensant qu'un peu d'air frais m'aiderait peut-être.

Sur la table vitrée, Harper aperçut une rangée de cartes et son cœur se serra. Mamaw faisait une patience. L'image de Mamaw et Lucille faisant d'interminables parties de gin-rami sur la véranda à toute heure du jour et de la nuit lui revint en tête.

Harper s'empressa de placer les bras sur les épaules de sa grand-mère.

– Tu es ici depuis combien de temps ? s'enquit-elle, inquiète. Tu es gelée jusqu'aux os, ajouta-t-elle en lui frottant vigoureusement les bras pour essayer de la réchauffer.

– Humm… c'est bon. Merci, ma chérie.

Harper tira ensuite une chaise et s'y laissa tomber avant de se pencher vers l'avant, les coudes sur les genoux.

– Pourquoi t'es-tu mise à ruminer ?

– Oh… Je pensais à Lucille, lui répondit Mamaw avec tristesse.

Évidemment, pensa Harper.

– C'étaient de belles funérailles, n'est-ce pas ? demanda Mamaw.

– En effet. Je n'étais encore jamais allée à des funérailles gullah. Il y avait tant de chants, de larmes et de réjouissances.

– Et d'*amen,* ajouta Mamaw ironiquement.

Avec un sourire, Harper en convint. Les appels sans retenue, la passion, la sensation si puissante de communauté pendant l'office l'avaient émue.

– J'étais assise ici, reprit Mamaw les yeux vers les eaux, en train de regarder la crique, ce qui m'a rappelé ce dont le pasteur a parlé lors de l'office pour Lucille : leurs esprits ancestraux qui sont venus sur la côte de la Caroline du Sud, ceux qui sont venus de force et ceux qui, ensuite, sont venus à leur tour, qui ont vécu, prospéré, et qui sont morts ici. Ils travaillaient dur, faisaient cuire du riz, tendaient des filets à crevettes, élevaient leurs enfants et maintenant, ils sont tous passés à l'abondance de la vie après la mort. C'est à cela que Lucille croyait, tu sais. À la fin, elle était fatiguée et, oserais-je même dire, il lui tardait de traverser les eaux, soupira-t-elle tout en se souvenant. Je dois avouer que depuis ces derniers temps, je suis peut-être prête, moi aussi.

Harper se pencha alors vers elle pour lui prendre la main.

— Ne t'en va pas encore. Nous avons encore besoin de toi.

Mamaw esquissa un sourire, les lèvres tremblantes, qui quitta vite sa bouche.

— J'ai du mal à croire qu'elle est vraiment partie.

— Ça s'est produit si rapidement.

Harper, elle aussi, ressentait une profonde tristesse pour le bref combat de Lucille contre le cancer.

— Crois-tu à la vie après la mort ? la questionna alors directement sa grand-mère en la regardant.

Harper, après lui avoir lâché la main, se redressa et se gratta la tête en pensant que c'était vraiment une conversation pesante à avoir avant une première tasse de café. Elle ne s'était jamais faite à une conception d'un Dieu récompensant les bons par le paradis et les autres par une éternité de soufre et de feu. Toutefois, après maintes interrogations, elle en était venue à croire qu'il y avait un être suprême, et elle avait ressenti un lien avec cette puissance infinie ce matin pendant qu'elle observait le lever du soleil.

— Je suppose que oui, répondit-elle avec hésitation, je n'y pense pas beaucoup.

— Tu es jeune, répondit Mamaw avec un sourire triste. Tu te crois immortelle, mais arrivée à mon âge, tu y penseras… beaucoup.

— Je n'aime pas te voir ici, toute seule, à faire des patiences tout en pensant à la mort. C'est un brin morbide.

— Je ne me sens pas du tout morbide, bien au contraire, rétorqua alors Mamaw en tapotant la main de Harper avec un sourire fatigué. La mort est en train de devenir une vieille amie.

À ces mots, Harper se leva et tira sa grand-mère par le bras.

— Rentre, et je vais te faire un bon petit-déjeuner, quelque chose de chaud.

Cependant, Mamaw résista, en s'enfonçant dans son fauteuil.

— Je n'ai pas faim, je suis seulement décrépie…

— Et si je t'apportais une bonne tasse de café ?

Cette proposition requinqua Mamaw.

— Bon, je ne dirais pas non.

— Dans un instant !

Cependant, Harper s'arrêta. Mamaw avait toujours été une femme élégante prenant grand soin de son apparence. Elle avait été l'une des plus importantes dames de la haute société de Charleston, reconnue pour ses fêtes extravagantes tout autant que pour son élégante beauté. Aussi, voir Mamaw assise sur la véranda, toujours vêtue pour la nuit, ses cheveux blancs en broussaille flottant au vent, et emmitouflée dans un couvre-lit comme une clocharde secoua Harper jusqu'à la moelle. En effet, c'était révélateur de son état d'esprit.

Aussi lui fit-elle une suggestion téméraire.

— Mamaw, pendant que je prépare le café, pourquoi ne vas-tu pas t'habiller ?

Celle-ci tourna la tête pour révéler un visage sévère aux sourcils froncés.

— Je te demande bien pardon ?

Harper s'empressa de répondre.

— Tu ne te souviens pas que tu avais l'habitude de nous raconter que Thomas Jefferson écrivait des lettres à sa fille de 11 ans sur le comportement français ? Il lui conseillait vivement de toujours se lever et de s'habiller avec promptitude, propreté et élégance, lui rappela Harper avant de s'arrêter, heureuse que sa grand-mère l'écoute. Tu nous disais que ta mère te lisait ses lettres, et tu nous les lisais aussi. De plus, si tu nous surprenais en train de traîner en pyjama, tu nous renvoyais droit dans nos chambres pour que nous nous habillions.

— Je suis enchantée d'apprendre que tu écoutais, répondit Mamaw en lui tendant la main d'une manière royale.

Harper la saisit alors et l'aida à se lever.

— Très bien. Le soleil est levé, aussi devrais-je me lever avec lui. Pour paraphraser Scarlett O'Hara, c'est un jour nouveau.

CHAPITRE 2

La cuisine était aussi silencieuse qu'une tombe.

C'était ici, dans cette pièce, que l'absence de Lucille se faisait le plus sentir. Chaque matin, pendant les étés d'enfance de Harper passés dans cette île, elle était venue encore tout endormie dans la cuisine pour y être accueillie par le bruit métallique des chaudrons, l'odeur du café, du pain brioché dans le four, le bacon qui crépitait sur la cuisinière, et par un bonjour jovial de Lucille. Le silence relatif lui faisait maintenant profondément mal au creux de la poitrine.

Harper, sur le seuil, observa la pièce vide et peu éclairée à travers son regard de femme pragmatique, non troublé par le flou de la nostalgie. C'était la cuisine typique d'une maison ayant autrefois employé des domestiques. Elle possédait ce que les gens qui travaillaient dans l'immobilier appelaient une bonne structure. La pièce était grande, avec des fenêtres donnant sur la crique et un office de maître d'hôtel avec des vitrines le séparant de la salle à manger. Tout cela était charmant, encore que dépassé. Pour elle, cette pièce était comme une robe du temps jadis qui avait besoin d'être bien nettoyée, et peut-être d'une nouvelle fermeture à glissière.

Les murs, qui avaient autrefois été de couleur beurre, paraissaient aujourd'hui rances et les électroménagers étaient vétustes. Harper fronça les sourcils en voyant la vaisselle sale dans l'évier et un paquet de biscuits à la figue vide dont les miettes étaient répandues sur la longue table en bois. Lucille n'aurait-elle pas affirmé qu'elle irait «chercher une badine» si elle avait vu l'état de sa cuisine normalement impeccable?

Harper entra dans la pièce vide en plissant le nez à l'odeur amère du marc de café et des poubelles de la veille. Elle jeta le filtre froid puis se dirigea vers l'évier afin de prendre de l'eau pour préparer du café frais. Lorsqu'elle souleva l'éponge qui reposait dans l'évier, une énorme blatte se faufila. Harper poussa un cri, laissa tomber la cafetière dans l'évier et fit un bond en arrière. Le vacarme fit voler l'énorme insecte à côté de sa tête.

Dora arriva dans la cuisine en courant, les yeux écarquillés et à l'affût.

– Harper, tout va bien?

– Oui, lui répondit-elle à bout de souffle, les mains sur son cœur qui battait à tout rompre.

– Tu as crié au meurtre!

– C'est que je viens juste de voir la plus énorme blatte. Du moins, je… je pense que c'en était une. Je te jure… elle a *volé* juste à côté de moi.

À ces mots, le visage de Dora changea et elle éclata de rire.

– Ce n'est pas drôle, riposta Harper d'un ton acerbe en observant Dora dans son costume de sport gai avec ses cheveux blonds en queue de cheval.

De manière ironique, au début de l'été, des trois sœurs, c'était Harper qui était la joggeuse, mais depuis que Dora s'était mise à faire des exercices de manière régulière, elle avait été (littéralement) sur les talons de Harper.

Sa sœur aînée ne put que s'appuyer contre le cadre de la porte pour rire encore davantage.

Juste à ce moment, Carson se précipita dans la cuisine avec l'air de venir de sauter du lit. Elle était toujours en pyjama, et ses longs cheveux noirs étaient détachés le long de son dos.

— Que s'est-il passé ? demanda-t-elle les yeux agrandis par l'inquiétude. Quelqu'un s'est blessé ?

Tout en agitant le bras pour la calmer, Dora étouffa son rire.

— Il n'y a pas de quoi s'inquiéter, la rassura-t-elle, puis, voyant le regard de Carson, elle ajouta avec un sourire ironique : Harper a vu une blatte américaine.

— Pas *seulement* une blatte, se défendit Harper. Une blatte qui était de la grosseur d'un rat.

À ces mots, un véritable sourire d'amusement se profila sur le visage de Carson.

— Ah, alors notre petite sœur a fait connaissance avec l'oiseau officiel de la Caroline du Sud ?

De nouveau, des rires éclatèrent.

Harper n'aimait guère être l'objet de leurs plaisanteries de femmes du Sud. Bien que les trois demi-sœurs aient partagé le même père, chacune avait une mère différente et avait grandi dans des parties distinctes du pays. Dora et Carson avaient toutes deux été élevées dans les Caroline (du Sud et du Nord), et Harper, à New York. Aussi adoraient-elles taquiner leur Yankee de sœur au sujet de ses mœurs de citadine et de sa maigre familiarité avec tout ce qui concernait le Sud.

— Si vous les connaissez si bien, allez l'attraper, les défia-t-elle d'un air renfrogné.

— Pas question que j'attrape ce truc, refusa Dora en remuant la tête. J'envoie toujours un homme s'en occuper. Ce sont eux les chasseurs, non ? Mon boulot, c'est de sauter sur une chaise et de hurler.

— Ne me regarde pas, renchérit Carson.

— Je pensais que tu étais la fille nature, la relança Harper.

— J'affronterais un requin n'importe quand plutôt que ces bestioles. Mais je pense que Mamaw a un des fusils de chasse de grand-papa Edward. Tu pourrais tirer dessus.

Dora se joignit à Carson pour un éclat de rire redoublé.

Au cours des derniers mois, en travaillant dans le jardin, Harper était devenue bien trop familière de la faune qui pullulait sur la côte : les insectes, les lézards, les grenouilles, les serpents. Elle avait appris à composer avec eux, mais elle doutait de ne jamais s'habituer à ce qu'ils lui sautent dessus. Une fois, alors qu'elle arrachait des mauvaises herbes des plantes du jardin, un serpent en était sorti à toute vitesse. Lucille lui avait alors expliqué que les herbes étaient l'une des cachettes préférées des serpents, raison pour laquelle les tisseuses de paniers envoyaient toujours leurs hommes chercher la glycérie pour elles.

— Je pense que je préférerais affronter un serpent venimeux qu'une blatte américaine, indiqua Harper, mais je ne laisserais pas cette damnée blatte faire de moi le dindon de la farce, ajouta-t-elle avant de prendre une épaisse boulette d'essuie-tout, de serrer les dents et de se diriger avec détermination vers l'évier où, pensait-elle, elle avait vu atterrir l'insecte.

— Mais que fais-tu donc ? lui demanda alors Dora.

— Que penses-tu que je fais ?

Ses sœurs la regardèrent alors se diriger vers l'évier le bras tendu, prête à bondir vers l'arrière, pousser la cafetière sale, puis l'éponge. Soudain, à toute vitesse, l'insecte s'échappa, pas assez vite cependant. En effet, Harper se jeta sur lui avant d'entendre un son sec et répugnant qui lui retourna l'estomac. Elle s'empressa ensuite de mettre l'insecte à la poubelle et se retournant vers ses sœurs, elle vit avec une grande satisfaction l'air de stupeur mêlée d'admiration sur leurs visages.

— Ne le jette pas, déclara Carson. Tu devrais lui couper la tête et les ailes et les épingler autour de la maison comme avertissement aux autres insectes pour ce qui les attend s'ils entrent.

— Elle est bonne celle-là, admit Dora en riant.

— Moi, je vais vous dire ce qui *n'est pas* drôle, lança Harper en fronçant les sourcils : l'état de cette cuisine, continua-t-elle en agitant le bras pour indiquer la vaisselle et les miettes sur la table, puis l'évier débordant de plats. De la vaisselle sale laissée dans l'évier, des miettes sur la table. Pas surprenant que nous ayons des insectes, dit-elle en secouant la tête. Lucille doit être en train de se retourner dans sa tombe.

Dora et Carson, immédiatement calmées, regardèrent la cuisine avec un air sombre.

— Et il ne s'agit pas seulement de la cuisine, reprit Harper. Il y a une couche de poussière sur les meubles, des moutons par terre.

— Mamaw a dû annuler le service de nettoyage, souligna Dora. Elle a dit qu'elle avait dû limiter ses dépenses. Le fait que, nous toutes, nous habitions ici, que nous mangions sa nourriture et utilisions son eau chaude a vraiment fait augmenter ses dépenses mensuelles.

— Sans mentionner les chambres qu'elle a créées pour nous, ajouta Harper.

— Nous nous comportons toujours comme si nous étions les petites filles qui venaient ici l'été, remarqua Dora en remuant la tête. Tout ce que nous faisions, c'était jouer, manger, nous battre et penser à nous-mêmes, sans effectuer la moindre tâche ménagère, ou presque. Et nous continuons. Sauf que nous ne sommes plus des petites filles, n'est-ce pas ?

Harper se dirigea alors vers la table et s'empara du paquet de biscuits presque vide.

— Bon, qui a mangé tous les biscuits en laissant simplement le paquet sorti, miettes en prime ?

Les cheveux dans les airs comme une princesse amazone sur le sentier de la guerre, Carson se dirigea alors agressivement vers Harper pour lui arracher le paquet des mains. Elle prit le dernier biscuit à la figue, qu'elle goba.

— Je suis désolée, cracha-t-elle, mais j'avais faim. Eh, je suis enceinte. N'as-tu donc jamais entendu parler des fringales de minuit ? Ce sont des choses qui arrivent.

Harper regarda l'abdomen de Carson en se demandant de nouveau comment un bébé pouvait être en train de grandir au sein de ce ventre plat et tendu.

— Nous nous fichons que tu manges les biscuits, reconnut Dora, manges-en tant que tu veux, mais ensuite, nettoie ! Nous ne sommes pas tes bonnes. De toute manière, il n'y a pas que Carson qui salit, c'est nous toutes.

— Évidemment, tu as raison, répondit Carson en regardant ses sœurs, nous ne pouvons nous attendre à ce que Mamaw prenne soin de nous, et elle ne le devrait pas non plus. C'est nous qui devrions prendre soin d'elle.

— Amen, s'exclama Dora.

— À ce propos, je voulais en discuter avec vous, intervint Harper, que le sujet commençait à intéresser. Elle m'inquiète. Vous voulez deviner où je l'ai trouvée ce matin ? leur demanda-t-elle avant de marquer un temps pour les voir hocher la tête avec curiosité. Assise sur la véranda en train de faire des patiences.

À ces mots, Dora, hébétée, resta sans voix.

— À faire des patiences ? répéta Carson, l'air affligé. Comme c'est pathétique.

— Elle m'a même demandé si je croyais à une vie après la mort.

— Non… soupira Carson.

— Que Dieu la bénisse, édicta Dora en remuant la tête, désolée.

— Elle a du mal avec la disparition de Lucille, poursuivit Harper.

— Lucille était aux petits soins avec Mamaw, expliqua Dora, et quand Lucille est tombée malade, c'est Mamaw qui a été aux petits soins pour elle. J'imagine qu'en ce moment, elle est encore plus seule que Dieu.

– Elle ne devrait pas rester assise toute seule, remarqua Carson. Nous pourrions penser à des choses à faire en sa compagnie, pour la faire sortir de la maison.

– Nous pourrions aller à Charleston faire une virée dans les magasins, suggéra Dora, puis prendre le thé à Charleston Place, peut-être un peu de champagne, des trucs de filles. Elle aimerait.

– Nous pourrions jouer au gin-rami avec elle, comme le faisait Lucille, proposa Carson. Mamaw adore jouer aux cartes.

– Je ne sais pas jouer, protesta Harper.

– C'est facile, je peux t'apprendre, répondit Carson, dont le débit s'accéléra sous l'effet de l'excitation. Et si nous jouions aux cartes toutes ensemble comme nous faisons l'été quand nous étions petites ? J'adorais ça. Quel était le nom de ce jeu auquel nous jouions ?

– La canasta ! s'écria Dora, les yeux brillants.

– Oui, c'est ça ! répliqua Carson.

– Je ne me souviens pas comment on y joue, non plus, contra Harper. Quelqu'un sait jouer au bridge ?

– Ça doit être la canasta, rétorqua Carson en remua la tête.

– Ou le jeu de cœur. Nous jouions à ça aussi, ajouta Dora avec autorité.

– Un instant, intervint Harper. Avant de nous mettre à jouer, pourrions-nous parler travail ? Il faut nous répartir les tâches ménagères.

– C'est juste, lâcha Carson en faisant un salut militaire et en esquissant un sourire ironique tout en se dirigeant vers le petit bureau. Depuis quand t'es-tu transformée en général ? poursuivit-elle en fouillant dans le meuble. Nous pouvons établir un horaire, comme celui que j'avais fait pour Nate en Floride.

– Je ne crois pas que nous ayons besoin de dessins de bonshommes, de soleils et de lunes, lâcha Dora dans sa direction.

— Ha, ha, lança malicieusement Carson en retournant à la table les mains pleines de papier et de stylos. Bon, j'ai du papier, des feutres, des stylos, indiqua-t-elle en tirant une chaise pour s'asseoir avant de placer ses instruments devant elle avec enthousiasme.

— Vous deux, débrouillez-vous pour déterminer qui fait quoi. De mon côté, je m'occupe du tableau.

Le regard de Dora croisa celui de Harper et elle sourit. C'était amusant de voir l'indépendante Carson prendre part à quelque chose d'aussi méthodique qu'un horaire.

— Moi, je vais faire du café, déclara Harper en se dirigeant vers l'évier, animée d'une détermination nouvelle. Prendre des décisions sans ma dose de caféine, ce n'est pas mon fort.

Elle s'approcha de l'évier avec hésitation avant de saisir l'éponge à deux doigts. Jetant un regard par-dessus son épaule, elle vit ses deux sœurs en train de l'observer.

Celles-ci éclatèrent de nouveau de rire.

— Ce n'est pas drôle ! s'écria Harper, qui cette fois rit, elle aussi.

— Pour le café, je passe, souligna Carson en se tapotant l'abdomen. Ça me donne la nausée.

— Dans ce cas, en apporterais-tu une tasse à Mamaw ? demanda Harper. Je l'ai envoyée dans sa chambre pour qu'elle s'habille. La pauvre traînait en chemise de nuit.

— Vraiment ? s'étonna Carson, l'air interloquée. Zut, elle doit être sérieusement mal en point. Au travail !

Une fois que Harper eut fait du café, Dora débarrassa la longue table en bois et essuya les miettes. Bien vite, de grandes tasses de café fumant ainsi qu'une pile de rôties aux raisins secs furent posées sur la table. L'odeur du café et de la cannelle remplissait l'air tandis que les trois femmes s'asseyaient ensemble et se mettaient à planifier. D'abord, elles établirent un horaire officiel des tâches devant être accomplies quotidiennement et hebdomadairement. Il fallut cependant un peu plus de temps pour répartir le travail, chacune d'entre elles argumentant sur qui accomplissait le mieux chacune des tâches. Finalement, elles déterminèrent un horaire pour la préparation des repas et des courses. En fin de compte, personne ne se plaignit, et Harper se sentit soutenue par la coopération de ses sœurs.

Tandis qu'elles travaillaient, elles évoquèrent les repas que Lucille avait préparés, les conseils maison qu'elle avait donnés tout en riant des anecdotes qu'elles se racontaient. Harper se fit alors la réflexion que parler de Lucille maintenait son souvenir en vie dans leurs cœurs et dans leurs mémoires. Puis, une fois que l'horaire fut terminé, elles l'affichèrent sur le réfrigérateur avec des aimants avant de prendre un peu de recul pour l'admirer.

– Je doute qu'il y ait quoi que ce soit dans cet horaire qui m'aide à organiser ma vie, admit Carson avec un soupir triste, mais au moins, la maison sera propre.

– Comme tu dis, ajouta Harper, et les deux femmes choquèrent leurs tasses.

– À propos d'horaires, commença Dora en allant porter sa tasse dans l'évier, désolée de mettre des bâtons dans les roues de nos tout nouveaux plans, mais je ne sais pas pour encore combien de temps je ferai partie de votre équipe de travail.

– Pourquoi? l'interrogea Carson en tournant brusquement la tête.

Dora posa sa tasse sur le comptoir avant de prendre une grande respiration.

– C'est que j'ai pris certaines décisions.

Ses sœurs s'assirent tout en la regardant avec grand intérêt.

– Je ne retournerai pas à Summerville. J'ai décidé de rester par ici, probablement à Mount Pleasant.

– Nate sera content, remarqua Carson, il adore l'eau.

– Nate est la principale raison pour laquelle je reste.

– Et Devlin… ajouta Carson malicieusement.

– Lui aussi, reconnut Dora en riant. Mais… la principale raison est que j'ai trouvé une école pour Nate. La rentrée est la semaine prochaine.

Cette nouvelle fut accueillie avec un silence surpris.

Harper, enchantée par cette nouvelle, ressentit quand même le besoin de lui demander :

– Alors tu ne le scolariseras plus à domicile ?

Dora fit non de la tête puis se tourna vers l'évier dans lequel elle fit couler du savon avant d'ouvrir l'eau chaude. Celle-ci s'échappa du robinet tandis que la cuvette se remplissait.

– Non. J'ai décidé d'envoyer Nate à la Trident Academy, une école privée dont le programme pour les enfants atteints du syndrome d'Asperger est fantastique, expliqua Dora tout en fermant le robinet avant de se tourner vers ses sœurs. J'y ai bien réfléchi, et il est temps que Nate côtoie d'autres enfants ; il est temps que, moi aussi, je sorte davantage, ajouta-t-elle tout en prenant l'éponge pour l'étudier. J'ai donc commencé à chercher un appartement à Mount Pleasant. Mais alors, laissez-moi vous dire que ce n'est pas facile de trouver une location que je peux me permettre.

– Tous ces changements pour Nate, ça ne t'inquiète pas ? Tous en même temps ? s'enquit Harper.

– Bien sûr que si, répondit Dora, l'air troublé. Quitter Sea Breeze, une maison qu'il adore, pour emménager dans un appartement qu'il ne connaît pas sera difficile pour lui. Il va en outre intégrer une nouvelle école avec un nouveau programme, renchérit Dora en se tournant vers l'évier pour se mettre à faire vigoureusement la vaisselle. Voilà pourquoi je dois l'installer dans un appartement permanent le plus rapidement possible. Nous savons toutes comme il a du mal à faire la transition.

De son côté, Harper se leva pour prendre la vaisselle qu'il y avait sur la table et la mettre dans l'évier.

– Comment pouvons-nous t'aider ?

– Simplement en lui posant des questions à ce sujet, répondit Dora en la regardant avec gratitude, en mentionnant l'école, en lui rappelant combien de jours il reste avant la rentrée, ce genre de truc, pour qu'il se fasse à l'idée et que ce ne soit pas un choc brutal. À la fin de la semaine, il visitera l'école, ce pour quoi j'espère que Cal se joindra à nous.

– Cal appuie ta décision ? s'étonna Carson en ouvrant un tiroir pour y prendre un chiffon. Voilà qui est nouveau.

– Tu connais Cal. Il doit avoir l'impression qu'il a du pouvoir.

– Que signifie le pouvoir dans ce scénario ?

– Dans un premier temps, il a fait des difficultés en raison du coût des droits de scolarité, énonça Dora en tendant un plat humide à Carson. Ils sont élevés, impossible de le nier. Cependant, quand je lui ai dit que je prendrais un emploi pour en payer la moitié, il s'est calmé. Maintenant, il peut raconter quel bon père il est à tout un chacun parce qu'il envoie son fils dans une école privée, conclut-elle avant de grimacer. Ce n'était pas gentil, ça, n'est-ce pas ?

– Simplement honnête, précisa Carson malicieusement. Tu veux acheter ou louer ?

– Mon Dieu, je ne peux pas me permettre d'acheter une maison à oiseau jusqu'à ce que mon divorce soit réglé et la maison à Summerville, vendue. Alors, c'est un peu effrayant, mais excitant aussi, ajouta Dora avec un petit rire. J'ai 38 ans et pour la première fois de ma vie, je vais avoir mon propre chez-moi, conclut-elle avant de retirer le bouchon de l'évier puis, s'étant tournée, d'arracher le torchon des mains de Carson.

– Tu as l'air heureuse, indiqua Harper, qui voyait sur le visage de sa sœur une confiance nouvelle.

– Je pense que ce que tu vois, c'est de l'hystérie, rétorqua Dora en renâclant tout en s'essuyant les mains avant de baisser les bras et de laisser pendre le torchon dans ses mains. Traverser un divorce n'a rien de joyeux. Dix ans de mariage…

poursuivit-elle avant de claquer des doigts. Terminé. Et dans cette expérience se confond tout un monde de souffrance. Mais, reprit-elle d'une voix optimiste, c'est un nouveau départ, la fin d'une longue période pendant laquelle j'ai été malheureuse.

— Je suis fière de toi, sœurette, la félicita Carson.

— J'ai beaucoup de choses à faire très rapidement, ce qui semble être mon refrain, ces derniers temps. Au moins puis-je bénéficier sans difficulté d'un covoiturage d'ici jusqu'à l'école en attendant d'avoir trouvé un appartement, dit-elle avant de regarder la pièce autour d'elle. Dieu merci, il y avait Mamaw et Sea Breeze. C'est ce qui nous a sauvés. Mais avec la vente de la maison qui est imminente, nous devons toutes être conscientes qu'il faut partir.

Un long silence s'ensuivit.

Puis, Dora lança le torchon sur le comptoir avant de se tourner vers Harper.

— Et toi ? Que feras-tu à la fin de l'été ?

— Je ne sais pas encore, lança Harper évasivement en s'appuyant contre le comptoir tandis qu'en elle, les pensées tourbillonnaient.

Elle avait fouillé Internet à la recherche de postes dans le domaine de l'édition et avait écrit, tout en restant physiquement occupée dans le jardin. Mais il n'y avait rien à rapporter, et certainement rien qui transformait autant une vie que le bébé de Carson ou Dora progressant à toute vitesse dans son existence.

— Je suis toujours en train de réfléchir.

— Tout va bien ?

— Tout va parfaitement bien, la rassura Harper tout en se forçant à sourire, de nouveau évasivement.

Sur ce, Dora tourna son regard vers Carson.

Celle-ci leva les mains comme un bouclier.

— Le loyer est gratuit, je vais rester ici aussi longtemps que je pourrai.

Harper trouva son attitude défaitiste.

– Pas de chance sur le front de l'emploi ?

– Il n'y a pas une grande demande pour les photographes de natures mortes à Charleston, ajouta Carson d'un ton sarcastique avant de poursuivre avec plus de sérieux : j'ai frappé à la porte de tout le monde à Los Angeles, mais pour le moment, ça n'a toujours rien donné. J'ai téléphoné à tout le monde, vraiment à tout le monde, c'en est gênant. Mais j'ai besoin de trouver *quelque chose*. Quand je dis que les coffres sont vides, je ne plaisante pas.

– Je pourrais te prêter un peu d'argent, proposa Harper avec hésitation tout en détournant le regard, car la question de sa famille riche et de son fonds fiduciaire avait toujours été délicate entre Carson et elle.

– Merci, sœurette, mais je ne veux pas sentir que je te suis redevable. De plus, notre relation est trop importante pour que je risque de la compromettre.

Harper pouvait lui en être reconnaissante. Elle regarda de nouveau Carson avec un sourire malicieux.

– Et si je te payais pour un boulot ?

– Comme quoi ? demanda Carson en inclinant la tête.

– Comme le surf, répondit Harper après avoir considéré la question. J'ai toujours voulu apprendre. Je pourrais te payer à l'avance pour une série de leçons. Qu'en dis-tu ?

– J'adorerais, concéda cependant Carson d'un ton grave, mais le surf n'est pas vraiment recommandé aux femmes enceintes, car, si jamais tu avais oublié… ajouta-t-elle en faisant un geste vers son ventre.

– Mais je pensais… laissa échapper Dora.

– Que pensais-tu ? s'enquit Carson en lui lançant un regard calme et assuré.

Harper entendit le défi glacial et se tendit, craignant que fasse de nouveau irruption la question de l'avortement entre la conservatrice Dora et la libérale Carson. Aussi se joignit-elle à la conversation.

— Elle pensait, tout comme moi, que tu avais décidé de ne pas garder ce bébé.

— Je n'étais pas consciente d'avoir choisi quoi que ce soit, rétorqua Carson avec un air difficile à interpréter.

— Oh, répliqua Harper en saisissant sa tasse pour en prendre rapidement une gorgée.

Un silence embarrassé qui contrastait vivement avec le badinage plein d'aisance des instants précédents s'ensuivit.

Mais lorsqu'elle vit ses sœurs confuses, le visage de Carson changea.

— Je suis allée parler à Lucille, la nuit où elle est morte.

— Vraiment ? se surprit Dora en inclinant la tête pour saisir chacune de ses paroles. De quoi avez-vous parlé ?

— Oh, nous avons parlé de toutes sortes de choses, de Mamaw, de Blake, du bébé...

Puis, tout en regardant ses sœurs, elle ajouta :

— De vous deux.

Celles-ci pouffèrent de rire tout en marmonnant leurs commentaires sur ce qui pouvait avoir été dit.

— On dirait que c'était à peine la nuit dernière, formula Carson.

— Je sais, soupira Dora en compatissant. Elle me manque terriblement, tout comme à Nate, ajouta-t-elle avant de se tourner vers Carson avec un réel intérêt. Alors, que t'a-t-elle dit ?

— Elle ne m'a pas dit quoi faire, ça n'aurait pas été son genre, mais c'était une soirée pleine d'émotions. J'étais en larmes et elle m'a consolée, déclara Carson en remuant la tête avec incrédulité. Elle était en train de mourir et c'était elle qui me consolait.

— Voilà bien Lucille, convint Dora.

— Elle m'a dit qu'autrefois, elle me regardait surfer, reprit Carson en jouant avec son ongle tout en essayant de garder une voix calme. Et pendant toutes ces années, jamais je ne l'ai su.

– C’était tout à fait son genre, commenta Dora.

– Elle et Mamaw, toutes les deux. Nous avons parlé des vagues et du fait qu’elle se rendait compte, en me regardant, que je savais instinctivement comment bouger, où placer mes pieds pour rester en équilibre. Elle m’a aussi dit de me rappeler que j’avais un bon instinct, et que je devais m’y fier, maintenant plus que jamais.

– Et que te dit ton instinct en ce moment ? demanda Harper avec douceur.

– Mon instinct, répondit Carson en posant les mains sur son ventre, me dit d’arrêter d’être obsédée par cette décision et de tout simplement être, de vivre, de laisser vivre. Ce bébé est là, indiqua-t-elle en se tapotant doucement le ventre. Il faudra simplement que je règle les détails à mesure.

Un instant de silence stupéfait s’en suivit.

– Tu veux dire… Tu gardes le bébé ? s’enquit Dora.

Carson hocha la tête.

À ces mots, les yeux de Dora s’écarquillèrent tandis qu’elle comprenait.

– Nous allons avoir un bébé ! s’écria-t-elle avec joie en claquant des mains et en sautant presque sur sa chaise.

Carson leva cependant la main pour apaiser cette explosion.

– Ne recommençons pas avec ça. J’essaie de me faire à cette idée, tu me connais. Le simple fait de penser que je suis liée à quoi que ce soit, à qui que ce soit, me fait paniquer, souligna-t-elle avant de poser sa main sur son cœur. Oh, mon Dieu, j’ai le cœur qui bat à tout rompre rien que d’y penser. Je ne suis pas certaine d’être prête, si tant est que je le sois un jour. D’une certaine manière, je crains de me perdre moi-même, de devenir invisible.

– Tu ne disparaîtras pas, lui promit Dora en lui saisissant la main, nous ne te laisserons pas le faire.

– Tu brilleras, ajouta Harper.

— Promettez-moi que vous ne cesserez pas de me le rappeler, les implora Carson.

— Nous allons avoir un bébé ! répéta Dora en portant les mains à ses joues tant elle était émerveillée.

— Pas si vite, ma sœur, la prévint Carson. Allons-y un jour à la fois, comme tu disais.

— Et Blake, il est au courant ? questionna Dora.

— Non, admit Carson en remuant la tête, et tu ne lui diras pas, ni à Devlin.

Dora ouvrit alors la bouche pour argumenter, mais à la réflexion, la referma.

Dora a vraiment changé, pensa Harper, heureuse de voir que sa sœur aînée faisait preuve d'un peu de retenue là où, il y avait à peine quelque temps, elle aurait poursuivi lourdement avec ses conseils non sollicités.

— D'accord, dit Harper à Carson, je suppose donc que je te paierai pour les leçons de surf *en avance.*

— Ouais, d'accord, accepta Carson en riant avec soulagement et résignation. Et merci.

— Si vraiment tu veux me remercier, tu peux commencer à passer l'aspirateur, offrit Harper en s'écartant du comptoir. Ne t'imagine pas que parce que tu es enceinte, tu vas te la couler douce. Dora, tu dois t'occuper des poubelles et, pour info, demain, c'est le recyclage. Moi, j'entame la cuisine. Allez, les filles, s'exclama Harper en claquant des mains. Nous sommes en train de gaspiller la lumière du jour.

— Mais, c'est *qui,* cette fille ? s'exclama alors Dora en regardant Carson les bras grands ouverts en un geste d'incrédulité.

~

Quelques heures plus tard, Mamaw entra dans la cuisine pour préparer le déjeuner. Elle fut immobilisée sur le seuil par un spectacle de désordre absolu. Le contenu entier des placards (des boîtes, des conserves, les épices, toute la vaisselle et tous les plats) avait été sorti et regroupé en piles sur la table et les comptoirs.

Mamaw posa une main sur le montant de la porte et regarda avec un silence stupéfait les chaudrons et les poêles qui jonchaient le sol.

– Mais bon sang…

Harper était en train de récurer l'intérieur d'un placard. En entendant la voix de sa grand-mère, elle se dégagea du profond espace de rangement avant de lever la tête, l'éponge qu'elle avait à la main répandant de l'eau par terre.

– Salut, Mamaw, la salua-t-elle d'une voix enjouée.

– Mais ma petite, au nom du ciel, que fais-tu donc ?

– Je nettoie la cuisine.

Évidemment, pensa Mamaw avec tristesse, pour Harper, il ne suffisait pas de simplement y mettre de l'ordre, il fallait qu'elle la démonte pour la réorganiser ensuite. *Mais où trouve-t-elle donc cette énergie ?* se demanda Mamaw, qui ne pouvait se rappeler en avoir jamais eu de ce genre. Il semblait que les talents domestiques de Harper, latents pendant toutes ces années, faisaient irruption à Sea Breeze.

– Je suis venue pour préparer quelque chose pour le déjeuner, reprit-elle en tendant les bras vers la table, mais il n'y a pas la place pour faire une tasse de thé, et encore moins un repas. Tout est un peu partout !

– C'est déjà l'heure du déjeuner ? se surprit Harper en regardant le désordre autour d'elle. J'ai perdu la notion du temps. Je me suis mise à nettoyer les tiroirs et… Oh, Mamaw, ajouta-t-elle en grimaçant, ils étaient tellement sales et poussiéreux. Ça m'a conduite aux placards. Sais-tu seulement quand quelqu'un les a nettoyés pour la dernière fois ? Et il n'y a aucune logique dans la manière dont les objets sont disposés, tout est désordonné et…

Elle en frémit de dégoût.

– Je mets des pièges à blattes partout. C'est la guerre!

Mamaw ressentit un pincement de culpabilité qu'on critique la cuisine de Lucille, comme si, au fond, elle aurait dû la défendre. Pourtant, à vrai dire, Lucille avait été tellement malade avant de mourir que, la plupart du temps, elle avait eu bien peu d'énergie pour quitter son petit cottage et encore moins pour prendre d'assaut la maison et mettre de l'ordre. En fait, même auparavant, elle avait perdu son zèle pour le nettoyage et les projets. Non pas que Mamaw puisse le lui reprocher, car elle se sentait comme ça, elle aussi. La vieillesse avait une manière de vous remettre à votre place.

– Mais pourquoi les chaudrons et les poêles sont-ils à la poubelle? demanda-t-elle en pointant du doigt un sac de déchets en particulier.

– Ouais, à ce sujet, commença Harper en ayant le tact d'avoir l'air penaude avant de s'accroupir pour poursuivre. Franchement, Mamaw, il y en a certains qu'il faut jeter.

– Non! Tu ne peux pas les jeter, Lucille les a utilisés pendant 50 ans.

– C'est exactement ce que je veux dire : ils ne sont plus bons. Regarde cette poêle en fonte, par exemple, avança Harper en prenant dans le sac une poêle rouillée à la longue queue en bois, du dégoût se profilant sur son visage.

Mamaw, dont le visage reflétait l'horreur, se précipita pour arracher la poêle des mains de Harper.

– C'était la poêle de ma mère! Sa mère la lui avait donnée pour son mariage, et elle me l'a ensuite donnée. Je la conservais pour l'une d'entre vous. C'est un objet de famille.

– Oh, lança Harper, l'air légèrement honteux, mais, comment dire, qui l'utiliserait? Elle est toute rouillée.

– Elle a simplement besoin d'être traitée à l'huile, rétorqua Mamaw avec une note de mépris. Toute bonne ménagère du Sud comprend les sentiments attachés à une poêle transmise de génération en génération, et sait comment l'entretenir.

Laisse-moi te dire que cette poêle est tout à fait bonne. Je te montrerai comment la traiter. C'est une chose que tu dois savoir.

Harper regarda la poêle rouillée avec un air douteux, mais ne voulut pas se disputer avec Mamaw à ce sujet.

– Merci, eut-elle la politesse de répondre. D'accord, la poêle est un trésor. Mais ces chaudrons en aluminium, poursuivit-elle, déterminée à ne pas se laisser dissuader, ils sont irrécupérables et, franchement, ils ne sont plus sûrs à utiliser.

– Lucille a préparé de très bons repas dans ces chaudrons.

– Il ne s'agit pas de la cuisine de Lucille, Mamaw. Je sais que tu leur es attachée, mais ils sont tellement usés qu'ils sont presque troués. De plus, en ligne, j'ai appris que non seulement du métal dangereux filtre de ces vieux chaudrons et poêles en aluminium, mais en plus, des études ont établi un lien entre les instruments de cuisson en aluminium et la maladie d'Alzheimer.

– Oh, répondit Mamaw, dont cet argument fit taire les plaintes.

– Aujourd'hui, je vais sortir pour en acheter de nouveaux en acier inoxydable.

– Il ne faut pas que tu dépenses ton argent…

Harper leva le bras pour arrêter les objections de sa grand-mère.

– De toute manière, j'en aurai besoin si j'ai mon propre appartement.

À ces mots, l'attention de Mamaw se fit plus vive.

– Tu fais des plans, n'est-ce pas ? Tu vas bientôt rentrer à New York ?

– Je suppose, convint Harper en haussant les épaules avant de regarder sa grand-mère. J'ai intérêt à me mettre à préciser ces plans, je le sais. Mais en attendant, reprit-elle sur un ton plus enjoué, Dora, Carson et moi nous sommes réunies ce matin comme une bande de vieilles sorcières et nous nous sommes parlé à cœur ouvert.

– C'est vrai ? s'exclama Mamaw. Je suis si contente.

– Il y avait une raison à tout cela. Nous savons que tu as annulé le service de nettoyage et nous n'avons pas collaboré. Alors, nous avons pris nos responsabilités et nous avons réparti les tâches ménagères. Nous avons aussi organisé la préparation des repas.

– Mon Dieu !

– Accroche-toi, Mamaw : le moment est venu d'acheter un robot culinaire.

– Mais pour quoi faire ? Je ne ferai pas la cuisine à l'hospice dans lequel je vais aller.

Au terme « hospice », Harper émit un son moqueur. En effet, l'établissement où Mamaw avait l'intention d'aller était charmant et moderne.

– Comme je disais, je devrai acheter ces trucs pour le moment où je mettrai une cuisine sur pied.

L'attention de Mamaw se riva sur ce commentaire.

– Tu ne retourneras pas chez ta mère ?

– Pas question, lança Harper en remuant la tête avec fermeté, je ne retournerai pas là-bas. Je regarde devant moi, Mamaw, ajouta-t-elle avant de faire la bise à sa grand-mère.

Celle-ci posa la main à l'endroit où s'étaient trouvées les lèvres de Harper.

– Bon, si tu penses que…

Harper saisit l'occasion.

– Pendant que les placards sont vides, ça ne serait pas le moment de passer un bon coup de peinture ? Qu'en dis-tu ?

– De peinture ? s'enquit Mamaw faiblement contre cette charge d'énergie et d'idées.

– Absolument. Un blanc pur. Et faisons aussi les murs, pendant que nous y sommes, ils sont tristes.

Mamaw regarda les murs ternes.

– J'ai toujours voulu rafraîchir un peu la cuisine, mais Lucille me chassait chaque fois que je le suggérais. C'était *sa* cuisine, tu sais.

– Occupons-nous-en maintenant. Pour les appareils électroménagers, c'est sans espoir, mais ça ne vaut probablement pas la peine de les remplacer si tu déménages, ajouta-t-elle avant de poursuivre d'une voix adoucie : sauf pour ce qui est de ce merveilleux vieux four Viking qui est construit comme un tank. Quiconque achètera la maison démolira sans doute toute la pièce pour ensuite construire une cuisine autour de lui, déclara-t-elle en soupirant tout en laissant son regard s'attarder avec amour sur le four géant. En tout cas, c'est ce que je ferais.

Soudain, Mamaw se sentit aussi vieille que le four.

– Mais les coûts… Je crains de devoir être, comment dire, prudente, maintenant.

– C'est mon idée, aussi est-ce mes dépenses, offrit Harper, qui, voyant Mamaw ouvrir la bouche pour objecter, poursuivit : pas de discussion. Tu n'as qu'à considérer que c'est le loyer, et les frais pour les leçons de cuisine que je recevrai de Dora et de toi.

Remarquant la confusion sur le visage de sa grand-mère, Harper changea cependant de sujet.

– Assez avec la cuisine. Faisons quelque chose d'amusant aujourd'hui. Qu'est-ce qui te tenterait ?

– Oh, je me sens un peu fatiguée. Je pense aller m'allonger après le déjeuner.

Cependant, Harper se rapprocha d'elle, les yeux brillants d'enthousiasme.

– Peut-être qu'après le dîner, nous pourrions jouer aux cartes.

– Nous ?

– Nous toutes, toi, Dora, Carson et moi, comme autrefois.

– Oh, ce serait bien, s'exclama Mamaw en se laissant gagner par cette idée. Très bien, ma chère. Mais… reprit-elle en regardant dans la cuisine autour d'elle, que devrais-je faire pour préparer le déjeuner ?

– Tu n'as rien besoin de faire, annonça Harper en la serrant dans ses bras. Je vais commander quelque chose. Détends-toi et j'aurai rangé tout ce désordre en un tournemain.

Sur ce, Mamaw lança un dernier regard sur le sac à déchets rempli des vieux chaudrons en aluminium tout usés, inutiles, vétustes, prêts à être jetés.

Tout comme elle. Elle se tourna et sortit lentement de la cuisine.

CHAPITRE 3

Vers le milieu de l'après-midi, Harper avait enfin terminé de récurer la cuisine. Il ne lui restait plus qu'à placer la vaisselle dans des boîtes et les ranger en attendant que la peinture soit faite. Elle repoussa une mèche de cheveux roux égarée de son front tout en examinant la pièce. Elle avait mal au dos de s'être tant penchée, sa manucure était ruinée et elle était recouverte des pieds à la tête de saleté et d'éclaboussures. Oui, c'était un rude travail, et pourtant, elle s'amusait. De manière étrange, en nettoyant Sea Breeze, elle tissait des liens encore plus serrés avec la vieille maison, comme si chaque coup de brosse était une caresse, comme si chaque coup de balai sur le sol faisait que la maison était un peu plus à elle. Ça n'avait pas de sens, mais c'était ce qu'elle ressentait.

S'appuyant contre le comptoir, elle repensa à ses 22 ans quand elle avait passé l'été en Angleterre avec ses grands-parents avant de commencer des études supérieures à Cambridge. Greenfields Park était une maison imposante à la campagne avec une pelouse avant parfaitement entretenue, des jardins de fleurs coûteuses à l'arrière et un potager près de la maison. Plus loin dans la propriété, il y avait un verger. Elle se rappelait les cerisiers et les pommiers lourds de fruits, les fraises à profusion. Ces jardins étaient un délice.

À l'intérieur cependant, la maison était sombre, avec de grandes pièces aux superbes moulures et aux lambris rococo. Elles étaient remplies de meubles anciens de qualité que la famille James s'était transmis de génération en génération. On ne pouvait trouver un seul fauteuil confortable où l'on pourrait se blottir pour lire un livre. Harper voulait pourtant ressentir un lien avec cette maison, sachant très bien que c'était le rêve de sa grand-mère qu'elle épouse un Anglais et s'établisse à Greenfields Park.

Ce même été, grand-mère James avait mis en marche sa campagne pour présenter Harper à de jeunes célibataires de bonne famille. Comme elle savait que grand-mère James aimait enjoliver sa maison avec beaucoup de fleurs fraîchement coupées, Harper était allée dans le jardin en cueillir elle-même et en avait été chassée par le jardinier en chef, avec politesse, évidemment. Plus tard, dans sa chambre, elle avait placé les meubles à son goût et avait découvert, à son retour d'une sortie, qu'ils avaient été remis à leur emplacement original. De plus, en grande partie comme le personnel de la maison, sa grand-mère désapprouvait chaque fois que Harper essayait de faire la cuisine ou d'accomplir quelque simple tâche ménagère.

– Il vaut mieux laisser cela, lui avait conseillé grand-mère James. Betty est très irritée si on dérange sa cuisine.

Pour Harper, la maison ressemblait davantage à un musée qu'à un foyer et même si elle en aimait la beauté, elle ne s'y sentait jamais à son aise. C'était d'ailleurs la même chose dans la maison de sa mère dans les Hamptons, et même dans leur appartement new-yorkais. En effet, alors même qu'elle habitait ce charmant appartement d'après-guerre qui donnait sur Central Park, jamais elle ne l'avait considéré comme étant le sien. C'était toujours (manifestement) la propriété de Georgiana.

Au contraire, Sea Breeze, avec toute son élégance, son chêne géant à l'avant et la série de terrasses qui l'embellissait à l'arrière, était une maison insulaire conçue pour le confort. Les antiquités n'y étaient peut-être pas aussi anciennes que chez grand-mère James ni les peintures et les portraits aussi historiques, mais Mamaw avait tissé une relation avec plusieurs des artistes locaux et elle aimait raconter comment chacune des peintures ornant ses murs était comme une amie. À Sea Breeze, l'aide de Harper dans la maison n'était pas seulement la bienvenue, elle était nécessaire.

Elle rabâchait toutes ces pensées en finissant de passer la serpillière sur le sol de la cuisine quand la sonnette se fit entendre. Épuisée, elle s'arrêta, appuya la main sur son dos endolori tout en écoutant si quelqu'un d'autre irait ouvrir.

La sonnette se fit cependant entendre une deuxième fois.

– Quelqu'un pourrait aller ouvrir ? cria-t-elle.

Le silence régnait dans la maison.

Tout en jurant, Harper replaça la serpillière dans le seau savonneux tout en éclaboussant le sol, puis elle traversa rapidement son plancher propre en se dirigeant vers le vestibule, laissant derrière elle une traînée d'eau s'égouttant de ses gants. *Mais où donc étaient mes paresseuses de sœurs ?* se demanda-t-elle. Alors qu'elle était en train de travailler comme une esclave dans la cuisine, celles-ci étaient probablement dehors, étendues au soleil en train de lire un livre. Pour le tableau des tâches, il faudrait repasser, grogna-t-elle intérieurement.

La sonnette se fit entendre une troisième fois, suivie de coups impatients à la porte. Harper sentit la colère monter en elle et elle ouvrit la porte avec un élan plein de frustration.

L'homme qui était à la porte était grand, mesurant plus de 1,8 mètres, avec des épaules si larges et si droites qu'elles tendaient sa chemise de chambray bleu dont les pans flottaient sur son jean délavé par le soleil et dont les manches roulées révélaient des avant-bras musclés et tonifiés. Il avait les cheveux bruns coupés court, mais elle ne pouvait déterminer son expression en raison des lunettes de soleil de style aviateur qu'il portait. Quoi qu'il en soit, l'attitude militaire de toute sa personne hurlait : *Fichez-moi la paix.*

Puis, quand il tendit la main et retira ses lunettes, Harper sentit que son souffle lui restait pris dans la gorge.

Elle le *connaissait.* Elle ne savait comment, mais elle le sentait de chacune des fibres de son corps.

Il était beau avec son front large, son nez droit et ses lèvres pulpeuses. Il était de ce genre musclé et athlétique dont elle avait toujours rêvé, mais qu'elle avait rarement fréquenté. Cependant, c'étaient ses yeux qui la captivaient, d'un vert clair ; de la couleur turbulente et changeante de la mer. Leurs regards se croisèrent et les yeux plongés dans les siens, elle oublia toutes les paroles d'accueil poli qu'elle avait préparées dans son esprit et s'entendit plutôt penser : *Oh, c'est toi.*

Elle eut l'impression d'être figée dans le temps, en train de fixer un inconnu aux yeux verts avec la sensation bouleversante qu'elle le connaissait, qu'elle l'avait toujours connu, alors même qu'une autre partie de son cerveau lui disait que c'était ridicule. Elle ne le reconnaissait pas, car jamais elle ne l'avait rencontré, pas dans cette existence, tout au moins.

Comme le silence devenait gênant, l'homme détourna le regard.

– Bonjour ? émit faiblement Harper après s'être calmée et avoir fait un effort pour penser clairement.

Il sourit, l'air apparemment mal à l'aise de s'être lui-même laissé aller à la fixer, puis il regarda ses pieds. Ce sourire avait été si bref qu'elle l'avait presque raté.

– Bonjour, répondit-il avec un sourire tendu, je cherche Carson. Nous avons fait connaissance en Floride et, euh, comme je suis en ville, je me suis dit que je viendrais la voir. Elle est là ?

Carson ? Il est là pour voir Carson ?

Le cœur de Harper se déchira. Elle baissa le regard sur son corsage humide et taché, son jean déchiré, ses gants en caoutchouc jaune dont l'eau savonneuse s'égouttait, ses cheveux en bataille sortis de leur élastique. Évidemment que c'était pour la belle Carson qu'il était là.

– Carson Muir, précisa-t-il, avant de froncer les sourcils quand elle ne répondit pas davantage. Je me suis trompé de maison ? Oh, je suis désolé, ajouta-t-il en se tournant pour partir.

– Attendez ! Vous êtes au bon endroit, se hâta de dire Harper, Carson habite ici.

– Elle est là ? s'enquit-il, le visage adouci par le soulagement.

Cependant, maintenant qu'elle avait mis de côté sa vision romantique, la prudence intervint.

– Comment dites-vous l'avoir rencontrée ?

– Nous étions amis au Dolphin Research Center où j'apprenais à dresser les dauphins et où elle se trouvait en compagnie de Nate. Oh, le petit est-il là, lui aussi ?

– Oui, ils sont tous les deux ici, confirma-t-elle et, maintenant qu'elle était sûre qu'il connaissait Carson, des années de savoir-vivre se déployèrent. Voulez-vous entrer ? offrit-elle en le faisant pénétrer dans le vestibule.

Là, à ses côtés, elle avait l'air d'une naine. Il gardait les mains derrière le dos dans une position militaire tandis que son regard examinait le couloir et le salon avec une telle intensité qu'elle pensa qu'il semblait en train de déminer la maison.

Cette intensité était d'ailleurs un peu intimidante de sorte que, de nouveau, elle fut sur ses gardes.

– Je suis désolée, mais je n'ai pas saisi votre nom.

– Oh, pardonnez-moi. Je m'appelle Taylor, Taylor McClellan, de Floride.

– Eh bien, si vous attendez un instant, Taylor McClellan de Floride, je vais aller chercher Carson, indiqua-t-elle en se tournant pour s'en aller.

— Attendez, appela-t-il derrière elle.

Comme Harper s'arrêtait et regardait derrière son épaule, leurs regards se croisèrent une deuxième fois.

Tandis qu'un sourire taquin se profilait sur son visage, l'homme respirait la confiance.

— Et vous, qui êtes-vous ?

Était-ce de la drague qu'elle voyait dans ses yeux ? se demanda-t-elle. Ou était-ce simplement un prêté pour un rendu ?

— Je m'appelle Harper, répondit-elle avec sa meilleure imitation du ton hautain et plein d'assurance de sa mère, Harper Muir-James, de New York.

Taylor lui tendit la main tandis que son sourire se déployait, adoucissant les angles abrupts de son visage. Harper retira son gant en caoutchouc, essuya la paume de sa main savonneuse sur son jeans et la tendit pour saisir la sienne en lui souriant à son tour. Sa peau était rugueuse et calleuse, habituée au travail physique. Elle sentit le picotement de ses neurones quand cette grande main se referma sur la sienne et qu'il la retint plus longtemps que la politesse ne l'exigeait.

— Heureux de faire votre connaissance, Harper Muir-James de New York.

Harper sentit qu'elle rougissait et tenta de le cacher en retirant la main et en tournant la tête.

— Je reviens tout de suite.

Puis, elle traversa le couloir avec, autant qu'elle le pût, l'air d'une dame alors même qu'elle répandait de l'eau savonneuse et que ses chaussures couinaient. Elle pouvait sentir son regard vert dans son dos. Elle eut l'impression d'avoir la tête qui tournait tandis qu'elle se précipitait dans la chambre de Carson. Cet homme l'avait ébranlée, secouée jusqu'à la moelle, et elle ressentait une attirance indéniable pour lui, comme si, d'une manière folle et inexplicable, il était censé être là pour la rencontrer.

Cependant, il était plutôt ici pour Carson.

Elle frappa brusquement à la chambre de sa sœur avant d'ouvrir la porte, mais dans la chambre, dont les volets étaient fermés, la pénombre régnait.

— Carson ?

Il n'y eut pas de réponse.

— Carson ? appela-t-elle plus fort en fermant la porte derrière elle.

Carson souleva subitement la tête de son oreiller comme une personne dont on aurait interrompu le profond sommeil.

— Quoi ?

— Il y a quelqu'un qui est là pour te voir.

— Blake ? demanda-t-elle avec empressement.

— Non, pas Blake.

— Qui alors ?

— Un type du nom de Taylor McClellan, de Floride.

Après une pause, Carson se redressa et se passa les mains sur le visage.

— Taylor ? Tu en es sûre ?

— Oui, j'en suis sûre. Un mec imposant, beau, avec une coupe de cheveux militaire.

— Ouais, ça semble bien être Taylor, répondit-elle avec un profond soupir.

— Vous avez fait connaissance en Floride ?

— Oui, grommela Carson. Zut. Que fait-il ici ? Je lui ai dit que j'avais un copain.

Le simple fait d'entendre ces paroles déprima encore davantage Harper. Ainsi s'intéressait-il à Carson et était-il venu voir s'il y avait quelque chose de possible entre eux. Évidemment.

— Il n'y a qu'un moyen de le découvrir, répliqua-t-elle en adoptant un ton aussi neutre que possible. Il attend dans le vestibule.

— Fais-moi une faveur, peux-tu le retenir, lui parler ? N'importe quoi, l'implora Carson en se laissant retomber sur son oreiller avec un soupir de résignation. Il faut que je m'habille, ajouta-t-elle en se prenant la tête entre les mains. Oooh! Je me sens malade. La dernière chose dont j'ai envie, c'est être en train de recevoir.

– Je pourrais lui dire de repasser.

– Non, répondit-elle en soupirant de nouveau. Sois gentille avec lui. Il est assez renfermé, mais une fois qu'il n'est plus sur ses gardes, c'est quelqu'un de bien, ajouta-t-elle avant de tendre la main pour boire un peu d'eau à la paille.

Elle grogna doucement, puis se tourna vers Harper.

– Je vais venir, mais ça pourrait me prendre un moment.

– D'accord, accepta Harper avec autant de nonchalance que possible cependant qu'en elle, son cœur faisait la roue. J'ai simplement besoin d'un instant pour nettoyer ce savon et cette crasse. Je suis dans un de ces états.

Elle se précipita donc dans la salle de bain de Carson tout en retirant les gants de caoutchouc en chemin. Elle les jeta, ainsi que le corsage crasseux, par terre. Tandis que son cœur marquait le rythme, elle prit ce que sa grand-mère James appelait un bain français, c'est-à-dire qu'elle effectua une toilette rapide à l'aide d'un gant de toilette savonneux. Elle arracha ensuite son élastique, se débroussailla les cheveux avec une brosse jusqu'à ce qu'ils prennent le lustre de l'or poli puis refit sa queue de cheval. Pour le maquillage, il n'y avait pas de temps.

Une fois qu'elle se sentit rafraîchie, elle se précipita vers la commode de Carson pour en ouvrir un tiroir. Elle fut cependant atterrée par le tas de vêtements froissés qu'elle y trouva entassé. Quand elles partageaient une chambre, elle avait été la Félix Unger obsédée par la propreté de l'Oscar Madison[1] de Carson.

– Mon Dieu, Carson, tu ne plies donc jamais tes vêtements?

1. N.d.T.: Félix Unger et Oscar Madison sont les personnages d'une série américaine, *Oscar et Félix*.

– Hé, je fouille dans tes tiroirs, moi ? cracha Carson avec un geste dédaigneux, affalée sur le bord de son lit en train de grignoter un craquelin.

Harper décida de ne pas laisser des vêtements les opposer. Tout en grommelant pour elle-même, elle prit le haut le moins froissé qu'elle put trouver.

– J'ai besoin de te l'emprunter, déclara-t-elle tout en enfilant le caraco extensible turquoise de Carson qui, comme la plupart de ses vêtements, était moulant et révélait son corps gracile et ses petits seins en pommes.

– Ne le laisse pas tout seul dans le vestibule, dit Carson avec un geste de la main.

Harper courut donc vers la porte, où elle s'arrêta pour prendre une respiration profonde et calmante avant de sortir. D'habitude, elle se contrefichait de l'intérêt d'un inconnu. Cependant, pour cet homme, elle était aussi nerveuse qu'au moment où elle avait fait son entrée dans le grand monde et avait été présentée à la reine.

Elle ouvrit la porte et tout en affichant un sourire, elle se dirigea avec une élégance étudiée vers le vestibule. Elle trouva Taylor dans le hall d'entrée, légèrement penché, les mains derrière le dos, en train d'examiner une peinture représentant le travail des quais, quelque part sur la côte de la Caroline, avec des crevettiers aux imposants filets verts levés longeant le quai.

– Vous aimez ? demanda-t-elle en s'approchant de lui. C'est l'œuvre d'un artiste de la région, West Fraser.

– Je l'aime beaucoup, répondit-il en observant toujours l'œuvre d'art. C'est McClellanville.

Harper se rapprocha d'un pas pour examiner la peinture à la recherche de détails, mais pour elle, cette scène aurait pu représenter n'importe lequel des nombreux quais de la côte.

– À quoi voyez-vous ça ?

Il regarda par-dessus son épaule, les yeux scintillants d'amusement.

– Parce que c'est le bateau de mon père, le *Miss Jenny*.

– C'est vrai ? s'exclama-t-elle avec surprise avant de se rapprocher encore davantage pour regarder le gros crevettier vert et blanc dont les énormes filets pendaient. Votre père est capitaine de crevettier ?

– Il l'était, mais il a abandonné cette industrie, car il n'avait plus les moyens d'exploiter son bateau.

– Oh, je suis désolée de l'apprendre. Qu'est-il arrivé ?

Un soupir gronda dans la poitrine de Taylor tandis qu'il posait les mains sur ses hanches tout en réfléchissant.

– Cette situation datait de plusieurs années. Les pêcheurs de crevettes de la région ont été durement touchés par l'arrivée massive de crevettes importées, par le prix exorbitant du diesel et par des pêches peu abondantes. Toutes les conditions étaient donc réunies… Mon père s'est accroché aussi longtemps qu'il l'a pu, comme les autres. Mais… s'arrêta Taylor en haussant les épaules comme pour dire : *Que pouvait-il faire ?*

– Est-il toujours dans l'industrie de la pêche ?

– Non.

Taylor détourna le regard.

Harper se trouvait si près de lui qu'elle pouvait distinguer la texture de sa peau très bronzée et les minuscules pattes d'oie de ses yeux.

– Avez-vous été pêcheur de crevettes ?

– Moi ? demanda-t-il en esquissant brièvement un sourire. Bien sûr. On ne peut pas être le fils d'un pêcheur de crevettes sans travailler sur son bateau. J'ai donc donné un coup de main dès que j'ai su marcher, tout comme ma mère et mon frère. C'était une entreprise familiale. Mais j'ai toujours su qu'un jour, je ferais autre chose pour gagner ma vie. Ce qui ne signifie pas que je n'aime pas le bateau ni l'eau. C'est dans mon sang.

– Les crevettiers m'ont toujours intriguée, en tant que touriste, je veux dire. Ils sont tellement partie prenante des eaux du Sud. Quand j'étais petite, je me rappelle en avoir vu beaucoup arrimés à Shem Creek, les uns à la suite des autres. Chaque fois que je traverse Shem Creek, je regarde en espérant en voir un, mais il ne semble plus y en avoir beaucoup, maintenant.

– Non, convint Taylor en croisant les bras et en remuant la tête. Les bateaux sont presque tous à quai, et à vendre. Il n'y a que des restaurants et des bars, aujourd'hui, et quelques kayakistes sur l'eau. Voilà la situation, là-bas.

– Je trouve ça triste.

– Ouais.

Harper ne voulait pas voir Shem Creek devenir un musée. Elle adorait ce qu'avaient de vibrant les travaux d'un quai.

– Il faudra que j'en visite un bientôt, avant qu'ils aient tous disparu.

– Si vous me le permettez, je vous emmènerai en visiter un, un jour.

La surprise provoquée par cette invitation illumina le visage de Harper.

Il dut le remarquer, car soudain, il détourna le regard et regarda vers le fond du couloir, comme s'il cherchait Carson.

Harper eut l'impression d'être une écolière ayant oublié de transmettre le message de la directrice. Pis, elle se comportait comme une écolière, à rêvasser à lui, de sorte qu'elle se sentit rougir.

– Oh, je devais vous dire que Carson arrive. Elle faisait la sieste. Elle demande si vous pouvez attendre. Elle doit s'habiller… Ça pourrait prendre un moment.

Considérant la question, Taylor glissa la paume de sa main dans sa chevelure qui ressemblait à de la fourrure.

– Bien sûr, mais si ça doit durer un moment, il faut que je vérifie si mon chien va bien. Je l'ai laissé à côté de la voiture.

– Votre chien ?

– Oui. Suivez-moi, je vais vous présenter Thor.

Harper le suivit donc, franchissant la porte d'entrée puis l'allée de gravier où une camionnette noire était garée à l'ombre de l'immense chêne. Contournant le pare-chocs, elle aperçut un grand chien noir assis à l'ombre qui leva la tête à leur approche et, en voyant Taylor, se leva et regarda son maître avec adoration.

Taylor tendit la main pour appliquer plusieurs vigoureuses caresses sur la large tête du chien avant de se retourner et de faire signe à Harper de se rapprocher.

Celle-ci avança avec hésitation, intimidée par l'énorme chien noir au large poitrail et aux oreilles tombantes. Comme elle se rapprochait, le chien se tourna vers elle pour la regarder, l'examinant avec curiosité.

— C'est un grand danois ?

— En grande partie. C'est un chien de secouriste, grand danois et en partie labrador. S'il a plutôt l'air d'un grand danois, au fond, c'est un vrai labrador. Il adore être dans l'eau. Ce chien a la passion de la nage.

— Il n'a pas besoin de laisse ? demanda-t-elle en remarquant que le chien n'était pas attaché.

— Non.

Harper fut impressionnée. Elle n'avait pas l'habitude des chiens, n'en ayant jamais eu quand elle était petite, ni aucun autre animal domestique. Pas même une perruche alors même qu'elle avait pleuré et supplié pour en avoir une pendant des années. Sa mère ne voulait simplement pas tolérer le moindre « animal sale et plein de maladies » qui ruinerait son appartement méticuleusement décoré.

— Il est vraiment grand, déclara-t-elle faiblement.

— Ça, en effet. Thor est un grand garçon, mais il est doux.

Tout en jetant un coup d'œil sur l'homme qui était à ses côtés, Harper se demanda si cette description s'appliquait aussi à lui.

— Allez-y, vous pouvez le caresser.

Il était inutile d'expliquer à un homme comme Taylor comment quelqu'un pouvait avoir peur d'un animal apparemment aussi doux que Thor. Cependant, les seuls animaux dont elle avait eu l'habitude, c'étaient les chevaux de Greenfields Park, qui la terrifiaient, car elle avait eu de mauvaises expériences avec eux.

Quand elle était enfant, Harper était obligée de monter ces grands animaux qui la dominaient et piétinaient le sol de leurs gros sabots, renâclaient quand elle les approchait timidement dans ses habits d'équitation, sa cravache à la main. Sa mère, évidemment, était une superbe cavalière. Aussi, quand, à six ans, Harper s'était montrée réticente à monter, Georgiana lui avait-elle dit de «cesser de tant manquer de volonté et de monter sur ce satané cheval». Comme elle était plus effrayée par sa mère que par la monture, Harper avait obéi. Après tout, apprendre à monter était considéré comme obligatoire pour une James. Néanmoins, même après des années de leçons, chaque fois qu'elle montait, Harper n'avait jamais perdu la sensation qu'elle allait vomir. De plus, le cheval savait instinctivement qu'elle était effrayée et une fois qu'elle était sur son dos, il tournait la tête pour la regarder avant de péter et ne tenait aucun compte de ses ordres. Harper était incapable d'imaginer le moindre cheval oser ne pas tenir compte d'un ordre donné par sa mère.

Peut-être, pensa-t-elle en regardant Thor dans ses grands yeux bruns, était-ce ce qui l'effrayait tant chez le chien de Taylor. Il était grand comme un cheval.

– Allez, il ne vous mordra pas, insista Taylor avant de lui prendre le poignet avec douceur en l'entourant du pouce et de l'index. Vous êtes toute petite, hein?

Avec sa main sur les siennes qui la guidait vers l'énorme tête de Thor toute d'un bloc, elle ne fut pas aussi effrayée. Elle sentit le poil doux de la fourrure noire et brillante du chien sous ses doigts. Elle fut soulagée que Thor se laisse faire, et elle eut l'impression qu'il avait l'habitude de supporter les idiots.

Mais quand Taylor laissa aller son poignet, elle retira vite la main en faisant un pas en arrière.

– Pourrais-je vous déranger en vous demandant de me conduire là où je pourrais remplir sa gamelle d'eau ?

Elle le mena de l'autre côté de la maison jusqu'à la véranda arrière, avec Thor qui trottait gaiement derrière son maître. Elle aida Taylor à trouver le robinet et à remplir la gamelle du chien, qui lapa ensuite bruyamment l'eau et but à sa soif.

– C'est bien, mon chien, couché, lui ordonna ensuite Taylor avec un geste discret de la main.

Thor se dirigea alors en trottant vers un angle ombragé de la véranda où, après en avoir fait le tour quelques fois, il se coucha en posant la tête sur ses énormes pattes.

– Est-il toujours aussi obéissant ?

– Je l'ai dressé moi-même, confirma Taylor en hochant la tête. C'est le chien le plus intelligent que j'aie jamais vu. Il veut faire son boulot et s'il commet une erreur, je jure que ça blesse son orgueil. Voilà ce qu'on doit apprécier chez lui. Il restera là-bas jusqu'à ce que je lui dise de se lever ou s'il sent que je suis en danger.

– Il ne pense pas que je vous ferai du mal, hein ? questionna-t-elle en examinant l'énorme chien. Je ne veux pas irriter Cujo.

– Je doute qu'il vous considère comme une menace, la rassura Taylor avec un petit rire tout en remuant la tête.

Un autre silence inconfortable s'installa ensuite entre eux tandis qu'ils attendaient que Carson arrive. Taylor, les mains sur les hanches, observa longuement la propriété et elle suivit son regard, voyant Sea Breeze comme elle imaginait que lui ou tout autre inconnu verrait cette maison insulaire historique pour la première fois.

Le plus beau côté de Sea Breeze donnait sur l'eau. En effet, l'arrière de la maison était longé de trois niveaux de longues vérandas allant d'un côté à l'autre et qui surplombaient les eaux. Au sommet, le côté gauche de la véranda était recouvert par un élégant auvent noir et blanc qui protégeait quelques fauteuils en osier noir brillant. C'était là que les femmes de la maison se rassemblaient le matin pour le café et le soir pour le thé et les ragots. Plus bas, une deuxième véranda entourait la piscine tandis que la troisième était plutôt un grand perron qui descendait jusqu'à la crique et au quai de bois qui s'étirait sur l'eau agitée.

– Quelle maison, dit Taylor, l'émerveillement dans sa voix informant Harper qu'il se rendait compte des qualités uniques du bâtiment. C'est là que le dauphin de Carson vous rendait visite ? ajouta-t-il en pointant le quai du doigt.

– Delphine, oui.

– Carson m'a parlé d'elle. Quelle triste histoire, ajouta-t-il.

Puis, se tournant de nouveau vers la maison :

– Vous habitez ici ?

– Non, à New York, répondit-elle en remuant la tête.

– De quel quartier de New York venez-vous ?

– De Manhattan, lui apprit-elle tout en se gardant bien de lui dire qu'elle habitait toujours chez sa mère. Et vous ?

– Juno Beach.

– Mais vous disiez que vos parents sont ici. Vous leur rendez visite ?

– En effet. McClellanville n'est pas très loin d'ici, aussi me suis-je dit que je passerais voir Carson pendant que j'étais dans les environs. Nous sommes devenus amis au Dolphin Research Center. Elle n'est pas du genre réservée, ajouta-t-il avec un petit rire.

– Non, concéda Harper en souhaitant avoir ce talent.

Carson le possédait, tout comme Mamaw. Harper était plus réservée, comme sa grand-mère James. Cependant, son estomac pétilla quelque peu en raison de ce que Taylor venait de dire au sujet de Carson et de lui-même. Peut-être, après tout, n'avaient-ils pas été liés romantiquement ?

– À quelle université avez-vous étudié ? l'interrogea-t-elle pour changer de sujet avant de retenir sa respiration, ne sachant pas s'il avait étudié, et ne voulant pas l'insulter.

– À Citadel.

– Ici, à Charleston ?

– Il y en a une autre ?

– Ce n'est pas un collège militaire ?

– En effet.

– C'était dur ? Je veux dire, j'ai entendu parler du bizutage et de ce qu'on fait aux étudiants de première année.

– Les *knobs*, voilà comment on les appelle. Alors oui, c'était difficile.

– La vie universitaire ordinaire vous a-t-elle manqué ?

– Non, les fraternités, ce n'est pas mon truc.

– Moi non plus.

– Et vous, où avez-vous étudié ?

– À Radcliffe. Il n'y avait pas de sororité, mais ça n'empêchait pas les étudiantes de former des cliques.

– Radcliffe fait partie de l'Ivy League, non ?

– Ouais, confirma-t-elle en voyant qu'il était impressionné et qu'il inclinait la tête. J'ai étudié dans de bonnes écoles, et j'ai eu de bonnes notes. Mais être accepté dans ces institutions est souvent plus une question de relations et du montant dont la famille fera don que de l'intelligence de l'étudiant. Or, ma mère a beaucoup de relations, et elle est pleine aux as.

– Donc, vous me dites que vous êtes riche ?

– Je dis que ma famille l'est.

– Où se trouve-t-elle ? À New York ?

– Oui et non, répondit-elle en se demandant si elle devait lui donner la version longue ou courte de son histoire ; elle opta pour la courte. Ma mère est anglaise et ses parents, mes grands-parents, habitent en Angleterre, à Greenfields Park.

– C'est une espèce de communauté protégée ?

– Non, le corrigea-t-elle en riant, c'est le nom de la propriété. On appelle souvent les grandes propriétés « parks » en Angleterre.

– Votre famille possède une grande propriété en Angleterre ? questionna Taylor, l'air amusé.

– C'est seulement une très grande maison, précisa Harper, qui n'aimait pas la direction que prenait cette conversation, et, oh, quelques centaines d'hectares.

– Seulement quelques centaines ? renifla-t-il avec surprise.

Bon, pensa Harper, ce sera donc la version longue.

– C'est une ferme, avec des arbres, de grands jardins, des étables avec des vaches et des moutons... beaucoup de moutons.

– Une ferme. Cool.

Taylor sembla momentanément ne plus savoir que dire et étant venu au bout du bavardage préliminaire, Harper se rabattit sur ses bonnes manières.

– Puis-je vous offrir quelque chose à boire ? Du café, du thé glacé ?

– Je ne dirais pas non au thé, mais je préférerais une bière.

– Je suis désolée, mais Sea Breeze est une maison sans alcool.

– Alors du thé.

Quand ils entrèrent dans la cuisine, elle grinça des dents au spectacle de la pièce dans laquelle des plats et des chaudrons étaient empilés sur la table, les comptoirs et toute surface vide. Le garde-manger tout entier était rempli de boîtes. Toutefois, la cuisine était rutilante et sentait le savon au pin.

– J'ai nettoyé les placards, s'excusa-t-elle.

– Gros boulot.

– Et j'ai bien peur que ça ne fasse que commencer. Une fois que j'aurai terminé de tout organiser, j'aimerais l'améliorer un peu, donner un coup de peinture, tout au moins.

– C'est le moment, puisque vous avez déjà vidé les placards, approuva-t-il en mettant les mains sur les hanches pour évaluer la pièce d'un coup d'œil. Quelle pièce, avec tant de charme.

Il se dirigea vers les fenêtres arrière, où il remit ses mains sur ses hanches et regarda à l'extérieur.

– Mais regardez-moi cette vue.

– Oui, acquiesça-t-elle en le rejoignant à la fenêtre.

Taylor se tourna alors et regarda de nouveau dans la pièce, les yeux brillants.

– L'architecture ancienne a tellement de charme. On ne bâtit plus comme ça aujourd'hui.

– Exactement, affirma Harper, que le sujet intéressait de plus en plus. J'ai toujours aimé les vieilles maisons. Mais celle-ci est particulière, elle a une bonne structure. Toutefois, elle aurait besoin d'être un peu rafraîchie. J'aimerais vraiment de nouveaux appareils électroménagers, mais ça devra attendre.

Taylor parcourut la pièce pour la mesurer avant de tendre la main pour examiner les placards en bois.

– C'est du bois solide. Voilà qui est bon, annonça-t-il en se frottant la mâchoire tout en réfléchissant. Il ne faudrait pas grand-chose. Vous devriez téléphoner à mon père. Il travaille bien, et il est honnête.

– Votre père ? s'étonna Harper.

– Il est entrepreneur indépendant. Il fait de la peinture, de la charpenterie, un peu d'électricité. Un bon capitaine de bateau doit connaître un peu de tout, alors, une fois que l'industrie de la crevette a été à sec, il s'est tourné vers ce genre de travail, expliqua Taylor avant de mettre de nouveau les mains sur les hanches et de réfléchir pour ensuite regarder de nouveau Harper. Mon père a un contrat sur l'île en ce moment. Je pourrais lui demander de passer avant de rentrer pour vous donner une estimation. Si vous voulez, ajouta-t-il avec prudence.

– Oui, s'il vous plaît.

Esquissant un sourire, il prit son téléphone puis, se dirigeant vers la fenêtre, il mena une brève conversation pendant que Harper attendait en se tordant les mains et en espérant qu'elle n'allait pas trop loin. En effet, Mamaw avait plus ou moins accepté son plan, mais avec cet appel, les choses se précipitaient.

Taylor avait remis son téléphone dans sa poche et il traversa la pièce pour la rejoindre.

– Il passera cet après-midi, me dit-il.

– Parfait, je l'attendrai, lança-t-elle et quand de nouveau leurs regards se croisèrent, Harper eut cette brève sensation que quelque chose d'important était sur le point d'arriver.

Cependant, juste à ce moment, une voix puissante se fit entendre de la porte.

– Taylor!

Harper sourcilla avec surprise en voyant Carson pénétrer à grandes enjambées dans la cuisine. C'était une femme transformée. Rayonnante dans un long cafetan blanc, ses cheveux noirs lissés en une natte, elle entra, les bras tendus, pour accueillir Taylor. Il ne restait plus rien de la femme endormie et nauséeuse que Harper avait croisée dans la chambre. Le style plage californien de Carson, son bronzage radieux et ses yeux bleus brillants, tout respirait la confiance et le charme. Taylor se dirigea droit vers elle avec un grand sourire et la serra dans ses bras.

Harper se tourna et, pour s'occuper, prépara un verre de thé glacé pour Taylor, tout en gardant un œil discret sur le couple pendant qu'il bavardait. En baissant les yeux sur elle-même, elle se sentit soudain inélégante dans son short en jean déchiré et son tricot. Évidemment, c'était bien sa chance d'avoir été surprise à jouer Cendrillon pour la journée. Cependant, serait-il venu la veille, y aurait-il eu grand-chose de différent? Pas vraiment. La veille, dans un jean, elle suait dans le jardin. Pourtant, les vêtements lui importaient, auparavant, et elle avait l'habitude des ensembles et des chaussures des couturiers chics de New York, des coiffures et du maquillage parfaits, sans un ourlet ou un bouton décousu. Sa mère l'avait entraînée à toujours avoir une apparence irréprochable, et une épingle à nourrice sur les vêtements était pour Georgiana une source de confusion.

Harper leva la main pour replacer une mèche égarée, incapable de se souvenir de la dernière fois qu'elle était allée chez le coiffeur ou avait passé une robe élégante et des talons hauts et s'était fait des yeux charbonneux. Elle regarda ensuite ses ongles : elle avait désespérément besoin d'une manucure. Elle se recroquevilla sur elle-même en se demandant de nouveau qui elle était. En effet, il semblait que plus elle se découvrait intérieurement, moins elle se reconnaissait extérieurement.

Soudain, Carson dit quelque chose qui fit rire Taylor et Harper regarda rapidement dans leur direction, surprise de voir à quel point cet homme taciturne avait maintenant l'air détendu avec Carson. Elle se retourna pour prendre des glaçons, mais le son aigu de la glace provenant du réfrigérateur lui fit grincer des dents.

Juste à ce moment, Nate arriva lentement dans la cuisine, un jeu électronique à la main, vêtu de son t-shirt habituel et d'un short ample duquel ses jambes maigres ressortaient comme des cure-dents. Levant la tête par hasard, il s'arrêta soudain pour fixer le désordre du regard, déconcerté un instant par l'état de la pièce, puis il vit Taylor et son regard noir fut remplacé par un sourire étincelant.

– C'est toi ! s'écria-t-il en pointant Taylor du doigt.

– C'est moi ! répondit ce dernier en se tournant et en souriant quand il vit le petit garçon.

Nate se précipita à ses côtés, mais s'arrêta environ un mètre devant lui, les bras le long du corps, les yeux grands ouverts et suppliants.

— Tu as apporté tes jeux?

— Désolé, petit, pas cette fois.

Nate plissa le visage de désappointement.

— Comment vas-tu? demanda Taylor.

— Bien.

— Moi aussi.

— Alors, s'enquit Nate en inclinant la tête, curieux, que fais-tu ici?

— Je suis venu voir Carson.

— Vas-tu épouser tante Carson? questionna l'enfant après avoir considéré cette réponse.

Carson laissa échapper un rire bruyant.

Harper tourna brusquement la tête.

Taylor répondit à cette question en jouant le jeu.

— Qu'est-ce qui te fait penser une chose pareille?

— Parce qu'elle attend un bébé et que je me demandais si tu étais ici pour être le papa.

À ces mots, le regard de Taylor glissa vers Carson.

— Tu attends un bébé?

— Oui, répondit-elle en baissant la main et en haussant les épaules.

Harper regarda alors Taylor assimiler cette nouvelle et fut soulagée de le voir sourire avec un plaisir sincère.

— Toutes mes félicitations.

— Merci, mais je commence à peine à me faire à cette idée, expliqua Carson jovialement avant de se mettre à raconter comment elle avait été dans un bassin en compagnie de Delphine, qui n'avait eu de cesse d'effectuer ses écholocalisations contre son ventre.

— C'est un dauphin qui t'a diagnostiquée? résuma Taylor avec un rire bref. C'est classique.

— N'est-ce pas? Il faut reconnaître que c'est une anecdote fantastique. Je pourrai l'utiliser dans les réceptions pendant des décennies.

Juste à ce moment, Nate tira la chemise de Taylor.

– Thor est-il là ?

– Bien sûr, il est sur la véranda.

– Je peux aller le voir ?

– Ça lui ferait plaisir.

– Il va se souvenir de moi ?

– Bien sûr, et il sera content de te revoir. Allez, va lui tenir compagnie.

– D'accord.

Nate sortit en coup de vent.

– Un garçon et un chien, s'exclama Carson, un autre classique.

– Le thé glacé est prêt, annonça Harper en tenant un plateau avec de grands verres de thé glacé, des citrons et des biscuits au sucre.

– Merci, dit Taylor en essayant de croiser son regard.

– Allons sur la véranda, déclara Carson. Il n'y a pas de place ici pour s'asseoir.

– Vous venez ? proposa Taylor à Harper en se tournant vers elle.

– Si je ne vous dérange pas… répondit Harper en souriant, heureuse de cette invitation.

– Tu ne déranges pas ! s'exclama Carson. Plus on est de fous, plus on rit.

Ils étaient justement en train de sortir quand Mamaw entra dans la cuisine.

– Les filles ! fredonna-t-elle d'une voix aiguë qu'elle réservait aux invités, regardez qui est venu nous rendre visite.

Mamaw s'écarta et tout le monde devint silencieux quand un Blake souriant, puis tout à coup très hésitant, suivit Mamaw dans la cuisine.

CHAPITRE 4

— Blake ! s'écria Carson, l'air étonnée.

Harper pouvait comprendre la surprise de sa sœur : en effet, Blake n'était pas venu à Sea Breeze depuis des semaines, alors même qu'il habitait l'île lui aussi. Leur rupture avait été difficile. Jetant furtivement un regard vers Taylor, Harper pensa que la situation ne pouvait être plus embarrassante.

– Hé, Carson, la salua Blake en pénétrant avec hésitation dans la cuisine bondée.

Il était vêtu d'un polo de la NOAA et avait la sacoche de son ordinateur à la main. Regardant autour de lui, il aperçut Harper et hocha la tête avec un bref sourire de reconnaissance.

– Harper.

– Salut, Blake, lui répondit-elle avant de regarder rapidement en direction de Carson, qui demeurait immobile, le regard éperdu.

Instinctivement, Mamaw intervint pour mettre un terme à cette situation embarrassante.

– Mon Dieu, mais il y a une fête ici ! s'exclama-t-elle les bras tendus. Comme c'est merveilleux, ajouta-t-elle avant de se concentrer sur Taylor. Harper, ma chérie, tu reçois un ami, poursuivit-elle en se dirigeant vers Taylor. Mais on ne nous a pas présentés.

Harper s'avança tandis que des années de formation se mettaient en marche.

– Mamaw, je voudrais te présenter Taylor McClellan ; Taylor, voici ma grand-mère, Madame Muir.

– McClellan, répéta Mamaw en réfléchissant à ce nom. Êtes-vous parent avec la famille McClellan de McClellanville ? Je connais Sarah McClellan. Mais, un instant, elle est mariée, alors son nom de famille doit être différent. Mais qu'est-ce que c'était…

– McDaniel, répondit Taylor. Oui, Madame, nous sommes parents. C'est ma tante. Elle a épousé Stuart McDaniel.

Le visage de Mamaw fut illuminé par ce rapprochement.

– Bien sûr. Quel couple charmant. Il y a bien trop longtemps que je les ai vus l'un ou l'autre. Alors vous êtes leur neveu. Je suis enchantée de faire votre connaissance, Taylor.

Taylor se tint plus droit et Mamaw lui tendit la main avec un sourire particulièrement chaleureux.

– Tout le plaisir est pour moi, Madame Muir.

Harper, voyant Mamaw incliner la tête avec approbation pour les manières de ce jeune homme, réprima un sourire tout en se disant que peut-être que tout ce qu'il fallait pour la faire sortir de son abattement, c'était qu'un beau jeune homme s'intéresse un peu à elle.

– Moi, c'est Blake, se présenta ce dernier en prenant la sacoche de son ordinateur de l'autre main tout en avançant vers Taylor pour lui serrer la main.

– Taylor, répondit-il en la lui serrant fermement.

Blake et Taylor étaient approximativement de la même taille et tous les deux très bronzés par le soleil estival, mais là s'arrêtaient leurs similitudes. En effet, Blake était des plus mince, avec un visage long et étroit et l'attitude détendue des natifs de l'île, les mains dans les poches usées de son pantalon. Ses cheveux noirs étaient plus longs que d'habitude et tombaient en boucles raidies par le sel autour de sa tête.

Par contraste, Taylor était large et musclé, sa chemise était repassée et son visage, rasé de près. Il se tenait droit et sur le qui-vive dans une attitude militaire.

– Qu'est-ce qui t'amène dans la région ? demanda Blake. Tu es un ami de Harper ?

– Oui, je l'espère, répondit-il en souriant brièvement à Harper, mais en fait, je suis venu voir Carson.

Blake marqua un temps puis il eut l'air un peu plus sur ses gardes.

– Comment la connais-tu ?

En entendant que cette question tenait un peu de l'interrogatoire, Taylor se raidit de manière perceptible.

– Taylor et moi, nous avons fait connaissance en Floride, expliqua Carson, qui sembla retrouver la voix, au Dolphin Research Center. Comme il est en ville, il est passé me voir. Mamaw, tu te souviens que je l'ai mentionné ?

– Mais oui, en effet, répondit Mamaw avec grâce.

Puis, Carson se dirigea vers Blake, son cafetan bruissant le long de ses jambes. Harper, sentant la tension entre eux, en fut attristée. Elle avait toujours eu de la sympathie pour le biologiste de la vie marine qui avait réclamé le cœur de Carson, et celui de toute la famille Muir par son amour loyal pour Carson. De plus, l'assistance qu'il avait portée à Delphine plus tôt cet été s'était avérée rien de moins qu'héroïque.

– Blake, pour quelle raison es-tu ici ? reprit Carson avec dans sa voix peu accueillante quelque chose d'agressif.

Le regard de Blake s'illumina brièvement puis il recula d'un pas.

– J'avais des nouvelles au sujet de Delphine, répondit-il froidement, mais nous pourrons discuter plus tard.

– Delphine, répéta Carson qui mordit à l'hameçon. Que lui arrive-t-il ?

– Je ne veux pas interférer avec tes… retrouvailles. J'aurais d'abord dû téléphoner.

– Elle va bien ?

Blake s'arrêta pour croiser le regard de Carson.

– Oui, confirma-t-il en réprimant un sourire, le regard chargé. Elle va mieux que bien.

Harper les regarda échanger tous les deux un regard qui en disait long et leur donna à tous l'impression d'être voyeurs.

– Taylor, je suis désolée, s'excusa Carson en se tournant vers lui, mais c'est important, il s'agit de Delphine, le dauphin dont je t'ai parlé. Pourrais-je être horriblement impolie et te demander d'attendre un peu plus longtemps ?

Taylor inclina la tête vers la véranda.

– Ce n'est pas grave, j'étais seulement passé pour te dire bonjour. Mais je dois partir. Le chien et tout, ajouta-t-il en regardant Blake avant de se tourner pour partir.

– Je vais t'accompagner, indiqua Carson en se dirigeant vers lui avant de glisser son bras sous le sien et de lui offrir un sourire étincelant qui fit disparaître l'embarras. Il semble que ce soit la moindre chose que je puisse faire.

Harper, de son côté, était toujours près de la porte, le plateau de thé glacé dans les mains, ce pour quoi elle se sentait des plus idiote, mais en la croisant en franchissant la porte, Taylor lui sourit.

– Heureux de vous avoir rencontrée, Harper.

Elle regarda alors dans ses yeux qui palpitaient chaleureusement. Elle voulait dire quelque chose… n'importe quoi… mais en fut incapable.

– Je n'avais pas l'intention d'être une source de problème, entendit-elle Taylor dire à Carson, la voix basse, quand elle se fut rapprochée de lui.

– Ce n'est pas le cas, le rassura-t-elle en lui tapotant le bras. Le problème existait avant que tu arrives. C'est une longue histoire.

Sous le choc, Harper demeura immobile après que la porte se fut refermée bruyamment derrière Taylor et Carson. Elle ferma les yeux, mal à l'aise à cause de l'accès de sentiments romantiques qui avaient fait rage en elle depuis qu'elle avait fait la connaissance de Taylor McClellan. *C'est assez,* se dit-elle. Fini de rêver. Il était temps de mettre de côté ces pensées infantiles et de se concentrer sur le travail à accomplir. Elle devait se trouver un emploi et un appartement. Elle devait aussi planifier son retour à New York.

Se retournant, elle traversa la cuisine avec détermination tandis que Mamaw et Blake tentaient avec difficulté de maintenir une espèce de conversation polie pendant que Carson était sortie.

– Aimeriez-vous du thé ? proposa Harper.

Ils en prirent tous deux un verre en la remerciant, puis Harper entendit un bip venant de son téléphone. Posant le plateau vide sur le comptoir, elle le vérifia rapidement.

C'était un message de sa mère.

~

Après s'être excusée et s'être retirée dans sa chambre, Harper ferma les portes coulissantes et s'assit sur son lit à baldaquin. La requête laconique de sa mère lui demandait pourquoi elle n'avait pas répondu à son courriel de la semaine précédente dans lequel elle lui demandait de ses nouvelles et où elle en était quant à ses plans de retour. Harper grogna intérieurement en sachant qu'elle ne pouvait continuer de ne pas répondre à sa mère, à qui elle n'avait pas parlé depuis leur dispute téléphonique du mois de mai. Elle était convaincue que celle-ci avait attendu qu'elle revienne toute repentante à New York, mais tandis que les jours passaient et que Harper demeurait à Sullivan's Island, le fait que sa mère eut fait le premier pas lui apporta un plaisir suffisant.

Cependant, ce n'était pas de la suffisance qui avait empêché Harper de répondre au courriel de sa mère, dans lequel Georgiana avait été assez aimable, même si Harper pouvait imaginer son pied en train de taper d'impatience en esprit. Plutôt, elle ne savait pas quoi lui dire, n'ayant pas décidé ce qu'elle ferait ni où elle irait cet automne. Elle avait espéré que la réponse deviendrait claire dans son esprit, mais il semblait plutôt qu'elle se fierait à son plan de secours et retournerait à New York, n'ayant pas d'autres possibilités.

Le regard fixé sur son téléphone, elle prit son courage à deux mains et, assise sur le bord de son lit, elle composa un numéro qu'elle n'avait pas appelé depuis le Memorial Day[2].

Au deuxième coup, elle entendit l'accent anglais sec auquel elle était accoutumée.

– Georgiana James.

– Maman ?

– Harper !

– Oui, c'est moi.

– Je pensais justement à toi.

– C'est vrai ?

– Oui. Je viens tout juste de rentrer des Hamptons. L'appartement est si calme sans toi, soupira Georgiana de manière théâtrale. Je suis épuisée. C'était une maison de fous, tout le monde était là, et j'ai dû revenir à New York pour me reposer avant le nouvel assaut de la fête du Travail[3]. Mais c'est tellement beau, là-bas, et on m'y attend. On fait ce qu'on doit faire. Tu aurais dû venir, tout le monde a demandé où tu étais.

Harper en doutait. Cependant, elle saisit la critique à peine voilée. La plupart du temps, personne ne se rendait compte qu'elle était là. Par ailleurs, Harper se demanda pourquoi sa mère insistait pour remplir la maison d'invités épuisants si

---

2. N.d.T.: Jour du Souvenir aux États-Unis, souligné en mai.

3. N.d.T.: Selon les continents, cette fête est célébrée à un moment différent : le 1er mai en Europe, le premier lundi de septembre en Amérique du Nord.

c'était pour s'en plaindre ensuite. Il n'y avait jamais d'interruption dans ces conversations bruyantes et légèrement ivres, ces rires tapageurs et cette longue série de fêtes. Le calendrier social chargé de sa mère était son élément vital. Contrairement à Harper, qui ne pouvait supporter d'être constamment « en scène ». Elle se réfugiait d'habitude sur la plage avec un livre ou dans sa chambre avec son téléphone, à la plus grande irritation de sa mère.

— Ici, c'est vraiment paisible, répondit-elle.

— J'en suis convaincue, chérie, répliqua Georgiana avant de marquer un temps. C'est un *trou*.

— En tout cas, je suis tout à fait heureuse, déclara Harper, qui commençait déjà à sentir monter son irritation et sa contrariété face à la désapprobation de sa mère.

— À ce *sujet*, reprit Georgiana, et Harper se tendit à ce ton qui indiquait une remontrance. Quand donc seras-tu de retour de tes vacances d'été ? N'es-tu donc pas en train de devenir folle à lier, perdue dans les marécages ?

— Pas du tout et, en passant, on les appelle les zones humides.

— Vraiment, émit sa mère sur un ton plein d'ennui avant de revenir à ce qu'elle voulait dire. Les vacances d'été sont terminées, il est temps de rentrer à la maison. Nous avons une programmation automnale très excitante et j'ai besoin que tu te remettes au travail.

— Je ne pensais pas avoir un emploi auquel retourner, répliqua Harper, directe.

Harper entendit distinctement sa mère inhaler la fumée de sa cigarette.

— Je me souviens vaguement que tu as démissionné.

— Je crois l'avoir fait.

— C'était un moment de colère.

— Oui, en effet.

Harper se souvint de l'appel plein d'amertume du mois de mai précédent au cours duquel sa mère lui avait clairement dit, avec des paroles lapidaires, qu'elle était son employée et devait lui obéir, pas seulement dans le cadre de son emploi, mais aussi dans sa vie personnelle. À ce moment, la véritable nature de sa relation avec sa mère s'était cristallisée pour elle et ce voile de sentimentalité arraché, elle avait été capable de lui tenir tête pour la première fois et d'affirmer son indépendance, ou de faire un premier pas dans cette direction. Elle avait trouvé la force de démissionner, ce qui lui avait donné la liberté de passer l'été à Sea Breeze. Elle n'avait pas prévu de le faire, mais cela s'était avéré une bénédiction.

– En fait, maman, c'est à ce sujet que je te téléphonais. Je voulais discuter d'un emploi avec toi.

– Bien. Tu dois revenir le plus vite possible. Tu avais tout à fait raison au sujet de cette fille, poursuivit Georgiana avec confiance. C'est un véritable cauchemar. C'est à peine si elle connaît l'orthographe, et elle est incapable de bien ponctuer une phrase. En plus, elle croyait que tout lui était dû ! s'exclama-t-elle en laissant échapper une bouffée d'air. Peux-tu croire que cette idiote voulait être promue au poste d'éditrice ? Déjà ? Tu t'imagines ? Je l'ai mise à la porte, ajouta-t-elle, avant d'exhaler une nouvelle bouffée d'air.

– Nina ? La dernière fois que nous avons discuté, tu chantais ses louanges. Tu m'as clairement dit que tu pensais qu'elle serait une meilleure éditrice que moi, que je n'étais pas prête.

Ses joues rougirent à ce souvenir.

– C'est ton imagination, Harper. Tu as toujours été hypersensible. De toute manière, la seule chose qui compte, c'est que je veux que tu reviennes. Tout est pardonné.

Pardonné ? Le poing de Harper se resserra sur son téléphone. Sa mère avait l'art de retourner les choses de manière à toujours finir par gagner.

– Je ne reviendrai pas pour…

– Tu ne reviendras pas ? Mais où irais-tu ? Un instant… Maman t'a-t-elle de nouveau parlé d'aller t'établir à Greenfields

Park ? demanda sa mère avec un rire en trille aigu. C'est typique. Maintenant, tu sais d'où je tiens mon côté enjôleur et fourbe. Eh bien, je ne peux te blâmer de choisir d'aller t'établir en Angleterre. Je les ai tellement déçus, alors je suppose qu'il y a une certaine satisfaction dans le fait de savoir qu'au moins ma progéniture pourra réaliser leur rêve.

– Mais je n'ai pas…

– Pas quoi ?

– Mère, me laisseras-tu terminer une phrase ? commença Harper avec colère, avant de poursuivre, d'un ton plus calme : Je n'ai pas décidé de m'établir à Greenfields Park ; je n'ai rien décidé. Ce que j'avais commencé à dire, c'était que je ne reviendrais pas pour être ton assistante d'édition, même si j'apprécie la proposition, se dépêcha-t-elle d'ajouter. Cependant, ce poste ne me suffit plus, dit-elle, en pensant que c'était plus habile que d'affirmer qu'elle ne voulait plus être le laquais de sa mère qui, au cours des deux dernières années, avait confié aux autres employés une plus grande partie des boulots éditoriaux et à Harper, son propre ordre du jour.

– Tu ne veux plus être mon assistante ? s'enquit Georgiana, l'air vexée. Mais qui d'autre pourrait faire ce travail ?

Harper pria pour demeurer patiente. Pourquoi était-ce à elle de s'assurer que sa mère ait une assistante satisfaisante ?

– Maman, tu peux engager quelqu'un comme assistante et je la formerai, si tu veux. Mais moi, je suis qualifiée pour être éditrice. Plus que qualifiée.

Harper attendit. Elle savait que, souvent, sa mère faisait longtemps attendre en silence l'autre personne qui se trouvait au bout du fil pendant qu'elle considérait tous les aspects d'une question.

– Quoi qu'il en soit, je vais commencer à envoyer des CV, reprit Harper d'un ton catégorique en mettant fin à cette confrontation, mais je voulais que tu sois la première à le savoir. J'aimerais d'ailleurs une lettre de recommandation.

— Mais quand donc es-tu devenue sans cœur ?

— Je te demande pardon ? Comment suis-je sans cœur ?

— Selon toi, qui a pris soin de ta carrière dans l'édition pendant toute ta vie ? Qui t'a envoyée dans les meilleures écoles, a été un maître à penser pour toi, t'a introduite dans toutes les maisons d'édition importantes ? Sans moi, jamais tu n'aurais pu te faire toutes ces relations ni avoir les occasions que tu as eues, et c'est ainsi que tu me remercies ? En me menaçant de rejoindre un autre éditeur ? C'est comme refuser ma clause d'option.

— Je ne refuse rien, protesta Harper, exaspérée, si ce n'est d'être ton assistante. Tu ne m'as rien offert d'autre, jusqu'à maintenant.

Il y eut une pause et elle entendit sa mère en train de souffler comme une locomotive, mais finalement, Georgiana reprit la parole, de son ton professionnel cette fois ; sec, avec un accent anglais marqué, et impersonnel.

— Il a toujours été difficile de raisonner avec toi quand tu es là-bas. J'espérais qu'avec l'âge, tu ne serais plus sous l'influence de ta grand-mère.

— De quelle grand-mère parles-tu ? Encore que c'est sans importance. Mère, je n'ai discuté de cela ni avec Mamaw ni avec grand-mère James, et je ne te parle pas en tant que ta fille, mais en tant que ton ancienne assistante d'édition qui souhaite poser sa candidature à un poste d'éditrice.

Il y eut une nouvelle longue pause, mais cette fois, Harper attendit que sa mère parle la première.

— Très bien. Si tu souhaites sérieusement poser ta candidature à un emploi d'éditrice, je serai heureuse d'en discuter avec toi, mais dans mon bureau, comme avec tout autre candidat. Téléphone-moi quand tu seras de retour à New York pour prendre rendez-vous. Maintenant, je dois te laisser. À plus.

Harper entendit le déclic signalant la fin de la communication et se laissa retomber sur son matelas pour fixer le plafond, momentanément abasourdie et déconcertée. Quand elle avait téléphoné à sa mère, elle avait été pleine de détermination pour prendre des décisions et retourner à New York. Pourtant, une fois de plus, sa mère lui avait montré comment ses espoirs étaient pleins de naïveté.

En effet, le fait de travailler pour elle, quelles que soient ses fonctions, était une mauvaise idée ; Harper le comprenait maintenant, car Georgiana James se retournerait contre elle, lui dirait qu'elle ne réussirait pas. Qu'y avait-il de nouveau ? Son côté logique et pragmatique savait qu'elle devait cesser de temporiser et poser sa candidature chez d'autres éditeurs.

Cependant, son côté émotif se sentait rabaissé et blessé. Harper se couvrit le visage de ses mains avant de se tourner sur le côté et de se mettre en boule. Ça faisait mal de se faire rejeter, même après toutes ces années. Elle pensait s'y être habituée, mais elle avait conservé l'espoir enfantin qu'un jour sa mère, à défaut de l'aimer, apprécierait ses qualités. Mais pas Georgiana James, qui excellait à faire savoir à sa fille, de toutes les manières possibles, qu'elle était sans importance, ou que si elle l'était, c'était seulement dans la mesure où elle pouvait assurer les besoins et les volontés de sa mère.

Toute tentative d'autonomie, même l'expérimentation typique des adolescentes avec les vêtements et le maquillage, avait reçu une brutale opposition. Harper se demanda si sa mère se rendait compte à quel point elle aurait pu devenir folle au pensionnat, ou à quel point elle avait été une bonne fille pendant toutes ces années pendant que ses amies sortaient en douce le soir pour essayer l'alcool, les drogues et le sexe. Puis, Harper pouffa d'une manière très peu digne d'une dame. Georgiana était trop égocentrique pour l'avoir remarqué et que cela la préoccupe.

Harper s'essuya les yeux en sentant gronder la colère. Elle avait maintenant 28 ans. Pourquoi permettait-elle à cette femme de lui faire du mal ?

Se levant, elle se dirigea vers le petit bureau en bois. Elle avait découvert que la seule manière de se libérer de la souffrance et des émotions refoulées était d'écrire. Elle s'assit donc, ouvrit son ordinateur portable et plaça les doigts sur les touches avant de se mettre à taper avec fureur. Dès que les mots commencèrent à venir, elle sentit la tension diminuer. Même l'effort d'écrire un livre, un effort que son père avait fait, serait une insulte pour sa mère, qui détestait tout ce qui, chez Harper, faisait allusion à sa relation génétique avec Parker Muir.

Peu à peu, Harper se perdit dans le monde de ses personnages. Dans son livre, elle avait créé un personnage qui était son alter ego. Hadley était une femme intelligente, autonome et déterminée qui ne se laissait pas facilement dissuader, qui ne laissait personne la dénigrer ni se mettre en travers de son chemin pour atteindre ses rêves.

Quand Harper était petite, elle écrivait souvent des histoires dans lesquelles elle incarnait une héroïne affrontant des obstacles similaires aux aventures des personnages de ses livres préférés. Ainsi faisait-elle un séjour au pays des merveilles comme l'intelligente Alice, ou voyageait-elle à travers le temps et l'espace comme Meg Murry. Ayant grandi, Harper, assise dans des cafés, des aéroports ou des gares, des endroits où les gens se regroupaient, écoutait leurs conversations, et s'amusait à les terminer, ainsi que les histoires qu'ils racontaient, dans ce qu'elle écrivait, y ajoutant quelques fioritures et rebondissements improvisés. Mais surtout, Harper avait découvert que tenir un journal procurait un exutoire à sa souffrance et à sa frustration refoulées.

Toujours assise à son bureau, elle récrivit l'échange téléphonique qu'elle venait d'avoir, lançant à sa mère les paroles qu'elle souhaitait avoir prononcées, Hadley, son personnage, ayant la langue bien pendue.

– Tu es incapable de me parler sans me rabaisser, cria Hadley, mais c'en est terminé de cette campagne qui aura duré toute ta vie

pour avoir une emprise sur moi. Tu violes mes limites, tu me sapes, tu me dénigres et tu me critiques. Tu es narcissique et destructrice !

Harper ne se rendait pas compte qu'elle souriait tout en écrivant et quand elle eut terminé, une heure avait passé. Elle s'appuya contre le dossier de sa chaise et garda ses mains sur les touches, sentant le soulagement cathartique qu'elle éprouvait toujours après avoir écrit.

Refermant son portable, son sourire s'estompa et elle se demanda si elle trouverait jamais le courage d'affronter sa mère dans la vraie vie, pas seulement dans ses histoires.

~

Quand Carson revint dans la cuisine, Blake ne lui sourit pas.

— Un nouvel ami ?

— Oui, répliqua-t-elle d'une manière délibérément joviale en ne tenant aucun compte du regard inquisiteur qui la fixait. Prends ton verre et allons nous asseoir dehors. Il fait chaud, mais à l'ombre, ça va. Cette pièce est un désastre, à cause de l'ouragan Harper, dit-elle en parcourant la cuisine du regard et en remuant la tête avant de grommeler : je ne sais pas à quoi cette folle pouvait penser.

Elle le conduisit vers la zone ombragée de la véranda où le vent du large agitait l'air humide. Elle adorait le temps chaud et ne pouvait tolérer le froid. Elle était comme n'importe quel poisson qui absorbe le soleil et supporte la chaleur. D'ailleurs, l'une des choses qu'elle aimait chez Blake, c'était qu'il était lui aussi tout autant dans son élément à l'extérieur. Ils préféraient tous deux être assis dehors, à l'air non conditionné. Tirant l'un des grands fauteuils d'osier, Carson s'y laissa tomber avec grâce tout en glissant une jambe sous elle.

Blake posa son verre à côté du sien, mais il hésita avant de s'asseoir. Il resta debout à côté d'elle, l'air inquiet.

— Comment te sens-tu ? demanda-t-il avec prudence.

Carson tapota des doigts sur le fauteuil en sachant parfaitement que Blake tentait de déterminer si elle avait avorté. Elle savait aussi qu'il avait le droit de lui poser cette question. Elle avait d'ailleurs prévu de lui apprendre sa décision à un moment donné. Sauf qu'elle venait à peine de la prendre.

— J'ai la nausée, répondit-elle en le regardant droit dans les yeux avant de remettre ses lunettes de soleil.

Blake se figea, pris de court.

— Tu veux dire que tu es malade ?

— Généralement, c'est ce que ça veut dire, *avoir la nausée*, avoir envie de vomir, ce qu'on appelle les nausées matinales.

— Tu veux dire que... tu es toujours enceinte ?

— Il semblerait.

Elle vit de l'espoir jaillir dans ses yeux tandis qu'il esquissait un sourire de soulagement tout en digérant cette information.

Carson retira alors ses lunettes de soleil pour croiser son regard.

— J'ai décidé de garder le bébé.

Les émotions de Blake passèrent de 0 à 100 km/h. Laissant tomber la sacoche de son ordinateur, il fit un pas en avant les bras tendus pour la prendre dans ses bras.

— Carson, je...

Cependant, Carson se recroquevilla et leva la main pour le repousser.

— Arrête ! lança-t-elle, puis, quand il eut baissé les mains, elle reprit, irritée : je ne veux pas me lancer dans ce sujet avec toi en ce moment, d'accord ?

Comme il reculait de nouveau, elle prit un instant pour calmer ses nerfs avant de lever les yeux, seulement pour voir son air troublé.

— Je ne l'ai pas fait pour toi, ni pour *nous*.

Le sourire de Blake disparut, mais le soulagement brillait toujours dans ses yeux.

– D'accord, dit-il en hochant la tête affirmativement, j'ai compris. Mais je peux toujours me sentir concerné, non ? Je ne peux pas *ne pas* me sentir concerné.

Les épaules de Carson s'abaissèrent. Elle éprouvait pour lui de la gratitude qu'il comprenne et qu'il n'insiste pas pour un engagement. Aussi hocha-t-elle la tête en se permettant d'esquisser un sourire et en se sentant un peu penaude d'être aussi hargneuse.

– Évidemment que oui, répondit-elle en le regardant dans les yeux, si sombres et si attrayants.

Soudain, elle lui adressa un sourire, alors qu'elle ne lui en avait pas offert le moindre jusqu'ici. Cependant, maintenant, elle souriait et à cet instant, son affection d'auparavant reprit vie.

– Je ne veux pas me comporter comme une garce à ce sujet, mais je deviens nerveuse quand tu vas trop vite. Je commence moi-même à peine à me faire à cette idée. J'ai besoin de temps, d'accord ?

– D'accord.

– Et je ne veux pas que tu me supplies de t'épouser, ajouta-t-elle, son sourire devenu ironique.

La première fois qu'elle avait parlé à Blake de la minuscule vie qui grandissait en elle, il avait tenté de la pousser à venir vivre avec lui et à l'épouser, mais Carson, complètement dépassée par les évènements, s'était immédiatement enfuie, incapable d'accepter l'idée d'un tel engagement, de sorte qu'ils avaient rompu sur-le-champ.

À ces mots, Blake croisa les bras en l'examinant durement.

– Qui a dit que je voulais t'épouser ?

Le regardant de travers, Carson sourit ironiquement.

– D'accord, dit-il en laissant tomber les bras, je veux de nouveau être avec toi, ajouta-t-il en haussant les épaules avec insolence. Je t'aime. C'est illégal ?

Éclatant de rire, elle accepta son humour et sa résolution avec équanimité.

– Moi aussi, je t'aime, tu le sais, mais ça ne signifie pas que je veuille me marier, pas tout de suite, tout au moins. Commençons par être de nouveau amis pour voir comment les choses progressent ensuite.

– Être amis, oui, j'en suis capable, acquiesça-t-il, le regard palpitant, avant de sourire de nouveau, de profondes fossettes marquant ses joues. C'est un bon endroit où *commencer.*

– Blake…

Il rit, visiblement si content de la tournure des évènements qu'il ne pouvait être découragé.

– Alors, que se passe-t-il avec Delphine ? demanda-t-elle en les ramenant sur le sujet qui les occupait en ce moment. Ou était-ce simplement un stratagème pour te débarrasser de Taylor. Si c'était le cas, ç'a marché.

– J'aimerais penser que je suis aussi intelligent, mais j'aurais dû savoir que tout ce qui touchait à Delphine aurait préséance sur le reste.

– Pour ça, tu as raison. Mais assieds-toi, indiqua-t-elle en lui montrant le fauteuil à côté d'elle, et dis-moi ce qui se passe.

Blake s'y assit puis se pencha vers l'avant, les mains croisées entre ses genoux. Quand il prit la parole, c'était comme pour faire une annonce, les yeux pétillants d'excitation.

– On m'a appris que l'état de Delphine s'est amélioré au point que le Mote recommande qu'elle soit remise en liberté.

– C'est fantastique ! s'écria Carson après avoir pris une grande respiration, sa jambe glissant de sous elle, et elle s'assit plus droite dans son fauteuil, de sorte qu'ils étaient maintenant genoux contre genoux, avec elle penchée vers l'avant, pleine d'anticipation.

– Ses progrès ont été pour le moins étonnants, reprit Blake après en avoir convenu avec un hochement de tête. De plus, plusieurs personnes ont noté que ta visite avait été un moment décisif pour elle.

À cette nouvelle, Carson sentit son cœur se contracter. Rendre visite à Delphine quand elle était hospitalisée avait été une source d'émotions et avait confirmé le lien entre elles.

– Cependant, c'est aussi ta relation avec Delphine qui nous préoccupe.

Carson se déplaça dans le fauteuil.

– Nous avons commencé à l'évaluer pour sa remise en liberté, ce qui est un processus complexe, et je suis venu te poser quelques questions. Ce ne sera pas long.

– Bien sûr.

Cependant, elle pensa qu'il était étrange que la NOAA[4] ait besoin qu'elle réponde à des questions. Quoi qu'il en soit, elle remarqua que Blake avait perdu le ton autoritaire qu'il avait auparavant quand il était furieux après elle parce qu'elle avait attiré le dauphin jusqu'au quai, ce qu'il avait perçu comme une trahison de tout ce en quoi il croyait. Il avait été difficile d'obtenir son pardon.

– Je suis prête à collaborer de quelque manière que je le puisse.

– Très bien. Alors, commençons, lança-t-il en prenant des documents dans sa sacoche. Avant la remise en liberté de tout cétacé, le National Marine Fisheries Service exige qu'une évaluation rigoureuse soit conduite, qui inclut les aspects historique, développemental, comportemental et, évidemment, médical. Jusqu'à maintenant, nous avons complété son évaluation médicale, et tout va bien, ce qui est positif. Son comportement a été approuvé dans la mesure où elle a conservé les capacités nécessaires pour trouver et capturer du manger dans la nature. Nous savons aussi qu'elle peut identifier les prédateurs, compte tenu de la manière dont elle s'est battue avec le requin pour te sauver la vie.

4. N.d.T.: Administration nationale américaine des affaires océaniques et atmosphériques

Plus tôt cet été, en effet, Carson avait été à la merci d'un requin quand Delphine était arrivée et l'avait sauvée, ce qui avait été le début de leur lien particulier. Aussi Carson ressentit-elle, comme elle le faisait toujours, le poids de sa gratitude pour le dauphin.

— Voilà où ça devient plus compliqué, poursuivit Blake. Idéalement, après sa réhabilitation, le cétacé est relâché dans sa région natale en compagnie de sa lignée génétique et de son groupe social. Malheureusement, nous n'avons toujours pas trouvé de preuve que Delphine fait partie de la communauté de dauphins qui réside dans la crique ni une photo d'identification de Delphine dans la base de données de mon ordinateur. Or, tu peux me croire, nous avons cherché.

À ces mots, Carson sentit son estomac se serrer.

— De son côté, l'hôpital n'a trouvé ni cryomarquage ni étiquette de nageoire dorsale, reprit Blake en soupirant avant de s'enfoncer dans son fauteuil en laissant tomber les documents qu'il avait à la main, un mouvement qui suggérait la défaite. Alors, en gros, sans quelque forme d'identification, il est peu probable que Delphine reçoive l'autorisation d'être relâchée dans la crique.

Le cœur de Carson se serra, mais aucun d'entre eux n'y pouvait quoi que ce soit. Soudain, elle sentit la chaleur de ce jour et essuya la sueur de son front.

Blake, lui, ne semblait pas incommodé par la chaleur.

— Mais je ne suis pas prêt à abandonner, ajouta-t-il.

Carson vit une étincelle de détermination dans les yeux du biologiste de la vie marine dévoué dont elle était tombée amoureuse.

— Moi non plus. Que puis-je faire pour vous aider ?

— Mes tripes me disent qu'elle fait bien partie de cette communauté. En dépit de son lien avec toi, et on abordera cet aspect dans un instant, elle est demeurée dans la communauté plus longtemps qu'elle ne l'aurait fait si elle avait simplement été de passage en train de migrer.

– Mais elle était blessée.

– C'est vrai, mais pas sérieusement, tout au moins, pas à ce point. Seulement une petite partie de la nageoire de sa queue avait été arrachée. Elle pouvait donc toujours chasser et chercher de la nourriture. Beaucoup de dauphins se débrouillent bien dans la nature avec ce type de blessures minimales, ajouta-t-il avant de bouger dans le fauteuil et d'en venir au vif du sujet. Je dois trouver toute caractéristique physique, telles des cicatrices qui étaient présentes avant l'accident, que je pourrai utiliser avec les informations de mon ordinateur pour l'identifier. Or, de ce point de vue, nous sommes vraiment justes. En vois-tu une ?

Carson considéra cette question tout en pliant une feuille du journal qu'il y avait sur la table pour en faire un éventail puis, tout en s'éventant, elle laissa échapper une bouffée d'air.

– Plutôt que de se fier à ma mémoire, j'ai plein de photos que j'ai prises d'elle dans la crique pendant l'été.

– Comme des photos de bébé ? gloussa Blake.

– Hé, je suis photographe, c'est ce que je fais, se défendit-elle avec un rire bref. Voudrais-tu les examiner ?

– Tout à fait.

– Elles sont dans mon ordinateur. Viens, offrit-elle en se levant pour ensuite le mener dans la cuisine, consciente de son regard sur elle tandis qu'il la suivait.

Une fois dans sa chambre, Blake se jeta sur l'ordinateur de Carson, qui se trouvait sur son bureau.

– Alors, où sont ces photos ? demanda-t-il, déjà en train d'ouvrir la chemise en papier kraft, résolu à travailler.

Une heure plus tard, appuyé contre le bureau, son corps si près de celui de Carson qu'ils se frottaient souvent l'un l'autre, Blake pointa soudain quelque chose du doigt sur l'écran. Tandis que les minutes s'égrenaient, elle trouvait qu'il devenait plus difficile de se concentrer sur les photographies plutôt que sur leurs atomes crochus. En effet, il y avait toujours eu entre eux une connexion physique viscérale.

– C'est la meilleure que je puisse trouver, admit-elle finalement avec irrévocabilité en lui montrant un gros plan de Delphine fixant l'appareil-photo. Vois-tu la cicatrice au bas de son rostre ? Je n'y avais pas pensé auparavant, mais elle est présente dans toutes les photos. C'est une cicatrice distinctive. Ça marchera ?

– Ce n'est pas rien, concéda-t-il avant de reculer et de se redresser, pour ensuite placer ses mains sur son dos et s'étirer. Seulement, je ne sais pas combien de gros plans de dauphins nous avons qui montrent une petite cicatrice sur le rostre.

– Où d'autre sur son corps devrions-nous regarder ? demanda-t-elle alors après avoir soupiré de frustration.

– Voilà le problème. Les entailles de sa nageoire dorsale sont comme des empreintes digitales, et nous les utilisons surtout pour l'identification photographique. Malheureusement, les photos de la nageoire dorsale de Delphine que tu as nous a déjà montrées ne sont pas dans notre base de données, et maintenant, sa nageoire dorsale a été compromise par les lignes de pêche : elle est coupée à l'extrémité. La blessure à cet endroit est peu importante, mais c'est comme couper une partie de ton empreinte digitale.

– Et la nageoire de sa queue ?

– Nous avons déjà documenté la morsure du requin, répondit-il en remuant la tête. Il nous faut une marque quelconque qui était présente avant celle-ci.

Soudain, la mémoire lui revenant, Carson se leva.

– Un instant, j'ai peut-être quelque chose, indiqua-t-elle avant de parcourir un nombre infini de photos dans son appareil. J'ai pris d'autres clichés d'elle quand j'étais en Floride.

– Elles ne nous seront d'aucune aide. Il me faut des photos documentant ses cicatrices datant d'avant votre rencontre.

— Je sais, je sais, mais attends un instant…

Elle savait ce qu'elle cherchait. Soudain, elle s'arrêta.

— Je l'ai trouvée !

Blake se pencha alors pour regarder de plus près la photographie de Delphine en train de plonger sous l'eau, sa nageoire dressée dans les airs.

— J'ai vu sa nageoire blessée.

— Ne regarde pas sa nageoire gauche, zoome plutôt sur la nageoire droite de sa queue.

Carson attendit ensuite pendant que Blake le faisait, consciente que la poitrine de l'homme était pressée contre son dos.

— Là ! indiqua-t-elle du doigt. Tu vois ce petit trou ?

— Le petit, là ? demanda Blake après avoir de nouveau zoomé. De la grosseur d'une pièce de 10 cents ?

— Oui. Pendant l'été, quand j'ai pris les autres photos de Delphine dans la crique, je me concentrais sur ses yeux, ses expressions, comme une mère photographiant son bébé. Mais celles-là, poursuivit Carson en indiquant les photos de l'appareil, je les ai prises pour documenter ses cicatrices, car je pensais qu'il était important de suivre sa guérison. C'est à ce moment que j'ai remarqué ce petit trou dans la nageoire droite de sa queue et j'ai pensé qu'il était étrangement rond, comme s'il y avait été fait avec une perforeuse. Or, ce trou, elle l'avait *avant* d'aller à l'hôpital. Ce n'est pas une cicatrice normale, n'est-ce pas ?

— Non, convint-il lentement en étudiant la photographie. Un trou rond, ce n'est pas normal, au contraire des entailles ou des traces laissées par les autres dauphins. Ce serait certainement impossible à identifier.

— Avez-vous d'autres photos de nageoires de queue dans votre base de données ? demanda-t-elle après s'être mordillé la lèvre.

Blake baissa l'appareil-photo et croisa son regard, à quelques centimètres du sien. Il sourit.

— Oui, nous en avons.

— Merci, mon Dieu, s'exclama Carson en poussant un profond soupir de soulagement.

Se redressant, Blake croisa les bras.

— Il nous reste une autre préoccupation à considérer.

À ces mots, Carson le fixa de nouveau.

— Laquelle ?

— Toi.

Ce mot fit à Carson l'impression d'un coup dans le ventre.

— Que veux-tu dire, *moi* ?

Blake, après avoir bougé, la regarda droit dans les yeux.

— L'une des conditions clés pour l'autorisation est le comportement du dauphin, comme de savoir que le dauphin n'acceptait pas de nourriture des humains quand il était à l'état sauvage, poursuivit-il avec un air implacable. Or, nous connaissons tous les deux la réponse à cette question.

Carson le fixa à son tour.

Blake bougea de nouveau comme s'il était mal à l'aise, visiblement réticent à dire quoi que ce soit qui pourrait faire du mal à Carson, de sorte que son ton s'adoucit.

— En termes simples, la capacité de Delphine à survivre dans la nature est considérée comme étant compromise par tes actes.

Carson se sentit soudain submergée par une vague de culpabilité et son menton tressaillit tandis qu'elle essayait de ne pas pleurer. Le fait que non seulement elle était responsable des blessures de Delphine, mais qu'elle pourrait aussi être la raison pour laquelle le dauphin ne serait pas relâché dans la nature était un coup dévastateur.

— Mais, poursuivit Blake, et Carson sentit une lueur d'espoir, il y a ce que nous appelons une remise en liberté conditionnelle.

— Quelles sont ces conditions ?

Blake s'arrêta pour ouvrir de nouveau sa chemise et feuilleter ses documents. Ayant trouvé le passage qu'il cherchait, il le lut à haute voix.

– « Une fois dans la nature, l'attirance pour les humains doit être éliminée. »

Il referma le dossier.

Carson le regarda de nouveau. Elle vit un représentant de la NOAA déterminé à suivre les règles et à agir en fonction de ce qui était le mieux pour le dauphin, mais elle vit aussi de la compassion.

– Donc, peux-tu m'assurer, me promettre, que tu n'auras plus aucune interaction avec le dauphin connu sous le nom de Dossier numéro 1107 ?

– Oui, répondit-elle en hochant la tête.

Blake soutint son regard et leva la main pour compter sur ses doigts.

– Tu ne l'attireras pas à ton quai. Tu ne la nourriras pas. Tu ne siffleras pas ni ne l'appelleras. Tu ne feras rien pour l'attirer à toi de quelque manière que ce soit. Et tu promets de la laisser être sauvage au plein sens du terme, termina-t-il en baissant la main.

– Oui.

– Dans ce cas, il est possible que Dossier numéro 1107 soit autorisé à être libéré sous condition, reprit-il, mais son air devint sérieux. Toutefois, à ce stade-ci, tu devrais me connaître assez bien pour savoir qu'il n'y aura pas de favoritisme. Si Delphine persiste à rester aux environs de ton quai ou fait quoi que ce soit qui montre son incapacité à passer outre son attachement à toi, je recommanderai qu'elle soit de nouveau capturée.

– Et qu'arrivera-t-il dans ce cas ?

– Dans une telle situation, tout dépendra de la santé du dauphin. Si, une fois qu'elle a été relâchée, Delphine ne se porte pas bien, si elle ne chasse pas ou ne devient pas un membre de sa communauté, elle retournera en réadaptation, puis il faudra choisir entre la relâcher dans un centre ou l'euthanasier.

La simple possibilité de l'euthanasie fit flageoler les genoux de Carson.

— Le lien n'est pas univoque. Nous devons voir si Delphine, elle aussi, est capable de *te* laisser tranquille.

À ces mots, Carson détourna le regard en se rappelant comment Delphine avait sifflé avec joie en la revoyant à l'hôpital Mote.

— Peut-être ne devrions-nous pas courir ce risque. Peut-être ne devrions-nous pas la relâcher ici, dans la crique. Au moins, si elle va au Dolphin Research Center, elle sera en sécurité.

— Ce n'est pas comme ça que ça fonctionne. L'objectif premier est de la relâcher dans la nature. Delphine est toujours jeune et à son sommet du point de vue reproductif, souligna-t-il en souriant avec réticence. Mais je dois te confier que, après ce que tu viens de dire, je crois que tu feras tout ce que tu auras à faire pour le bien-être de Delphine, ajouta-t-il avant de lui sourire. Ma recommandation est donc de la relâcher dans la crique.

Sur ce, cédant à une impulsion, Carson se leva d'un bond et serra Blake dans ses bras.

— Merci, Blake.

Aucun d'eux ne fit un mouvement pour s'écarter, chacun savourant ce contact après si longtemps. C'était toujours ainsi entre eux. Des étincelles ricochaient quand ils se touchaient. Finalement, avec réticence, Carson desserra son étreinte et s'éloigna lentement, mais seulement pour chanceler, se sentant étourdie. Blake tendit le bras pour la redresser.

— Ça va ?

— Oui, ça va. J'ai seulement perdu l'équilibre, répondit-elle avant de renâcler. Les hormones…

— As-tu vu un médecin ?

– J'ai pris rendez-vous. La semaine prochaine.

– Je pourrais… Je veux dire, ça te conviendrait si je t'y emmenais ?

Carson hésita. C'était un grand pas, une première étape dans leur association dans sa grossesse. Elle le regarda dans les yeux, sentit son bras qui tenait le sien, qui la stabilisait.

– Oui, je veux bien.

CHAPITRE 5

Le lendemain matin, Dora, derrière une planche à repasser, vêtue seulement d'un soutien-gorge et d'une culotte fantaisie en dentelle en face des portes vitrées coulissantes donnant sur la véranda de la chambre de Devlin, était en train de repasser l'une des deux robes qu'elle envisageait de porter pour son premier entretien d'embauche en près de 15 ans. La grande chambre était dotée d'une terrasse procurant une vue imprenable sur l'océan et les portes étaient grandes ouvertes aux vents du large.

— Alors, ça, c'est ce que j'appelle une vue, s'exclama Devlin derrière elle.

Dora lui lança un regard coquin par-dessus son épaule, sachant parfaitement à quelle vue il faisait référence. Un genou dressé, l'autre jambe pendant à l'extérieur du matelas, nu comme un ver, il était allongé sur son lit géant, sur lequel ils venaient de faire l'amour. Il se fichait d'avoir un ventre en pleine expansion, de ne plus être aussi svelte à 40 ans qu'il l'avait été à 17 ans quand ils se fréquentaient des années plus tôt, avant de vivre d'autres expériences pour finalement se retrouver. Contrairement à Dora, Devlin n'avait aucun problème de pudeur et était tout à fait à l'aise avec son corps.

En revanche, Dora avait toujours eu des problèmes de poids, en particulier avec la brioche qu'elle avait autour de la taille. Elle avait le corps de sa mère et pestait de ne pas avoir hérité de la silhouette mince et élancée du clan Muir comme Carson et Harper. Elle éprouvait aussi du ressentiment envers le fardeau biologique qui est celui des femmes pour des raisons de reproduction, ces sacrées cellules adipeuses additionnelles aux hanches. Toutefois, depuis qu'elle avait commencé son programme de marche, elle avait réduit sa brioche, et non seulement son corps était plus beau, mais elle se *sentait* mieux. Exhiber ne serait-ce qu'une partie de son corps était, pour elle, une preuve de confiance.

– Quel mâle tu fais, le complimenta-t-elle en se retournant tout en remuant la tête.

Devlin pouffa d'un rire sourd qui la fit sourire, même son rire ayant l'accent de la côte.

– Chérie, c'est précisément ce que je viens de passer la dernière heure à essayer de te prouver.

À ces mots, Dora rougit, se souvenant des détails de l'heure passée.

– La seule vue qui est plus jolie qu'une femme en train de repasser est celle d'une femme en train de faire la cuisine.

– Je ne peux pas croire que tu aies dit une chose pareille, s'exclama Dora en appuyant sur le bouton pour faire de la vapeur.

– Pourquoi ? C'est vrai. Enfile un tablier, je vais te montrer.

– Maintenant, plus un mot, tu es ridicule, pouffa-t-elle d'irritation feinte. Tu sais que je dois m'y mettre, je suis en retard à cause d'une certaine chose qui a détourné mon attention, ajouta-t-elle en soulevant la robe en coton bleu pâle à broderie blanche de la planche à repasser pour la tenir devant elle. Laquelle tu préfères pour mon entretien ? Celle-ci ? demanda-t-elle en lui laissant une minute pour la regarder avant de la poser et de soulever un fourreau chocolat. Ou celle-là ?

– Je te préfère sans aucune des deux.

– Dev, essaie d'être sérieux, insista-t-elle en levant les yeux au ciel. Il faut que je fasse bonne impression. Très bonne impression. J'ai besoin de ce boulot.

– De quel boulot s'agit-il ? s'enquit-il en soupirant, résigné, et en arrêtant de la taquiner.

Dora prit une respiration en essayant de rester patiente. Elle lui avait parlé de son entretien d'embauche dans une boutique du coin un peu plus tôt. À vrai dire, c'était à ce moment qu'il s'était mis à lui embrasser le cou.

– Tu ne te souviens pas ? Je t'ai dit que j'avais un entretien pour travailler dans une boutique de robes de Towne Center. Ce serait pratique, car je ne veux pas avoir à aller en ville pour trouver du travail.

– Une boutique de robes ? Ça paie combien ?

– Un salaire raisonnable, répondit-elle en haussant les épaules. Le salaire minimum, reconnut-elle quand il la regarda d'un air douteux. Mais j'aurai une réduction sur les vêtements.

– Ouais…

Devlin se leva avant de se rendre jusqu'à l'extrémité du lit pour passer une robe de chambre en tissu gaufré.

– Pourquoi ne viens-tu pas travailler pour moi ?

Devlin était propriétaire de sa propre société de courtage en immobilier dans les îles barrières. Il avait extrêmement bien réussi au cours de l'explosion immobilière des 20 dernières années, cependant, comme la plupart des courtiers en immobilier, la baisse du marché qui commençait à peine à se redresser l'avait amoché.

– Et que ferais-je donc ?

– Tu serais mon assistante.

– Je n'ai aucune compétence en secrétariat, je sais à peine me servir d'un ordinateur et encore moins d'un télécopieur, sans compter que tu as déjà une réceptionniste.

– J'ai besoin d'aide pour dénicher des maisons à rénover et à revendre. Or, tu as un très bon œil comme courtier en immobilier, c'est naturel, chez toi. Tu pourrais étudier pour obtenir ta licence d'agent immobilier.

L'idée d'obtenir son permis de courtage était tentante. Ensemble, ils avaient travaillé à remettre en état un pavillon ravissant sur Sullivan's Island, mais travailler avec lui en tant que petite amie et en tant qu'employée, ce n'était pas la même chose.

– Non.

– Écoute-moi, l'arrêta-t-il en levant les mains. Regarde comme nous faisons du bon travail ensemble dans ce cottage. C'est en train de donner un très bon résultat, et nous avons du plaisir à travailler ensemble, non ? C'est ce que je pense, moi aussi, reprit-il avec un petit sourire après qu'elle eut hoché la tête. Tu as un bon instinct avec les maisons, Dora, et c'est une chose qui ne s'apprend pas à l'école. On naît avec.

– Non.

– Je te donnerais un bon salaire, bon Dieu, bien meilleur que le salaire minimum.

– Merci, répondit-elle après s'être rendue auprès de lui et lui avoir fait chastement la bise. Tu es extrêmement généreux et ta proposition me fait plaisir, crois-moi, mais c'est non.

– Mais bon Dieu, pourquoi pas ? Tu aimes l'immobilier.

– C'est vrai.

– Alors, pourquoi accepter un boulot au salaire minimum quand je te propose quelque chose de mieux ?

– Parce que tu n'as pas vraiment besoin de moi. *Et en plus*, souligna-t-elle pour contrer son objection, je veux me trouver un boulot par moi-même, sans qu'on me pistonne. Pas cette fois. C'est important pour moi. Essaie de comprendre.

Avec ses cheveux blonds décoiffés et ses yeux bleu pâle, il avait l'air d'un enfant boudeur.

— Je ne t'avais jamais entendue dire que tu voulais travailler dans le commerce de détail.

— Je n'en ai pas particulièrement envie.

— Alors pourquoi ?

— Franchement, parce que je n'ai pas de diplôme universitaire, de compétence en secrétariat, ni de formation particulière, en fait. Presque toute ma vie, je n'ai fait que du bénévolat. Que puis-je ajouter ? J'ai vu cette offre dans le journal. C'est ça ou demander au client s'il veut des frites avec son plat.

— Alors, reprends tes études. Qu'est-ce qui presse ?

— C'est Nate qui doit aller à l'école, pas moi, et il entre à l'école privée dans quelques semaines. Tu sais que ma maison ne s'est pas vendue, nous n'avons pas reçu la moindre offre, même pas une offre dérisoire, alors l'argent est rare. Je vais obtenir une pension alimentaire pour Nate et moi, mais ce ne sera pas suffisant pour couvrir toutes les dépenses, de sorte que si je veux que Nate fréquente l'école privée, je dois contribuer, avoir un salaire, mettre un peu d'argent de côté pour ma retraite, c'est aussi simple que ça. Et j'aurai l'impression d'être… indépendante.

Devlin se gratta la mâchoire, mais ne répondit pas.

— Alors, laquelle est la mieux ? demanda-t-elle en soulevant de nouveau le fourreau brun et en le tenant devant elle.

— Elle va avec tes yeux, céda-t-il en désignant la bleue.

— Tu ne trouves pas qu'elle me fait des grosses fesses ?

— Chérie, je ne suis pas assez stupide pour essayer de répondre à ça.

Dora rentra son ventre en souhaitant avoir eu la discipline de sauter la bouillie de maïs, la veille au soir. Elle mit la robe et se tortilla pour la faire passer sur ses hanches. Elle la serrait un peu au niveau des fesses, mais ça irait.

— C'est Harper qui les a choisies. Elle est toujours partante pour une allure sophistiquée et sévère. Tu ne trouves pas qu'elle est un peu trop simple ? Je préférerais qu'elle ait un peu de ruches ou un côté tape-à-l'œil.

Elle soupira tout en se dirigeant du côté de Devlin.

— Tu veux bien remonter la fermeture ?

Devlin s'exécuta. C'était comme un couple marié, pensa-t-elle avec contentement tandis qu'il déplaçait la minuscule glissière jusqu'en haut, mais en mieux. Elle était libre de venir et de s'en aller de chez lui comme bon lui semblait, encore que cela cesserait, supposait-elle, une fois que Nate et elle auraient quitté Sea Breeze et qu'il n'y aurait plus ses tantes ou son arrière-grand-mère pour garder l'œil sur lui. Devlin voulait qu'ils se marient, mais après toute une vie chez sa mère ou à être aux petits soins pour son mari, elle appréciait sa liberté nouvelle ; mais elle n'osait pas le lui dire.

— Et comment va Carson ? demanda Devlin.

Elle lui avait déjà raconté que Carson aurait son bébé. C'était typique de lui de s'inquiéter de Carson. Ils étaient copains de surf depuis l'enfance. À ce titre, Dora était secrètement convaincue que Carson, à une certaine époque, avait eu le béguin pour Dev quand il était un superbe surfeur blond et le meneur de leur bande de surfeurs, bien que, évidemment, Carson le niait.

— Bien, très bien.

— Je l'ai vue avec Blake. Ils ont repris ?

— Tu veux dire Rhett et Scarlett ? déclara-t-elle en riant. Là-dessus, on attend toujours un verdict. Quoi qu'il en soit, ils se voient soi-disant pour faire des plans au sujet de Delphine, poursuivit-elle avec un sourire ironique, mais ils ne trompent personne, ajouta-t-elle en pensant aux sourires entendus, aux câlins et aux autres signes. Mais bon, tu connais Carson. Quand on se rapproche trop d'elle, elle se sauve.

— J'ai toujours dit qu'elle était un poisson difficile à attraper.

Dora pouffa tout en commençant à placer ses mèches blondes en sachant que c'était vrai. Carson était connue pour fuir les relations amoureuses.

— Je pense que la seule raison pour laquelle elle n'est pas retournée à Los Angeles à toute vitesse est qu'elle n'en a pas les moyens, reprit-elle en soupirant. En tout cas, elle est plus nerveuse qu'un conducteur qui a besoin de faire pipi et qui cherche une sortie sur l'autoroute.

— Tu es comme ça chaque fois que je mentionne le mariage, souligna Devlin en pouffant, un son tel un grondement sourd.

— Ça n'a absolument rien à voir, protesta Dora moqueusement en agitant la main. Mais j'imagine que le fait qu'elle soit prise ici est une bonne chose. Ça la force à rester et à régler ses problèmes plutôt que de les fuir, ou de fuir un garçon.

— Blake est un type bien.

Devlin se dirigea vers le bar et se versa un verre d'eau de Seltz sur glace. Dora remarqua qu'il buvait moins, ce qui la réjouit.

— En parlant de types, que me racontais-tu au sujet de ce mec qui est arrivé de Floride pour voir Carson et qui a complètement énervé notre garçon ?

À cette question, Dora posa sa brosse, cette nouvelle lui faisant briller les yeux.

— C'est Mamaw qui m'a tout raconté. C'était un malentendu total. Enfin, ce type, Taylor (selon Mamaw, ce serait un sacré canon), n'est qu'un ami de Carson, rencontré quand elle était en Floride. Mais, ajouta-t-elle, les yeux scintillants, il se trouve qu'il est une personne digne d'intérêt pour Harper.

— Harper ? répéta Devlin, dubitatif. Notre Harper ? Je n'imaginais pas qu'elle lève le nez de son ordinateur assez longtemps pour être attirée par quelque homme que ce soit. J'aurais plutôt pensé qu'elle se serait mise avec un de ces trucs en ligne… comme ça s'appelle, un *émoticon* ?

— Un avatar, précisa Dora, qui était renseignée sur ce genre de choses grâce à Nate. Mais qu'est-ce que tu racontes, mon garçon ? le taquina-t-elle. Notre Harper reçoit plus que sa part d'intérêt de la part de types en chair et en os, sauf qu'elle ne s'intéresse pas à eux. Elle prétend attendre de rencontrer le grand amour. Elle pense que ce sera alors le coup de foudre. Elle pense d'ailleurs qu'avec ce type, Taylor, ç'a été le cas.

Dev, que cette notion parut amuser, se rapprocha davantage de Dora.

– Elle ne me fait pourtant pas l'effet d'être du genre *coup de foudre*, mais plutôt à analyser chaque homme en fonction de ses qualités et de ses défauts.

– Il se trouve que notre gentille universitaire est une romantique qui ne veut pas le dire. N'est-ce pas charmant ? Par ailleurs, je te ferai savoir qu'elle ne passe plus autant de temps à l'ordinateur qu'au moment de son arrivée. En fait, elle m'a demandé de lui apprendre à faire la cuisine. La pauvre chérie, c'est à peine si elle sait faire bouillir de l'eau.

Elle enfonça le doigt dans les côtes de Devlin.

– Ouais, je te parie qu'elle est devant la cuisinière en ce moment, avec un tablier, en train de remuer un chaudron ou d'émincer des légumes. Je devrais être jalouse ? demanda-t-elle en remuant les sourcils.

De nouveau, Devlin rit avant de se déplacer de manière à glisser ses bras autour d'elle et de poser les mains sur son généreux derrière, qu'il pressa doucement.

– Ça pourrait être le cas si elle était un peu plus en chair.

À ces mots, Dora éclata de rire avant de l'embrasser sur la bouche, étonnée par la façon qu'avait cet homme de la faire se sentir belle.

– Tu sais, lui dit-il à l'oreille d'une voix sourde, quand je t'ai vue la première fois, ç'a été le coup de foudre.

– J'avais 13 ans, rétorqua-t-elle pour le rabrouer. Que savais-tu sur le grand amour à l'époque ?

– Bon Dieu, femme, je ne parle pas de l'époque où nous avions 13 ans, mais du mois de juin dernier quand je t'ai aperçue en train de descendre Middle Street, le visage tout rouge, avec ce t-shirt de l'Université de Caroline du Sud trempé de sueur.

– Espèce de cochon! s'exclama-t-elle en éclatant de rire et en repoussant d'une tape sa main baladeuse. Et moi qui faisais de tels efforts pour ne pas avoir l'air essoufflée.

Elle rit encore davantage.

– Je pensais que j'allais mourir, ou de chaleur ou que tu me voies dans un tel état après 15 années.

– Tu étais la plus belle. Comme je te disais, je suis tombé amoureux de toi sur-le-champ. Encore une fois.

Dora se radoucit et tendit une main qu'elle passa doucement dans ses cheveux blonds hirsutes sur son front.

– Tu sais faire tourner la tête à une fille.

– Quel dommage que tu aies mis cette robe, se désola-t-il en passant de nouveau les bras autour d'elle.

Jetant un coup d'œil vers l'horloge murale, elle sourit au son de la glissière qui descendait.

~

Mamaw, sur le quai, regardait au loin, mélancolique, comme elle le faisait si souvent ces derniers temps. Il était tôt le matin, mais il faisait chaud, ce qui annonçait la chaleur qui viendrait sûrement à mesure que le soleil continuerait son ascension. En temps normal, elle n'était pas du genre à bouder et à laisser passer la journée sans s'en rendre compte. Elle avait des intérêts, des passe-temps, des amis. Et pourtant, elle était là, en train d'errer sans but en se sentant pitoyablement perdue sans Lucille.

Lucille était entrée à son service quand Mamaw était une jeune mariée dans son nouveau foyer d'East Bay à Charleston et elles avaient vieilli ensemble. Même si elle était demeurée une précieuse employée, au fil des années, Lucille s'était transformée en compagne de Mamaw, en confidente : sa plus chère amie. Elle avait soutenu Mamaw durant les jours sombres qui avaient suivi la mort de son fils, puis de son mari. Elle restait à ses côtés, s'assurant qu'elle mange, l'encourageant à sortir et à marcher. Jour après jour, elles avaient créé un programme qui avait transformé la nature de leur relation, de sorte que Marietta n'avait plus de secrets pour Lucille. Elles étaient comme les doigts de la main.

Contrairement à Edward ou Parker, Lucille avait fait partie de la vie quotidienne de Mamaw. Chaque question (au sujet de ses petites-filles, de la maison, des repas, du jardin) était discutée entre elles. Chaque décision (concernant des sujets importants, comme la façon de convaincre ses petites-filles de venir passer l'été à Sea Breeze, ou moins importants, comme savoir quoi regarder à la télévision) était négociée avec Lucille, généralement pendant une partie de gin-rami.

Et maintenant, Lucille était partie. Il manquait un rouage à l'engrenage qui faisait tourner la vie quotidienne de Mamaw. Elle avait pourtant su qu'elle la pleurerait, sans avoir cependant anticipé à quel point son absence se ferait sentir chaque jour d'une infinité de manières dans tous ces petits détails que Mamaw en était venue à tenir pour acquis. En effet, être avec Lucille lui était devenu aussi naturel que respirer et sans elle, elle semblait incapable de le faire sans difficulté. Elle savait aussi que ses petites-filles s'inquiétaient à son sujet. Les chéries, elles s'étaient toutes réunies pour faire une partie de canasta après le dîner. Elle se frotta le bras. C'était sans doute amusant, mais elle était incapable de trouver le moindre enthousiasme à quoi que ce soit, ces jours-ci. *Était-ce donc ce qu'on appelait la dépression ?* se demanda-t-elle.

— Marietta ! entendit-elle soudain une voix l'appeler qui la tira de sa rêverie.

Tournant la tête vers cette voix, de l'autre côté des eaux, sur le quai opposé, elle vit son voisin, Girard Bellows, que ses amis appelaient Gerry, penché de manière précaire sur une barque à fond plat sur laquelle il chargeait de l'équipement. Quand il se redressa, il lui fit un geste de la main en bon voisin qu'il était. Son corps mince et élancé pouvait rendre même son pantalon de pêche en nylon et sa chemise rapiécée élégants.

Marietta sourit en se souvenant que Girard Bellows avait toujours été un bel homme, en particulier à l'époque où les cheveux de cet homme étaient aussi noirs que les ailes d'un aigle et que les siens étaient dorés comme le soleil.

À son tour, elle lui fit signe.

– Comment te portes-tu ? lui cria-t-il.

– Bien, merci, cria-t-elle à son tour en essayant de se montrer une bonne voisine.

Girard leva le doigt, lui faisant le signe universel d'attendre un instant. Elle hocha la tête avant de l'observer avec curiosité grimper dans sa petite barque, mettre le moteur en marche et traverser la petite distance qui le séparait du quai inférieur de Mamaw, qui, appuyée contre la balustrade, était perchée sur le quai supérieur. Elle le regarda sauter sur son quai et y arrimer son embarcation avec la grâce d'un homme deux fois plus jeune. Une fois qu'il eut terminé, il la regarda avec un grand sourire. Une casquette de baseball de Harvard sur sa crinière blanche créait un contraste plaisant avec sa peau bronzée. Il y avait en Girard une vigueur tout aussi remplie de jeunesse aujourd'hui que 50 ans plus tôt, quand elle pêchait avec lui sur ce même quai.

– Je ne pouvais forcer une dame à crier, expliqua-t-il à forte voix en se rapprochant d'elle avant de retirer ses lunettes de soleil, ce qui révéla ses yeux d'un bleu clair.

Mon Dieu, c'est que Girard Bellows vieillit bien, se dit Mamaw. Elle l'avait toujours trouvé attirant et l'avait même un peu désiré, encore que ç'ait été bien innocent. Il venait d'une famille aisée de quelque part dans le Nord-Est et avait cette élégance qui, pensait-elle, était un don de l'ADN. Il avait toujours aimé la taquiner en lui disant que sa famille, qui était venue sur le *Mayflower*, s'était établie sur la côte est bien avant que la sienne le soit à Charleston. C'était alors que, comme carte maîtresse, elle avait déclaré être la descendante de pirates. Qui savait où et quand le gentilhomme pirate avait pour la première fois foulé ces rivages ? Pendant des années, ç'avait été une plaisanterie constante entre eux, et elle souriait maintenant en se la rappelant.

Quand ils étaient plus jeunes, aucun d'eux n'habitait l'île à longueur d'année. À l'occasion, les couples de la région prenaient un verre ensemble le week-end quand leurs familles retournaient à Sullivan's Island pour l'été, mais jamais les Bellows n'étaient invités chez les Muir à Charleston ni les Muir chez les Bellows… dans le Connecticut, se souvint-elle. Plus tard, les deux familles s'étaient retirées à Sullivan's Island, puis Edward était mort, suivi bien vite de la femme de Girard, Evelyn. Depuis les funérailles de cette dernière, Mamaw n'avait guère revu Girard.

Plus tôt cet été, Nate les avait fait se retrouver quand il avait voulu apprendre à pêcher. Il avait aperçu le vieil homme en train de pêcher sur son quai et, d'une manière ou d'une autre, s'était retrouvé chez Girard pour lui demander son aide. Comme il y avait peu de choses que ce dernier aimait davantage que la pêche, il avait immédiatement pris plaisir à l'apprendre au petit, qui s'était montré un élève doué. Nate l'appelait le vieux monsieur Bellows, se rappela Mamaw avec un petit rire.

Puis, il y avait eu l'accident de Delphine, et c'en avait été fini de la pêche.

– Il y a un moment que je ne t'ai vue, souligna Girard.

– J'ai été occupée, expliqua-t-elle en remuant la tête. Lucille s'est éteinte.

– Toutes mes condoléances, offrit-il avec sincérité, son sourire l'ayant immédiatement quitté.

– Merci.

– Et ton arrière-petit-fils, Nate. Gentil garçon. Celui-là, il aime vraiment la pêche.

– C'était bien de ta part de prendre le temps de lui apprendre.

– Il est rentré chez lui ?

– Non, il est toujours ici.

– Vraiment ? Je ne l'ai pas revu sur le quai et il n'est pas venu me demander de conseils de pêche, émit Girard avant de remuer la tête. Quelle détermination chez ce petit.

– Nate n'a pas touché à sa canne à pêche depuis… eh bien, depuis que le dauphin s'est blessé.

– Ah, oui, dit-il, son visage devenant grave à ce souvenir. Quelle triste histoire.

– Oui.

– Il a survécu ?

– Oui, elle a survécu. Delphine a été envoyée à l'hôpital Mote Marine pour cétacés. C'est Nicholas Johannes qui l'a emmenée dans son avion, sans quoi je ne pense pas qu'elle aurait survécu.

– C'est bien de sa part.

Marietta hocha la tête.

– Eh bien, dis à ce chenapan de Nate qu'il est le bienvenu chez moi quand il veut.

– C'est très gentil à toi.

Sur ce, Girard regarda sa barque remuée par les flots au niveau du quai inférieur.

– Il me semble me souvenir que tu étais plutôt bon pêcheur à l'époque.

– *Pêcheuse.* C'est toujours le cas, répliqua-t-elle en prenant ombrage. La pêche, c'est comme la bicyclette, une fois qu'on a appris, on n'oublie plus.

– Vraiment ? s'enquit-il en la regardant avec un sourire avant de croiser les bras. Dans ce cas, pourquoi n'irions-nous pas à la pêche ensemble un de ces jours ?

Cette invitation, qui semblait surgir de nulle part, surprit Mamaw. Troublée, elle sentit son cœur battre plus vite. Pêcher, vraiment... Quelle idée! Elle était occupée, avait des choses à faire. Elle ne pouvait pas tout simplement sauter dans une barque et s'en aller à l'aventure.

Alors qu'elle ouvrait la bouche pour refuser, elle entendit le sifflement aigu du balbuzard. Elle était incapable de résister à son appel, aussi, levant la tête, aperçut-elle le beau rapace aux ailes noires en train de voler en cercle au-dessus de la crique.

À ses côtés, Girard s'arrêta pour observer le spectacle.

– Le grand faucon pêcheur au travail, s'émerveilla-t-il en mettant sa main sur ses yeux en visière. Il n'y a pas de meilleur pêcheur au monde.

– J'ai toujours adoré les balbuzards. Ils sont loyaux aux lieux comme à leur partenaire, et ce, pour la vie. Je trouve que cela les rend vraiment nobles, tu ne trouves pas?

– Oui, en effet, acquiesça-t-il avant de lui indiquer du doigt une petite île à leur droite. J'ai construit une plate-forme là-bas, et le même couple y est retourné faire son nid année après année pendant près de 10 ans. Maintenant, ils ont des oisillons.

À ces mots, Mamaw se tourna pour le regarder avec des yeux nouveaux.

– C'était toi?

– C'était moi.

– Pendant des années, je me suis demandé qui l'avait construite. J'ai eu bien du plaisir à observer ce nid, ce couple qui revenait chaque mois de février, à regarder s'il y avait des petits venant tout juste d'éclore et les oisillons, admit-elle avant de le jauger du regard. Et c'est toi que je dois remercier.

– J'en ai bien peur.

À ce moment, elle se rappela l'amour de la nature de Girard qu'elle avait apprécié quand elle faisait partie du conseil d'administration de la fiducie de préservation des terres et qu'elle l'avait aidé à transformer les terres considérables que possédait sa famille en Caroline du Sud en une servitude de préservation. Comme d'autres riches familles du Nord, la sienne avait possédé une grande plantation dans les hautes terres qu'elle avait utilisée pour des parties de chasse. Aujourd'hui, la Caroline du Sud était plus riche de milliers d'hectares maintenant en préservation partout dans l'État. Cette transaction l'avait d'ailleurs remplie de fierté à la fiducie.

Marietta se tourna alors pour étudier le beau profil de l'homme qui se trouvait à ses côtés et reconsidéra son invitation.

— Je pourrais bien venir pêcher, accepta-t-elle, quand pensais-tu y aller ?

— Pourquoi pas maintenant ? Pas de meilleur moment que l'instant présent.

— Maintenant ? s'exclama-t-elle moqueusement. Comment ferais-je ? Il me faut ma canne à pêche, de l'écran solaire…

— Ce sont des excuses. J'ai tout ça.

Elle ferma la bouche, troublée. C'était vrai. Personne n'avait besoin d'elle à la maison. Elle ne faisait que broyer du noir. En vérité, il lui fallait seulement un peu de cran. Marietta sentit alors un éclair dans sa poitrine, le premier depuis la mort de Lucille. Cette vieille poule d'eau ne glousserait-elle pas de la voir en compagnie de Girard Bellows en train de pêcher de nouveau ensemble ?

Sur ce, elle prit une grande respiration, avant de relâcher tout cet air avec un rire qui fut emporté par la brise comme en écho à l'appel du balbuzard.

— En effet, pourquoi pas ?

CHAPITRE 6

Le mois d'août était maintenant oppressant. Durant tout le week-end, les plages s'étaient remplies de serviettes colorées et de corps brûlés par le soleil. Même le dimanche matin, il semblait que les gens, au lieu d'aller à la messe, priaient sur la plage. Chacun tentait de combattre la chaleur et de profiter des derniers jours de plage avant la rentrée scolaire.

Arrivé au lundi, sur la plage, même tôt le matin, il faisait plus chaud que dans un sauna, tandis que Harper tentait de faire son jogging quotidien. Sous ses pieds, le sable semblait cuit et irradiait de chaleur. Elle se considérait chanceuse de ne presque jamais transpirer, mais aujourd'hui, la transpiration ruisselait le long de son visage. Cette tempête estivale que les météorologues avaient prévue pour le week-end ne pouvait arriver assez vite, se dit-elle.

Elle remua ensuite la main devant son visage pour éloigner un essaim de moucherons embêtants, mais en jurant, elle abandonna le combat et mit un terme à sa course, retournant lentement à la maison en marchant. Quand elle atteignit Sea Breeze, elle était en sueur et aussi recouverte d'insectes qu'un pare-brise. Elle tituba le long de la sinueuse allée d'ardoise jusqu'à l'arrière de la maison, croisant en chemin les buissons de gardénias envahis par les mauvaises herbes jusqu'à la douche extérieure. Une énorme araignée-banane était suspendue à sa ravissante toile sous l'avant-toit et Harper s'arrêta subitement. Maintenant, à la fin de l'été, tandis que l'humidité augmentait, elle en voyait davantage. Autrefois, elles l'effrayaient, surtout à cause de leur taille, mais depuis qu'elle avait appris que ces araignées aux couleurs brillantes et aux pattes qui rappelaient celles de la tarentule étaient en réalité non seulement sans danger, mais en plus utiles à cause des moustiques qu'elles mangeaient, elle avait conclu une trêve. Elle respectait leur territoire si celles-ci n'envahissaient pas le sien.

Elle contourna donc avec soin la toile complexe pour se glisser sous l'eau qui coulait. C'était un bonheur même si elle était crachée tiède par le vieux robinet de mauvaise qualité pour ensuite cascader le long de son corps. Elle se savonna avec le savon et le shampoing à la lavande que Mamaw gardait en réserve, l'odeur douce et calmante remplissant cet étroit espace. Une fois qu'elle eut terminé, elle lissa ses cheveux vers l'arrière, se couvrit d'une serviette et se dirigea dans la cuisine en laissant s'égoutter derrière une petite traînée d'eau. Tout ce qu'elle voulait maintenant, c'était un verre d'eau froide.

La porte moustiquaire de la cuisine claqua derrière elle, prévenant par le fait même le grand jeune homme qui s'y trouvait et qui tourna brusquement la tête pour lui faire face.

Harper s'arrêta brusquement, abasourdie.

Le regard de Taylor enregistra Harper vêtue seulement d'une serviette et un petit sourire se profila sur son visage.

— Bonjour.

Celle-ci serra la serviette sur elle-même tandis que son visage se colorait.

— Bonjour. Je, euh, je ne m'attendais pas à voir qui que ce soit, bafouilla-t-elle tout en regardant dans la pièce. Où est Carson ?

— Je ne suis pas ici en visite, mais pour les travaux dans la cuisine. Vous avez parlé à mon père et vous nous avez retenus pour le début de la semaine, vous vous souvenez ?

— C'est *vous* qui allez effectuer les travaux ?

À ces mots, l'air sympathique de Taylor changea pour refléter son inquiétude.

— Je connais mon travail. Ça pose un problème ?

— Non, se dépêcha-t-elle de répondre. Je suis seulement surprise, c'est tout. J'attendais votre père.

— Il est occupé sur un autre chantier, alors je lui ai proposé de lui donner un coup de main. C'est la seule manière de se mettre au travail immédiatement.

Il prit appui sur son autre jambe et poursuivit avec désinvolture :

— Très honnêtement, nous avons fait passer votre mandat avant un autre.

— Oh, fit Harper en se sentant immédiatement reconnaissante. C'est super.

Elle serra sa serviette alors même qu'elle aurait voulu s'enfoncer directement sous terre.

Quand, la veille, le père de Taylor était passé, il avait jeté un coup d'œil rapide à la cuisine et avait offert une estimation raisonnable pour les travaux. Quand elle lui avait ensuite demandé s'il pouvait s'y mettre immédiatement, il lui avait répondu qu'elle avait de la chance, car il avait maintenant de l'aide supplémentaire. Jamais elle n'avait imaginé que ce serait Taylor.

Juste à ce moment, Dora fit irruption dans la cuisine de retour de son jogging, trempée de sueur, le visage aussi rose que son t-shirt mouillé.

— Je transpire comme un cochon, hurla-t-elle en s'essuyant le front du revers du bras.

Harper réprima un rire tout en regardant Taylor et vit que ses lèvres esquissaient un sourire.

– Oh, s'exclama Dora, les yeux écarquillés quand elle aperçut Harper dans une serviette à côté d'un inconnu. Je ne savais pas que tu avais un invité.

– Voici Taylor, le présenta-t-elle en indiquant le jeune homme de la tête. L'homme qui est devenu ami avec Nate et Carson au Dolphin Research Center ?

Le visage de Dora montra aussitôt qu'elle le reconnaissait et elle se précipita vers lui, son sourire s'élargissant.

– Vous êtes *ce* Taylor ? Eh bien… Très heureuse de faire votre connaissance. Mon Dieu, en ce qui concerne mon fils, vous marchez sur l'eau. Il ne se fait pas d'amis facilement, alors chapeau, le félicita-t-elle tout en essuyant sa main sur son short de jogging et en la tendant à Taylor.

– Je vais vite aller m'habiller, grommela Harper tandis qu'ils se mettaient tous deux à discuter.

Elle se précipita dans la salle de bain qu'elle partageait avec Mamaw et se regarda dans le grand miroir vénitien suspendu au-dessus du lavabo. Elle y vit une femme gracile dans une serviette, avec des cheveux roux lissés vers l'arrière et sur le nez des taches de son que le soleil avait fait sortir. Quelles étaient les chances qu'elle rencontre de nouveau Taylor dans un si piètre accoutrement ?

Elle se dépêcha néanmoins de s'habiller, mais penchée sur le miroir, prit un instant pour appliquer un peu de maquillage. Il y avait aussi quelques nouvelles rides qui bordaient ses yeux. Elle jura, entendant la voix de sa mère : *Ne reste pas au soleil. Tu as le teint laiteux des James.* Du bout des doigts, elle appliqua doucement un peu de lotion hydratante sur ces rides insultantes avant de se détourner du miroir et se diriger dans sa chambre droit vers l'armoire dont elle tira un fourreau vert pâle, simple et frais par temps chaud. Elle le mit et sourit, heureuse de la manière dont la teinte éclatante s'accordait à son teint de pêche.

Quand elle fut de retour dans la cuisine, elle trouva Dora et Taylor penchés sur la table en train d'étudier des échantillons de couleur. Elle s'approcha donc doucement, impatiente de se joindre à eux tout en se raclant la gorge.

– Qu'est-ce que c'est ?

– Il faut choisir les couleurs, expliqua Taylor en se tournant immédiatement pour lui faire face.

– Oh, bien sûr, dit-elle en se rapprochant pour regarder les échantillons étalés sur la table.

Juste à ce moment, Dora s'avança vers elle, le défi d'un nouveau projet de décoration brillant dans ses yeux. Elle était toujours vêtue de ses vêtements de jogging, mais n'avait plus le visage rouge.

– Humm, tu sens bon, alors que moi, au contraire, je dois sentir comme le cochon de Patty. Quoi qu'il en soit, viens jeter un coup d'œil. J'ai trouvé certaines couleurs que j'ai utilisées pour le cottage et je pense qu'elles seraient belles ici. Elles sont douces, avec un effet plage.

Harper s'approcha de la table tout en sentant son estomac se serrer. Elle appréciait l'aide de Dora, mais elle était aussi consciente que celle-ci risquait de s'approprier le projet de la cuisine comme elle l'avait fait pour le jardin. Or, la cuisine était *son* projet. En outre, Dora avait tendance à se comporter en générale, faisant d'elle une simple soldate.

– J'ai quelques idées, annonça Harper, qui, au cours des derniers jours, avait passé des heures à faire des recherches en ligne sur la décoration des cuisines et avait même un dossier d'images qu'elle avait imprimées.

– Bien sûr que oui, répondit Dora d'un ton rassurant. Taylor m'a dit que tu voulais que ces placards soient blancs. C'est la couleur dont j'ai peint ceux du cottage, alors je me suis dit que je te montrerais les échantillons de couleurs que j'avais choisis. Si tu les aimes, tant mieux, sinon, tant mieux aussi.

Elle regarda l'horloge.

– Tiens.

Elle lui donna le nuancier.

– Je dois filer. Devlin nous amène faire un dernier voyage de pêche avant la rentrée, Nate et moi. Je serai de retour dans quelques heures, si tu as des questions.

Elle lui lança un clin d'œil.

– Amuse-toi bien.

Harper rougit tout en espérant que Taylor n'ait pas remarqué ce clin d'œil. Alors qu'elle avait eu hâte que sa sœur les laisse à peine un instant auparavant, elle ressentait maintenant profondément l'absence de Dora. De nouveau, elle était seule avec Taylor, et elle se sentit soudain mal à l'aise.

– J'ai déjà utilisé ces deux sortes de blanc dans d'autres maisons où j'ai fait des travaux, indiqua-t-il alors en se retournant vers la table. Celui-ci est très brillant, du genre qu'on voit sur les placards préfabriqués, et celui-ci, dit-il en prenant un blanc cassé, est plus doux. Je pense que ce dernier est préférable dans cette maison qui est plus vieille, en particulier avec toute la lumière naturelle venant des fenêtres. Il vaut mieux que ce ne soit pas trop brillant dans la cuisine. Attendez, je vais faire un essai sur les placards pour que vous puissiez en juger par vous-même. C'est qu'il faut voir la peinture sur les murs. Elle est toujours différente de l'échantillon ou du seau.

Elle le regarda avec curiosité tandis qu'il sortait son canif avant de s'accroupir pour soulever les couvercles des échantillons de peinture fournis par Dora. Harper remarqua que ses mains étaient légèrement éraflées, comme à la suite de travaux extérieurs.

Après avoir agité la peinture avec quelques coups de bâton, il se redressa puis alla chercher un pinceau dans son équipement.

– Vous feriez bien de rester à l'écart. Ce serait dommage de mettre de la peinture sur cette jolie robe.

Elle fut contente qu'il l'ait remarquée. De son côté, elle ne pouvait s'empêcher de remarquer la manière qu'avait son t-shirt blanc, usé et déchiré, de s'étirer sur son dos, comment les muscles de ses avant-bras se tendaient tandis qu'il appliquait un grand carré de peinture sur l'une des portes de placard, suivi d'une seconde couleur sur une autre. Normalement, elle fréquentait le type intellectuel, moins imposant, dont elle faisait la connaissance par le travail, sa famille ou ses amis. Cependant, secrètement, elle avait toujours été attirée par les hommes musclés, les ouvriers. Elle recula comme il lui avait conseillé, autant pour cesser de le fixer que pour préserver sa robe de la peinture.

Quand il eut terminé, il vint à ses côtés et presque épaule contre épaule, ils examinèrent ensemble les couleurs.

– Vous avez raison, convint-elle au bout d'un moment. Le blanc cassé convient mieux.

– L'autre fait trop Home Depot.

– Je ne saurais dire. Je ne suis jamais allée chez Home Depot.

– Vous plaisantez, s'étonna-t-il en tournant brusquement la tête. C'est une quincaillerie, comme Lowe's ou Menards.

– Je n'y suis jamais allée non plus, même pas chez Sears.

– C'est presque antiaméricain, ça, souligna-t-il en la regardant avec incrédulité.

– Êtes-vous déjà allé chez Saks ? Ou chez Neiman Marcus ?

– Bon, d'accord, concéda-t-il en riant. Eh bien, vous allez pouvoir vous amuser. Vous devriez filer à la quincaillerie de votre choix pour sélectionner les couleurs que vous désirez pour les murs, proposa-t-il avant de prendre l'un des papiers de Dora. Sinon, voici l'adresse d'un marchand de peinture près d'ici. Vous aurez moins de difficulté à vous y retrouver que dans une grande surface. C'est petit, et le marchand vous aidera, ajouta-t-il en lui tendant la feuille de papier. Je suppose que ça aussi, ce sera une première.

Elle hocha la tête avec un sourire piteux tandis qu'il remuait la tête, incrédule. La différence qui séparait leurs mondes était claire, et elle l'intriguait.

Il lâcha la feuille avec un sourire de connaisseur avant de se tourner pour traverser la cuisine jusqu'à l'évier. Tandis qu'il y rinçait le pinceau, il la regarda par-dessus son épaule.

– Dites-leur que vous voulez des échantillons. N'achetez pas des seaux.

– Compris, patron.

Elle était convaincue que c'était ce qu'elle aurait rapporté s'il ne l'avait prévenue.

– Je reviens tout de suite.

Elle commençait à sentir de la camaraderie entre eux. Être amis, c'était bien, décida-t-elle. Il n'y aurait pas de jeu, de vanité, ni de badinage, seulement une franchise confortable. Avant de partir, elle jeta un coup d'œil par-dessus son épaule et vit Taylor en train d'étirer les bras pour retirer une porte de placard. Elle se retourna en soupirant, son cœur battant la chamade sapant sa détermination.

~

Dora se doucha puis mit des vêtements propres, le regard sur l'horloge. Sous peu, le bateau de Devlin serait le long du quai. Cette journée l'excitait tellement. Il avait fait tous les plans, impatient de se rapprocher de Nate. Quelques semaines auparavant, Dora lui avait permis de rencontrer son fils, mais ce serait la première fois qu'ils passeraient une période de temps importante ensemble, de sorte que le cœur de Dora se serrait en se rendant compte à quel point Devlin voulait que tout se passe parfaitement.

Elle mit un chapeau à larges bords sur sa tête puis se rendit rapidement au bout du couloir jusqu'à la chambre de Nate en ressentant la tension qui accompagnait tout rendez-vous planifié avec lui, car elle avait toujours en tête la crainte d'une de ses crises. De plus, elle savait que la semaine suivante serait un grand défi pour son fils, qui entrerait dans une nouvelle école, de sorte qu'elle souhaitait vraiment que cette journée soit plaisante pour lui.

Devant la porte de sa chambre, elle récita rapidement une prière avant de l'ouvrir. Nate était assis par terre, tout habillé, vêtu d'un short en molleton et d'un t-shirt, en train de jouer avec ses Lego. Il avait la tête penchée et sa frange blonde recouvrait ses yeux. À cette vue, le visage de Dora s'adoucit et son cœur s'emplit d'amour.

– Prêt à partir pour la pêche ?

Au son de sa voix, Nate redressa brusquement la tête, qu'il hocha aussitôt avant de se lever d'un bond.

– Je suis prêt !

Il alla ensuite chercher la canne à pêche rouge cerise que Mamaw lui avait offerte en mai et qui avait appartenu à son arrière-grand-père, Edward.

Dora dévorait son fils du regard, remarquant comme il s'était développé pendant cet été, comment sa peau, d'ordinaire si pâle, brillait maintenant du temps passé au soleil.

Depuis qu'il était revenu de Floride, Dora s'était efforcée d'être une mère plus plaisante que stricte. Ainsi lui avait-elle organisé des sorties alors qu'auparavant elle s'était toujours convaincue de les éviter de peur qu'une de ses crises survienne. Leur activité préférée était d'ailleurs de faire du kayak dans la crique. Ils avaient exploré ensemble les parcs des environs et parcouru la plage à la recherche de traces de tortues. Surtout, son petit garçon s'était départi du sentiment de culpabilité qu'il éprouvait envers l'accident de Delphine et avait repris sa canne à pêche.

– Nous pouvons partir maintenant ? demanda-t-il à la manière d'une personne qui aurait déjà trop attendu.

– À vos ordres, capitaine.

Environ une heure plus tard, Devlin dirigeait le Boston Whaler à travers la sinueuse voie navigable avec l'orgueil de paon du propriétaire d'un beau bateau, faisant de grands gestes pour indiquer les coûteuses maisons neuves, ou quand il apercevait un grand héron bleu ou un quelconque autre oiseau du littoral à la recherche de son repas. C'était agréable d'être sur l'eau, sur laquelle le ciel bleu se reflétait, même s'ils n'étaient que l'un des rares bateaux ayant fait une sortie aujourd'hui, l'été tirant à sa fin. Dora s'appuya contre un coussin tout en dégustant son eau pétillante avec l'impression d'être la reine du Nil. En ce jour de chaleur, elle était heureuse d'être occasionnellement éclaboussée quand le bateau bondissait sur une vague.

Aussi charmant qu'ait été le paysage, Dora aimait encore davantage regarder Dev et Nate à la barre. Dev se tenait quelques pas derrière le petit, qui tenait la barre. Elle pouvait voir à son maintien rigide que Nate prenait cette tâche au sérieux, mais aussi qu'il s'amusait comme jamais. C'était un plaisir tout simple à lui offrir, que pourtant jamais Cal n'avait permis à son fils, de sorte que le cœur de Dora s'emplit de gratitude pour Dev.

C'était un bel homme, se dit-elle tout en s'aspergeant le visage d'un peu d'eau fraîche. Elle se souvint de leur jeunesse, quand ils parcouraient ces mêmes eaux, abaissaient l'ancre et y plongeaient sans aucun souci. Ah, la jeunesse, pensa-t-elle avec tristesse. Il ne saurait être question pour elle de faire une chose pareille aujourd'hui, car avec l'âge venait la raison, et elle savait à quelle vitesse un bateau pourrait surgir de nulle part.

– Voilà où nous allons nous arrêter, finit par dire Dev en pointant du doigt une petite crique devant eux. C'est mon endroit secret et je peux vous le dire, nous allons nous en pêcher, du poisson.

– Le début de l'école, ça veut dire que je pourrai plus aller à la pêche ? demanda Nate.

– Ne pourrai plus, le corrigea automatiquement Dora. Bien sûr que non. Tu peux pêcher à longueur d'année si tu peux supporter le froid.

– Dans ce cas, je vais m'en pêcher, répondit-il en adoptant les expressions de Devlin. Le froid ne me gêne pas, car la pêche, c'est ce que j'aime le plus au monde.

À ces mots, le regard de Devlin croisa celui de Dora et il sourit avant de s'adresser de nouveau à Nate.

– Alors, nous sommes deux, formula-t-il avant de mettre le moteur au ralenti. Bon, fiston, il vaut mieux que je reprenne la barre à partir de maintenant. Toi, surveille les côtés et dis-moi si je m'en approche trop.

Devlin vira dans une crique étroite qui, aux yeux de Dora, était similaire à toutes celles qu'ils avaient croisées. Elle avait toujours été émerveillée par la manière qu'avait Devlin de naviguer dans ces criques reculées sans jamais se perdre. Elle avait d'ailleurs entendu des anecdotes sur des capitaines moins confiants qui s'étaient perdus et étaient restés pris dans les vasières quand la capricieuse marée s'était retirée. Une fois pris, il leur fallait attendre des heures qu'elle revienne.

Un vent doux faisait onduler la spartine et Dora écoutait le grattement rythmique de cette herbe d'eau salée tout en entendant au loin le gloussement semblable au cri de l'hyène d'un oiseau invisible.

– Regardez ! s'écria soudain Nate.

Dora se tourna alors et vit Nate penché sur le rebord du bateau en train de pointer quelque chose du doigt.

– Quelqu'un a trouvé ton endroit secret ! s'exclama-t-il de nouveau, offensé. Ils ont le droit ?

Et en effet, une petite barque à fond plat était arrêtée le long d'une vasière d'où des cannes à pêche avaient déjà été mises à l'eau.

– C'est leur droit, confirma Devlin en barrant le bateau de l'autre côté de la crique afin de ne pas provoquer de sillage pour les autres pêcheurs. Il y en a pour tout le monde. Nous allons tout simplement nous rendre un peu plus loin dans la crique.

À ce moment, Dora, tournant la tête, vit un homme aux cheveux gris et une femme assis côte à côte dans la barque. Ils lui tournaient le dos, mais il y avait en eux quelque chose qui lui était familier. Dora se tourna donc tout à fait de manière à pouvoir se pencher contre la balustrade du bateau tout en clignant des yeux pour mieux les observer.

– Oh mon Dieu ! s'exclama-t-elle. Mais c'est Mamaw !

– Quoi ?

Devlin mit le moteur au ralenti avant de se déplacer sur le côté du bateau pour mieux les regarder.

– Eh bien, par tous les saints, c'est bien elle. Mais avec qui est-elle donc ?

– Je ne sais pas.

– C'est le vieux monsieur Bellows, s'exclama Nate.

– En es-tu certain ?

Dora plissa les yeux.

– Bien sûr, acquiesça-t-il en hochant la tête avec confiance. Ils sont amis. Je les ai vus discuter sur le quai.

Un petit sourire vint aux lèvres de Dora.

– Vraiment ?

– Oui, vraiment, rétorqua Nate comme si de rien n'était.

Comme ils se rapprochaient, Dora, les mains en porte-voix, appela sa grand-mère.

– Hé, Mamaw ! Ohé !

Mamaw tourna brusquement la tête en direction de cet appel et sa bouche s'ouvrit dans un cri de surprise silencieux en les reconnaissant. L'expression de surprise de sa grand-mère fit rire Dora, qui, d'un grand geste en forme d'arche, lui fit signe, tout en se disant joyeusement : *Ah, ah, prise la main dans le sac !* Nate et Devlin, eux aussi, la saluèrent. Mamaw leur fit signe à son tour avec un geste faible, évidemment mal à l'aise. Ils s'éloignèrent du couple, mais Dora pouvait tout de même les voir assis épaule contre épaule.

– Mamaw, que prépares-tu donc ? murmura Dora pour elle-même, impatiente d'être à la partie de cartes de ce soir.

~

Mamaw était tout à fait consciente que Girard et elle étaient assis si près l'un de l'autre que leurs épaules se touchaient. Non seulement l'avait-elle permis, mais elle en avait en plus été heureuse. Il y avait si longtemps que le contact d'un homme lui avait donné des papillons à l'estomac. De plus, c'était tout à fait sans danger. Ils étaient de vieilles connaissances, des amis même. C'était parfaitement innocent.

Dans ce cas, pourquoi cela lui avait-il paru tout sauf innocent quand Dora les avait surpris ensemble ? *C'était véritablement déconcertant,* pensa-t-elle, ses mains se serrant sur sa canne à pêche.

À ses côtés, Girard, perdu dans ses propres pensées, pouffa.

– Qu'y a-t-il de si drôle ? l'interrogea-t-elle, quelque peu irritée.

– Oh, le simple fait de se sentir un peu comme des adolescents surpris en train de filer en douce.

Le regardant, Mamaw vit son air amusé et ne put s'empêcher de rire.

– C'est vrai, répondit-elle avec regret.

Elle avait voulu garder leur sortie pour elle-même. C'était hors de toute suspicion et pourtant, elle savait que les pensées qui lui traversaient l'esprit, elles, étaient loin d'être innocentes.

Elle était en train de se rappeler le béguin qu'elle avait éprouvé pour Girard Bellows il y avait environ 50 ans. Elle avait fait sa connaissance à une fête de bienvenue organisée pour les Bellows par leur bonne amie Bitsy. Sullivan's Island formait une petite communauté très unie à l'époque. Plusieurs des familles de ce groupe avaient des relations qui remontaient à des générations à Charleston. Elles avaient grandi ensemble, fréquentaient les mêmes églises, leurs enfants et leurs petits-enfants étudiaient dans les mêmes écoles. Cependant, les Bellows, eux, étaient considérés comme des gens de l'« extérieur » par les familles de la région, ce qui provoquait un puissant facteur de curiosité qui rendait les commères de l'île impatientes d'en apprendre davantage sur eux.

La fête avait eu lieu chez Bitsy, dans sa maison au bord de l'eau. Durant cette douce soirée, les sauterelles chantaient. Des voitures étaient garées le long des rues étroites sur plusieurs pâtés de maisons et le cottage de Bitsy était illuminé. Un orchestre jouait du jazz feutré tandis que les tables grinçaient sous le poids de la nourriture. Marietta s'était rendue sur la véranda arrière pour échapper aux pièces remplies de fumée. Elle pouvait encore se souvenir du parfum puissant du jasmin qui embaumait l'air. Le soleil se couchait et dans les lampes tempête, des bougies vacillaient comme des lucioles.

À l'autre extrémité de la véranda, parmi un groupe de messieurs en train de boire du scotch ou du bourbon et de parler d'armes à feu, d'argent ou d'affaires se trouvait un homme mince et élancé. Même si la plupart d'entre eux étaient hâlés, son bronzage était plus prononcé : celui d'un homme passant du temps sur l'eau. Ses yeux bleus scintillaient contre cette couleur rougeâtre et quand il riait, ce qui lui arrivait souvent, ses dents blanches brillaient. Bitsy l'avait trouvé séduisant, comme Cary Grant. De plus, avait-elle ajouté d'un ton qui en disait long, la fortune de sa famille était très ancienne. Sa femme, Evelyn, était incroyablement belle et d'une très bonne famille, pourtant Marietta l'avait toujours trouvée ennuyeuse, et même pas très futée.

Marietta s'était donc dirigée vers le groupe d'hommes. Le mari de Bitsy, Bob, qui était ivre, l'avait pompeusement présentée comme « leur amoureuse de la nature en résidence », de sorte que Girard avait immédiatement dirigé un regard plein d'intérêt vers elle avant de se mettre à lui poser une série de questions, très pointues, sur la faune de la région. Son accent des classes supérieures de la Nouvelle-Angleterre était des plus agréables aux oreilles de Marietta, encore que, elle se rappelait, il avait irrité celles d'Edward.

Cette première conversation avait été le début d'une longue amitié et même si celle-ci pouvait avoir eu une certaine nuance de flirt, la seule passion qu'ils avaient partagée concernait la faune et le paysage de la région.

– Te souviens-tu de notre première rencontre ? demanda-t-elle.

Girard se tourna et lui sourit. Ses yeux bleus, plus pâles aujourd'hui avec l'âge, avaient toujours le don de saisir son attention et de la maintenir.

– Parfaitement. Je me rappelle avoir pensé que tu étais la femme la plus intéressante que j'avais rencontrée ce soir-là.

– Seulement ce soir-là ?

– La femme la plus intéressante que j'aie jamais rencontrée.

Ces paroles la firent glousser. Il avait toujours été un séducteur, même si c'était son intelligence qui l'avait le plus attirée. Il avait des goûts éclectiques et elle trouvait ses opinions stimulantes. Ainsi Girard pouvait-il discuter de finance, de science, d'art et de politique avec une égale aisance et avec distinction.

– Pourquoi me poses-tu cette question ?

– Pour rien. J'étais seulement en train de me souvenir comment, même dès le début, toi et moi, nous pouvions discuter sans fin en perdant le fil du temps, comme maintenant. Je n'ai aucune idée de l'heure qu'il est, ajouta-t-elle en riant, et je m'en contrefiche.

En effet, lors de cette première soirée chez Bitsy, ils étaient restés ensemble sur la véranda à parler tandis que la nuit se faisait plus épaisse autour d'eux et que les bougies vacillaient dans les lampes. C'était horriblement impoli de ne pas se mêler aux autres, mais elle détestait les potins et prenait tellement de plaisir à parler de questions environnementales avec quelqu'un à qui le sujet tenait à cœur.

– Je me souviens d'avoir été irrité quand ton mari était venu t'enlever, admit Girard.

– Plus tard, il m'avait reproché de provoquer les potins. Nous avons eu une sacrée dispute à ce sujet.

– Je ne peux m'imaginer que quelques commères puissent te faire taire.

– Absolument pas. Nous ne faisions rien de mal.

– Peut-être juste un peu. Evelyn était jalouse.

– Mais de quoi ? s'étonna-t-elle.

– De nos intérêts communs et de nos projets.

– Mais je n'ai jamais voulu l'en exclure.

– Justement. Jamais la préservation de la nature ne l'a intéressée, indiqua-t-il en regardant l'eau au loin.

– Tu sais, affirma Marietta en le regardant furtivement, Edward a toujours été jaloux de toi, lui aussi. Un peu.

– Vraiment ? demanda-t-il en tournant brusquement la tête, les yeux étincelants.

– Oh oui. Surtout lorsque tu m'avais emmenée faire de la voile.

– Il a eu de la chance que je ne t'aie pas emportée au loin sur mon voilier, énonça-t-il en pouffant.

– Vraiment… répliqua-t-elle avec un mépris feint avant de détourner la tête, sentant que ses joues se coloraient d'une légère rougeur. C'est aussi bien que je n'aie pas su que tu avais des idées aussi fantasques, souligna-t-elle en appréciant ce badinage, car une fois que la fiducie de préservation de tes terres a été conclue, tu étais mon héros.

– Tu es donc en train de dire que j'ai raté ma chance ?

– Tu aurais peut-être même réussi… cette fois-là, reconnut-elle en se tournant et en haussant un sourcil.

Sur ce, ils éclatèrent tous les deux de rire.

– Je pense, reprit Girard d'un ton catégorique en ramenant sa canne à pêche, que les poissons ne mordent pas aujourd'hui.

– Il semble bien que non, convint-elle, reconnaissante pour la distraction qu'offrait le fait de ramener leurs cannes. Nous avons fait de notre mieux.

– Mais je te dois une nouvelle tentative. Qu'en dis-tu, Marietta ? As-tu envie d'essayer de nouveau ?

– Je me dois d'en attraper au moins un.

– Bien ! s'exclama-t-il, ses dents brillant contre son bronzage. Nous essaierons de nouveau demain. Mais pour aujourd'hui, nous fichons le camp.

Le moteur de la barque démarra et agita les eaux en grondant. Mamaw agrippa son chapeau d'une main et le rebord de l'embarcation de l'autre tandis que Girard accélérait. Le petit bateau rebondissait tout en fendant les eaux, aspergeant son visage. Cette expérience étourdissante la fit éclater de rire. Elle leva alors la tête vers le soleil qui brillait au-dessus d'eux en sentant sa lumière la réchauffer, lui rappeler le printemps de sa jeunesse et la ramener à la vie.

~

Le ciel de ce milieu d'après-midi était nuageux et laissait présager de la pluie. Harper était appuyée contre le dossier du banc du quai, les jambes relevées, son ordinateur sur les cuisses. Elle était contente de ces nuages qui gardaient le soleil cuisant à distance et promettaient une pluie si nécessaire à son jardin. Elle était ici depuis des heures, ses doigts volant sur son clavier tandis que son histoire se déroulait, et celle-ci la captivait tant qu'elle fut surprise quand elle entendit une voix.

– Voulez-vous un peu de limonade ?

Elle tourna brusquement la tête et vit Taylor à côté d'elle, deux verres de limonade à la main. Mal à l'aise, elle se dépêcha de fermer son ordinateur et déplaça les jambes pour se redresser.

– Merci, accepta-t-elle en prenant le verre frais dégoulinant de condensation avant d'en prendre une gorgée qu'elle trouva parfaitement acide. Elle est délicieuse.

– C'est ma mère qui la fait. Elle m'en prépare une bouteille Thermos tous les jours, annonça-t-il avec un petit rire. Elle est envahissante.

– Asseyez-vous, l'invita-t-elle en lui indiquant le banc libre.

– Êtes-vous certaine que je ne vous dérange pas ?

– Pas du tout. Une pause me fera du bien.

Cette invitation sembla lui faire plaisir et il s'assit à côté d'elle, posant le bras le long du dossier du banc puis, tout en prenant une grande gorgée de son verre, il regarda au loin vers la crique.

Harper tourna aussi la tête. Tout l'après-midi, elle avait été assise ici, mais avait seulement fixé son portable. Or, le ciel était surprenant de contrastes. Des rais de lumière perlée traversaient les nuages d'un gris métallique en angle droit comme dans une peinture art déco et la lumière projetait des ombres translucides sur l'eau trouble.

– C'est beau ici, remarqua Taylor.

– Je regarde le même paysage tous les jours et chaque fois je le vois différemment, toujours changeant, jamais ennuyeux.

– Pour combien de temps êtes-vous ici ?

– Jusqu'à la fin de l'été.

– Ce n'est pas long.

– Non.

Elle laissa ses doigts passer sur la condensation de son verre.

– Je ne suis pourtant jamais restée aussi longtemps ici. Quand j'étais petite, je n'y passais que quelques mois. Je devais retourner à la maison en août pour l'école.

– C'est un endroit plutôt fantastique où passer l'été.

– Pour mes sœurs et moi, c'était magique, acquiesça-t-elle après avoir souri en entendant la vérité de ce qu'il disait. Une existence digne de Huck Finn. Carson et moi, nous agissions en toute liberté dans l'île.

Elle se pencha vers lui comme pour lui confier un secret.

– Ma grand-mère nous dit que nous sommes les descendantes d'un pirate, lui confia-t-elle en prenant un air éberlué. Vous imaginez ?

– C'est vrai ?

– Franchement, je n'en sais rien, mais j'aime à le croire. Il y a une longue lignée de capitaines de la marine chez les Muir.

Taylor haussa les sourcils.

– Vraiment ?

Son étonnement la fit rire, n'étant pas surprise qu'il trouve cet élément intéressant étant donné que son père était lui aussi capitaine.

– Oui. Quoi qu'il en soit, il y a cette anecdote, c'est une légende vraiment, selon laquelle le gentilhomme pirate, notre ancêtre, a enterré son or quelque part dans Sullivan's Island. Naturellement, Carson et moi nous déguisions en pirate pour chercher partout où il avait été enterré.

– L'avez-vous trouvé ?

Elle glousse et remua la tête.

– Non. Mais nous nous sommes follement amusées en le cherchant. Durant la journée, Mamaw ne nous permettait pas de regarder la télé et nous envoyait dehors pour jouer. Carson et moi… Quelle paire nous formions, dit-elle en souriant. Nous adorions toutes les deux l'aventure. Je… je lisais beaucoup et j'adorais imaginer des intrigues pour nos jeux, la plupart tirées des livres que je lisais.

Elle regarda en direction des eaux tandis que les souvenirs se bousculaient dans son esprit.

– Notre imagination était sans limites. Jour après jour, nous sortions, captivées par nos mondes d'illusion, reprit-elle, mais quand elle se tourna vers lui, ce fut pour le trouver en train d'étudier son visage, ce qui la fit rougir et regarder ses mains. Vous devez trouver que c'est idiot.

Il secoua la tête.

– En fait, je pense que c'est plutôt merveilleux.

Elle en rougit de plaisir avant de se retourner. Les eaux scintillantes étaient emportées à toute vitesse par le courant.

– Cet été, c'est la première fois que je reviens ici depuis des années, depuis mes 11 ou 12 ans, en fait, et la première fois que nous sommes toutes ensemble depuis le mariage de Dora. C'est à la fois étrange et vraiment bien de partager de nouveau le même toit avec Mamaw et mes sœurs.

– Ça, je comprends. Je reste chez mes parents, pour quelques semaines, en tout cas, et c'est bien de leur rendre visite, mais je ne voudrais pas rester plus longtemps. Je crois qu'aucun de nous ne pourrait le supporter.

– Il y a quelques mois, commença-t-elle après avoir réfléchi à son commentaire, j'aurais été d'accord avec vous. En mai dernier, je ne pensais pas pouvoir passer tout un été avec ces femmes que je connaissais à peine. Bien sûr, nous étions reliées, mais avions-nous de l'*affection* l'une pour l'autre ? Ou alors, allions-nous nous crêper le chignon ?

– Alors…

– Alors, il se trouve que nous en avons, termina-t-elle en souriant, bien que nous ayons aussi eu nos moments de crêpage de chignon.

– Qui est l'aînée ? Et vous, où vous situez-vous ?

– Eudora est l'aînée, ensuite Carson, et moi.

– Vous êtes donc la petite dernière.

– Je vous en prie… s'exclama-t-elle en levant les yeux au ciel. Voilà une étiquette à laquelle j'ai tenté d'échapper presque toute ma vie.

– Un instant, s'exclama soudain Taylor après avoir poussé un sifflement sourd. Eudora, Carson, Harper. Je vois une structure.

– Oui, c'est vrai, admit Harper en remuant la tête. Ça, c'est mon père. Il était écrivain, et il avait eu l'idée de donner à ses filles le nom de grandes auteures du Sud.

Taylor s'adossa et regarda le ciel en réfléchissant.

– Ce qui nous donne Eudora Welty, Harper Lee et Carson…

– McCullers. *Le cœur est un chasseur solitaire.*

– Ah, oui, approuva-t-il en hochant la tête. C'est cool.

Harper prit une gorgée de limonade en haussant les épaules. Encore aujourd'hui, sa mère maudissait le jour où elle avait accepté de nommer son unique enfant d'après une auteure du Sud plutôt que britannique.

– Êtes-vous proches les unes des autres ?

– Mes sœurs et moi ?

Harper plissa les lèvres.

– Nous ne pourrions être plus différentes. Nous avons toutes été élevées dans une région différente du pays : Carson en Californie, Dora dans les Caroline et moi à New York. Nous avons des styles de vie, des convictions, des styles vestimentaires différents. Sans compter nos mères. Pourtant, d'une manière ou d'une autre, quand nous sommes toutes ensemble, ça fonctionne, comme les pièces d'un casse-tête enfin complété. Prenez cet été, poursuivit Harper, que le sujet commençait à intéresser davantage, nous étions toutes dans des degrés variés de transition. Or, c'est comme si Sea Breeze avait été notre bateau de sauvetage. Nous y sommes toutes ensemble, en train de ramer vers le rivage. Nous nous sommes aidées les unes les autres et, dans la foulée, nous sommes devenues plus que des sœurs. Nous sommes devenues les meilleures amies.

Sous eux, l'eau frappait le quai en bois, faisant gémir le matériau.

– On dirait donc que vous avez trouvé votre trésor, souligna Taylor au bout d'un moment.

Harper tourna alors la tête pour le regarder, heureuse de sa perspicacité.

– Il vaut mieux que je me remette au travail, reprit-il après avoir avalé d'un coup la limonade qu'il lui restait. Heureux d'avoir discuté avec vous, Harper.

Il lui toucha l'épaule, brièvement, puis se tourna et s'éloigna.

Harper posa la main sur son épaule et regarda sa démarche déterminée aux longues enjambées avancer le long du quai jusqu'à la maison.

CHAPITRE 7

Le jeu de canasta faisant partie de la famille du gin-rami, Mamaw sentit son sang remuer quand elle sortit les cartes. Sur la côte, c'était un autre après-midi torride et ayant particulièrement soif, elle se versa deux généreux doigts de rhum sur glace. Il était presque 17 h, non ?

Elle retrouva ensuite ses petites-filles dans le salon. Elles avaient abandonné la véranda à cause de la vague de chaleur qui persistait. Cette pièce, plus que le reste de la maison, était réservée aux grandes occasions, remplie qu'elle était de ce que Mamaw appelait des antiquités familiales de « bonne qualité », ce qui signifiait digne des musées, datant toutes de l'époque coloniale, avec leur cuir bleu clair. Ce n'était donc pas la pièce habituelle où jouer aux cartes et il y avait quelque chose de festif dans l'air tandis qu'elles déployaient la table à cartes pliante et les chaises et mettaient de la musique avant de s'y attabler.

– Les filles, les interpella Mamaw quand elles se furent regroupées autour de la table, avant de vous asseoir, nous devons choisir nos partenaires.

À ces mots, les filles se regardèrent nerveusement.

– Je déteste quand nous formons les équipes, admit Harper en fronçant les sourcils avec irritabilité. Ça me rappelle toujours quand j'étais petite pendant les cours de gym, à l'école. Personne ne me choisissait jamais parce que j'étais si petite.

Elle regarda Carson.

– Tu étais sans doute la première à être choisie.

– En fait, oui, reconnut-elle avec un sourire ironique.

– N'ayez crainte, mes chéries, les rassura Mamaw en déployant un jeu de cartes sur la table. Tirez-en une. La plus proche sera votre partenaire.

Soulagées, elles tirèrent toutes une carte, à la suite de quoi Mamaw et Dora se retrouvèrent opposées à Carson et Harper.

– Le Sud se relèvera ! les prévint Dora.

– Et voilà que ça recommence… grogna Carson en levant les yeux au ciel.

– Ça fait bizarre de jouer aux cartes dans le salon, reprit Dora en plaçant quatre verres de thé glacé et un bol de noix variées sur la table. J'ai toujours pensé que c'était la pièce dans laquelle il fallait montrer de la correction, bien nous comporter.

– Être une dame ? offrit Carson pour la taquiner.

Ce à quoi Harper articula en silence : *Mort aux dames !*

Ce qui avait été leur mantra durant leur enfance fit pouffer Carson de rire, mais ensuite, son sourire la quitta tandis qu'elle balayait le salon du regard.

– La dernière fois que nous avons toutes été ici, c'était pendant la tempête, en juillet, vous vous souvenez ?

– Bien sûr que nous nous en souvenons, mon chou, indiqua Dora. C'était sa dernière soirée avec nous.

Mamaw, qui était en train de mélanger les cartes, s'arrêta pour regarder tout autour du salon. Frank Sinatra susurrait *Summer Wind* et les bougies vacillaient.

– Lucille est toujours avec nous, déclara-t-elle doucement après avoir fermé les yeux.

Harper sourit, un sourire triste.

Mamaw rouvrit les yeux et, avec détermination, battit vivement les deux paquets de cartes qui claquaient dans ses mains avec les mouvements précis d'un croupier.

– Aujourd'hui, on est mieux à l'intérieur. Je dois dire que la température est décidément lassante. Nous allons mourir si nous jouons dehors. Je suis assez âgée pour vous dire que j'ai souffert de nombreuses années sans air conditionné ; à dormir dehors sur les vérandas, à nous éventer sans cesse, à avaler des boissons fraîches. Je ne suis peut-être pas une grande admiratrice des climatiseurs, ici dans l'île, mais les jours comme aujourd'hui, je bénis la naissance de Willis Carrier.

– Amen, ajouta Dora en levant son thé glacé en geste de salut.

– Moi, je suis une convertie, intervint Carson en soulevant sa longue tresse de son dos. Avant, je détestais ça. Quand je rentrais après avoir été dans l'eau, ça me donnait toujours froid. Mais depuis que je suis enceinte, je ne supporte plus la chaleur comme avant.

– C'est la chaleur de ton corps, ma chérie, expliqua Mamaw. Elle est plus élevée. Tu travailles plus dur.

À ces mots, Carson regarda sa grand-mère avec scepticisme.

– C'est un fait ! s'écria Mamaw, dont les yeux s'étaient écarquillés. Tu n'as qu'à vérifier.

Elle commença à distribuer les cartes.

– Ce n'est pas la chaleur qui me dérange, moi, c'est l'humidité, réagit Harper tout en soulevant ses cheveux qui lui arrivaient aux épaules comme l'avait fait Carson avant de les placer en un chignon banane qu'elle maintient en place avec une barrette.

Puis, elle se frotta les bras qui étaient picotés de piqûres agressives.

– Et les insectes. J'ai été vidée de mon sang, hier, quand je courais.

– L'été dans le Sud… grommela Dora.

– La chaleur énerve les moustiques, souligna Mamaw en prenant ses cartes.

– En tout cas, ils m'aiment, lança Harper en se grattant les jambes en gémissant.

– C'est tes cheveux roux, dit Dora avec autorité tout en prenant ses cartes l'une après l'autre.

Ses cheveux blonds étaient soigneusement attachés en queue de cheval avec un ruban rose.

– Le rouge attire les abeilles et les moustiques.

– C'est un conte de bonne femme, contra Carson d'un ton dédaigneux.

– Pas du tout, argumenta Dora, qui n'aimait pas être contredite, en levant la tête de ses cartes.

– Si, insista Carson en la fusillant du regard.

– Attendez, intervint Harper en prenant son téléphone et en restant penchée sur lui un instant.

– Je sais que j'ai raison, ajouta Dora en remuant son doigt avec frustration.

– J'ai trouvé, déclara Harper en levant la tête pour sourire d'un air de conspirateur. Vous avez toutes les deux raison. Les abeilles ne voient pas les couleurs.

– Je te l'avais bien dit, s'exclama Carson avec un sourire de jubilation malveillante.

– Mais, poursuivit Harper en soulevant un doigt d'une manière désarmante, il est vrai que les moustiques ont tendance à choisir les vêtements noirs, bleu foncé et rouges, sans compter, continua-t-elle en gloussant de rire et en pointant Carson du doigt, les femmes enceintes. Et aussi les buveurs de bière, conclut-elle en éclatant de rire.

Sur ce, Dora et Harper éclatèrent toutes les deux de rire tandis que Mamaw gardait ses cartes devant sa bouche pour cacher son sourire.

– Bien, merde, jura Carson à sa manière pleine d'autodérision. D'une manière ou d'une autre, je perds. J'ai arrêté de boire, mais maintenant je suis enceinte.

Elle leva les yeux au ciel.

– C'est typique.

– Puisqu'il est question d'alcool, reprit alors Harper en fixant le rhum de Mamaw d'un air sceptique, quand avons-nous relâché les règles sur l'alcool dans cette maison ?

– Depuis que j'en ai discuté avec Carson, répondit Mamaw en portant son verre à sa bouche et en en prenant une petite gorgée guindée.

– Pourquoi Mamaw ne pourrait-elle pas prendre sa goutte de rhum le soir ? intervint Carson en haussant les épaules. De toute manière, l'odeur de l'alcool me rend malade, alors il n'y a aucune tentation. Il me semble que c'est mal de la punir. Après tout, elle est chez elle.

– Tu veux dire que je peux prendre un verre de vin ? demanda Dora avec avidité.

– Sers-toi, approuva Carson.

– Bien sûr, strictement pour des raisons médicinales, expliqua Dora en souriant comme un chat de Cheshire.

– Bon, assez bavardé, proclama Mamaw. Jouons aux cartes.

Le temps passa tandis qu'elles jouaient à la canasta et que le bavardage flottait dans l'air.

– Mamaw, tu as repris des couleurs, remarqua Harper en la regardant par-dessus ses cartes. Tu as l'air, je ne sais pas, plus heureuse.

– Merci, ma chérie, répondit Mamaw en organisant ses cartes. Je me disais justement que je me sentais mieux.

– Tu as passé beaucoup de temps dehors ? Sur l'eau, par exemple ? demanda Dora avec nonchalance en regardant par-dessus ses cartes.

Mamaw savait ce qui allait venir, aussi regarda-t-elle discrètement au-dessus de ses cartes pour délivrer, les yeux plissés, un avertissement à sa petite-fille.

Cependant, Dora ignora complètement sa grand-mère et poursuivit avec insouciance tout en prenant une carte dans la pile.

– Tu sais, quand j'étais en bateau avec Devlin et Nate tout à l'heure, nous avons croisé une petite barque à fond plat sur laquelle il y avait deux personnes en train de pêcher, un homme et une femme. On ne peut être plus intimes qu'ils l'étaient. Eh bien, Mamaw, j'aurais pu jurer que cette femme, c'était toi. Tu ne m'as donc pas entendue t'appeler ? s'enquit Dora d'une voix pleine d'innocence, mais en tenant ses cartes devant sa bouche pour cacher son sourire.

Mamaw bouillonnait tandis que Harper et Carson regardèrent d'abord Dora avec étonnement puis Mamaw.

– D'accord, lâcha Carson, que se passe-t-il ?

Mamaw renifla puis prit une petite gorgée de son verre avant de soupirer comme si une âme ayant longtemps souffert avait dû tolérer les bouffonneries d'un enfant.

– Ce n'est qu'une tempête dans un verre d'eau. Girard Bellows et moi sommes allés à la pêche, déclara-t-elle comme s'il s'agissait de la chose la plus naturelle qui soit. Nous sommes amis depuis toujours. Il m'a aperçue, assise sur le quai et, me prenant sans doute en pitié, m'a invitée sur son bateau. Je me suis bien amusée, merci beaucoup. Point à la ligne, conclut-elle en tapant ses cartes contre la table pour ensuite les organiser avec affectation. Et en passant, Dora, reprit-elle malicieusement, tu devrais mettre plus de lotion solaire. Tu es rouge comme un homard bouilli.

– Tu es sortie avec le vieux Bellows ? demanda Carson avec incrédulité.

– D'abord, rétorqua Mamaw en posant ses cartes, nous ne sommes pas *sortis*. Ensuite, ce n'est pas le vieux Bellows, mais, pour toi, *monsieur* Bellows, ajouta-t-elle en lançant à Carson un regard noir qui ne laissait aucun doute. Et il n'y avait certainement rien d'intime entre nous, poursuivit-elle en reprenant ses cartes. C'était un petit bateau.

— Ils étaient épaule contre épaule, en train de se papouiller, murmura alors théâtralement Dora en se penchant sur la table.

À ces mots, les filles se mirent à rire moqueusement.

— Je dirais que j'ai trouvé le joker dans ce paquet de cartes, déclara Mamaw en regardant les siennes.

— Et toi, tu es un as, s'écria Carson en riant.

Mamaw céda finalement et se joignit à leurs rires, prenant plaisir aux premiers sons de réjouissance qu'il y ait eu à Sea Breeze depuis la mort de Lucille, même s'ils étaient à ses dépens.

Tandis qu'elles jouaient main après main de canasta, la fin de l'après-midi laissa place au soir. Il faisait si chaud que personne n'avait vraiment faim et comme la cuisine était inutilisable, elles grignotèrent des craquelins et du fromage, un reste de quiche et des légumes crus. Pendant qu'elles jouaient, jamais elles ne cessèrent de parler, discutant des manières par lesquelles elles pourraient aider Nate, qui était anxieux, à se préparer pour sa nouvelle école. Elles passèrent aussi beaucoup de temps à trouver des idées de prénoms pour le bébé de Carson, allant de noms de famille à d'autres plus idiots. Harper était vraiment en faveur de Poséidon, mais Carson se contenta de lever les yeux au ciel. Au bout d'un moment, la conversation passa aux progrès des rénovations dans la cuisine.

— Alors, comment ça se passe avec Taylor McClellan ? demanda Carson à Harper en s'éventant avec ses cartes et en souriant.

— Il fait du bon travail, ça progresse bien, répondit-elle en haussant les épaules évasivement et en regardant ses cartes.

– C'est intéressant que ce soit Taylor qui s'occupe de ce projet, et non son père, répliqua Carson.

– Pas vraiment, rétorqua Harper. Je soupçonne qu'il aide son père pour l'été.

– En fait, ce n'est pas ce que j'ai entendu, déclara-t-elle en déplaçant certaines de ses cartes.

À ces mots, le regard de Harper quitta brusquement les siennes.

– J'ai plutôt entendu, poursuivit Carson, les yeux brillants, qu'il a demandé à son père s'il pouvait s'occuper de ce mandat.

– Ça n'a rien d'inhabituel. Il s'occupe de mandats et a choisi celui-ci. C'est ton ami.

– Sauf qu'il ne travaille pas pour son père. Il est en ville pour des entretiens d'embauche.

– Alors pourquoi a-t-il demandé ce mandat ? l'interrogea Harper en levant les yeux de ses cartes.

– Je n'en ai aucune idée, répondit Carson en se tapotant la joue en feignant de se le demander.

– Vraiment ? s'enquit Harper en s'appuyant au dossier de sa chaise.

– De plus, poursuivit Carson en se défaussant, il m'a demandé si tu fréquentais quelqu'un.

À ces mots, le sourire de Harper s'agrandit.

– Es-tu sûre que *vous* ne vous papouillez pas ? questionna Dora avec un regard sévère.

De nouveau, les femmes éclatèrent de rire.

– J'adore ce mot, remarqua Harper, dont l'humeur était soudainement très joyeuse, mais je ne suis pas seulement certaine de savoir ce que ça veut dire.

Elle se défaussa à son tour.

– Ça signifie se caresser et s'embrasser, expliqua Mamaw, qui prit sa carte.

– Non, Madame, protesta Harper, nous ne nous papouillons vraiment pas. Malheureusement.

– Pour le moment, ajouta Carson.

– Quoi qu'il en soit, j'adore le bleu que tu as choisi pour les murs, remarqua Dora en se défaussant elle aussi. C'est la nuance parfaite, une espèce de bleu *haint*. Ce sera ravissant avec les placards blanc cassé.

Harper se délecta de ce compliment.

– Merci, partenaire.

Elle prit une carte.

– Bleu *haint*, c'est quoi ?

– C'est le bleu que les Gullah-Geechee utilisent pour peindre le toit de leurs vérandas afin de repousser les mauvais esprits, expliqua Dora.

– Amen, grommela Carson.

– Il y en a des traditions de la côte à apprendre, se plaignit Harper.

– Mais pourquoi se donner la peine de refaire la cuisine maintenant ? demanda Carson.

– Parce que la maison le mérite, rétorqua Mamaw.

– Et ça améliorera la valeur de revente, ajouta Dora.

– Ce qui me rappelle, Mamaw, reprit Harper en se forçant à adopter un ton léger après le commentaire de Dora, j'aimerais acheter de nouveaux boutons et des poignées pour les placards. Ça te gênerait si je les changeais ?

– Pas le moins du monde, ma chérie. Mais avant d'aller en acheter, va jeter un coup d'œil dans le grenier. J'ai plein de vieux boutons et de poignées de porte et toutes sortes de trucs là-haut, tous pris dans les maisons de la famille au fil des ans. Dieu seul sait ce qu'il y a là-haut, ajouta-t-elle avec un sourire ironique. Sers-toi dans quoi que ce soit que tu trouves. Je ne sais pas si ça vaut quelque chose, mais…

Elle fut subitement interrompue par le bruit de pneus dérapant sur le gravier de l'allée, suivi par le son d'une portière de voiture qui claquait.

– Mais au nom du ciel…

Mamaw, qui était assise le plus près de la fenêtre, repoussa le rideau et regarda dehors.

– Mon Dieu, Carson, voilà Blake, et il arrive comme un ouragan.

Carson laissa tomber ses cartes sur la table et se leva, les yeux écarquillés.

Un coup de sonnette fut suivi de trois coups impatients à la porte. Pendant que Mamaw et les autres femmes se redressaient sur leur chaise, Carson se précipita dans l'entrée. Après qu'elle eut ouvert la porte, Blake se précipita dans la maison, la prit dans ses bras en la soulevant du sol et la fit tourner quelques fois dans les airs avec un sourire idiot, tandis que Mamaw, Harper et Dora déposaient leurs cartes, ayant tout oublié du jeu.

– Blake ! s'exclama Carson en riant contre son visage tandis qu'il la faisait tourner. Remets-moi par terre.

Doucement, Blake la reposa tout en continuant cependant de lui tenir les bras. Qui plus est, il souriait jusqu'aux oreilles avec un air de triomphe.

– Nous l'avons trouvée !

– Trouvé qui ? questionna Carson en le regardant sans comprendre.

– Delphine !

– Quoi ?

– Je l'ai trouvée dans la base de données.

– Oh, Blake ! s'écria Carson, le cœur venant de lui bondir dans la gorge.

Impulsivement, elle se pencha vers lui pour l'embrasser sur la bouche.

Blake se redressa alors tout en gardant ses bras autour d'elle.

– C'était ce petit orifice que tu as trouvé sur la nageoire de sa queue, expliqua-t-il précipitamment. J'ai passé les deux derniers jours à examiner des milliers de photographies et je l'ai trouvée. Je n'arrivais pas à y croire. Quand j'ai ensuite agrandi la photo, j'ai vu la cicatrice sur son rostre, elle aussi. Ça correspond et Delphine fait bel et bien partie de notre communauté. Ma chérie, c'est l'une des nôtres !

— Je le savais, s'émut Carson. Alors Delphine peut être remise en liberté dans la crique ?

— Oui, acquiesça-t-il en appuyant son front contre le sien.

Carson le serra alors dans ses bras en nichant son visage contre son épaule tandis qu'en elle, son cœur explosait de joie. Elle aurait voulu crier, danser, sauter sur place, mais tout ce qu'elle était capable de faire était de pleurer.

Delphine rentrait à la maison.

CHAPITRE 8

Le matin suivant, Harper dégustait du café dans la cuisine en priant les dieux de la caféine que la boisson qu'elle déversait dans son organisme fasse bientôt effet. Elle avait passé une autre longue nuit blanche à écrire et se sentait complètement exténuée. Elle réfléchissait à un chapitre qu'elle avait produit à une heure particulièrement tardive la nuit passée, et ne perçut même pas Taylor entrer, de sorte qu'elle sursauta quand elle entendit la porte se refermer derrière lui et qu'un coup de vent fit s'envoler les papiers tout en apportant des gouttes de pluie.

– C'est un jour pour les canards, remarqua-t-elle tandis qu'il retirait sa veste imperméable.

Il était vêtu d'un short et d'un t-shirt blanc maculé de peinture de différentes couleurs dont les manches courtes s'effilochaient de sorte qu'il en avait roulé les bords sur ses biceps. Elle prit sa veste et la secoua, les gouttes de pluie tombant sur le sol.

– Ouais. Mais le mauvais temps ne me gêne pas, déclara-t-il en retirant ses chaussures. Sur le bateau, on apprend à faire avec.

Il leva la tête et Harper eut un coup au cœur. Un peu d'eau s'égouttait de ses cheveux le long de son visage, faisant briller encore davantage ses yeux verts contre son bronzage.

Harper se précipita alors jusqu'à un tiroir dans lequel elle prit un linge de cuisine qu'elle lui tendit. Leurs doigts se touchèrent quand il le prit et elle sentit quelque chose monter en elle.

– Merci, dit Taylor en s'essuyant le visage avant de lancer le linge sur le comptoir.

Harper regarda autour d'elle, autant pour ne plus avoir les yeux rivés sur lui que pour déterminer où les travaux en étaient. Une couche d'apprêt avait été appliquée sur les placards et leurs portes étaient rangées soigneusement contre les murs. Du ruban adhésif de masquage bleu bordait les placards le long des murs et du sol. Çà et là, différentes nuances de bleu maculaient les murs.

– Tout est si bien organisé.

– Je suis un Marine. Nous sommes formés à être disciplinés et rigoureux, expliqua-t-il en plaisantant plus ou moins.

Harper fut contente qu'il aborde le sujet qui la rendait si curieuse.

– Quand avez-vous quitté les Marines ?

– On ne quitte jamais les Marines. Quand on le devient, on le reste pour la vie.

– Oh, répondit-elle en entendant la fierté dans sa voix. Alors vous êtes toujours actif ?

– Non, je suis parti il y a quatre ans.

– Vous étiez en Afghanistan ?

– Oui.

– Vous vous êtes joint aux Marines à cause de la guerre ?

– Il n'y a pas de réponse simple. Je venais d'obtenir mon diplôme à Citadel au moment où la guerre s'intensifiait. Je n'avais aucun doute sur le fait que je devais y aller avec mes camarades de classe. Après tout, je portais la bague.

– Et maintenant vous êtes de retour.

– Oui, répondit-il, son visage se figeant. Tous mes camarades de classe n'ont pas eu cette chance.

Ces paroles s'envolèrent sans que son visage accuse quoi que ce soit.

– Bon, dit-il fermement en retirant le couvercle de son gobelet en styromousse, le café laissant échapper de la vapeur. Il vaut mieux que je m'y mette. Nous ne pouvons ouvrir les fenêtres avec cette pluie, mais au moins cette partie se fait plus rapidement.

– Avant que vous commenciez, je me demandais si vous viendriez avec moi au grenier.

– Au grenier ?

– Euh, oui. Je voudrais changer les boutons et les poignées des placards, qui mériteront mieux une fois qu'ils seront fraîchement repeints. Vous ne trouvez pas ?

– Je suppose que ce serait bien, ouais, convint-il en haussant les épaules.

– Selon Mamaw, il y en aurait là-haut, des anciens entreposés, que nous pourrions utiliser. J'aimerais y jeter un coup d'œil avant de prendre une décision. S'ils nous plaisent, je ne sais pas si je serai capable de les transporter, car je ne sais pas ce que ça pèse, ajouta-t-elle avant de regarder par la fenêtre en indiquant la température : je me suis dit que si nous nous en occupions maintenant, pendant qu'il est tôt, il ferait peut-être plus frais là-haut, surtout avec ce front froid qui est arrivé, poursuivit-elle avant de prendre une respiration.

Oh, Dieu, voilà qu'elle divaguait.

– Bien sûr, accepta-t-il en lui offrant un de ses rares sourires.

– D'accord, répondit-elle en se pressant les mains avant de se retourner. C'est par ici.

Elle était consciente de sa présence derrière elle tandis qu'elle le conduisait à travers le salon jusqu'à l'aile gauche de la maison, où se trouvaient les chambres des filles. Au milieu du couloir, une trappe menait jusqu'au grenier. Elle voulut saisir la poignée de corde, mais Taylor tendit le bras le premier pour la prendre et, une fois qu'il l'eut tirée, l'escalier en bois se déploya.

– Vous pouvez monter le premier, indiqua-t-elle avant de le suivre le long de l'étroit escalier. Il y a un commutateur en haut.

Au milieu du grand grenier, le toit en pente était assez élevé pour que Taylor s'y tienne droit, mais il diminuait de manière importante sur chaque versant. Deux lucarnes perçaient le toit du côté de la façade de la maison, chacune ayant une fenêtre qui s'ouvrait, même si elles étaient extrêmement sales. Tout l'espace sentait le renfermé.

Sur le toit, la pluie se fracassait comme un roulement de tambour, avec lenteur et régularité.

Taylor, les mains sur les hanches, balaya le grenier d'un regard appréciateur.

– Quel espace superbe.

Harper n'était montée au grenier qu'une seule fois quand elle était très petite. À l'époque, avec Carson, elles exploraient ce territoire interdit pendant que Mamaw et Lucille étaient sorties faire des courses. Elle l'avait trouvé terne et poussiéreux, rempli de cartons et de meubles, ennuyeux pour de petites filles à la recherche du butin d'un pirate.

Le regardant maintenant avec l'œil d'une femme, elle y vit un trésor de meubles anciens et de bibelots. Il y avait de vieilles malles et valises, des peintures dans de lourds cadres, des paysages surtout, dont certains étaient tout craquelés. Dans un coin se trouvait un vieux gramophone poussiéreux, des lits en fer forgé et en laiton étaient alignés le long des murs, parmi lesquels elle reconnut les deux petits lits dans lesquels elle avait dormi plus tôt cet été. Elle sourit en apercevant sa vieille maison de poupées en bois. Il y avait des cartons partout, les uns sur les autres, formant de hautes piles recouvertes de poussière, tachées de moisissure et qui penchaient.

Ses mains la démangeaient d'ouvrir ces cartons et de découvrir ce qu'ils renfermaient. Qui sait ce qu'elle y trouverait ? Des linges, des vêtements d'autrefois, des châles, des bijoux ou des lettres ? Elle eut un coup au cœur : peut-être même le livre de son père. Elle avait tellement hâte de se mettre à chercher. Cependant, jetant un coup d'œil vers Taylor, elle modéra son enthousiasme. Elle ne pouvait le garder ici toute la journée à fouiner dans des cartons.

Elle se pencha cependant pour ramasser un chapeau en velours brun orné d'une plume.

– Je peux seulement imaginer tout ce qu'il y a dans ces cartons.

Elle épousseta le chapeau qui était tout à fait joli.

– Ça me donne l'impression de participer à une course au trésor, ajouta-t-elle avant de mettre le chapeau. Il me va bien ?

Taylor plissa le visage.

Son expression la fit rire et ce son sembla flotter dans cet espace clos.

Taylor ne semblait être intéressé que par l'architecture.

– Celui qui a dessiné cette maison avait l'intention qu'on puisse construire sur cet étage. Regardez, dit-il en pointant du doigt, ce toit pourrait facilement être rehaussé, ce qui créerait ici un tout nouvel étage, ajouta-t-il en parcourant environ un mètre en examinant le toit. En fait, vous êtes bientôt dues pour une nouvelle toiture, et je dirais même que vous êtes en retard, poursuivit-il en montrant du doigt les endroits où le toit donnait des signes alarmants de s'affaisser et où on voyait des taches d'eau sur les cartons.

– Je le dirai à Mamaw. Elle ne sera pas contente.

– On pourrait ajouter plus de lucarnes dans le fond, reprit Taylor, dont le regard brillait tandis qu'il examinait la ligne de toit. Ou, et cette idée se mit à le remplir d'enthousiasme, ce que je ferais serait d'installer des portes donnant sur une terrasse dominant la crique.

Il se rendit jusqu'à une petite fenêtre.

– Mon Dieu, quelle vue on a d'ici.

– Mais Mamaw a déjà un belvédère sur le toit, indiqua Harper en se rapprochant de lui.

– Mais ici, on peut construire deux nouvelles chambres et une salle de bain sans aucun problème.

– Vous avez déjà effectué ce genre de travaux?

– Bien sûr, avec mon père. Agrandir les vieilles maisons familiales est une activité soutenue dans la région. Les gens n'aiment pas vendre, car les souvenirs font partie de ces maisons.

– Eh bien, répondit Harper en suivant l'étroit espace qui séparait les cartons jusqu'au fond du grenier, ce sera un projet pour les nouveaux propriétaires.

– Vous allez vendre la maison?

– Ma grand-mère la vend.

– Quel dommage. Sea Breeze n'appartient-elle pas à votre famille depuis des générations?

– Si, répondit-elle sans être convaincue de vouloir aborder ce sujet, mais elle s'arrêta pour se retourner et lui faire face. Mamaw s'y est accrochée aussi longtemps qu'elle l'a pu, mais maintenant, c'est trop pour elle, sans compter que, aujourd'hui, elle est seule. Elle va aller vivre dans une communauté pour retraités à la fin de l'été et met la maison en vente.

– Et personne dans la famille ne la veut?

– Ce n'est pas une question de vouloir, répliqua-t-elle en sachant qu'il pensait aux trois sœurs, mais d'être capable de se le permettre.

– C'est une histoire assez commune. Un grand nombre des membres de ma famille vendent ou ont déjà vendu depuis longtemps la propriété familiale. Leurs enfants ne veulent pas de cette charge, les taxes foncières sont élevées ou ils se sont établis ailleurs. Ça arrive partout dans la région.

– Et vos parents ?

– Mes parents n'ont jamais possédé une grande maison. Ils ont eu de la chance et ont acquis leur maison sur le rivage à l'époque où ils en avaient les moyens. Mais, ajouta-t-il avec fierté, le grand-père de ma mère, autrefois, était propriétaire d'une plantation le long de Santee River. Elle avait été dans la famille depuis avant la guerre. Cette propriété a été divisée de si nombreuses fois aujourd'hui qu'il n'en reste plus rien qu'un souvenir, poursuivit-il en haussant les épaules. Peu importe. J'aime la maison qu'ils ont à McClellanville. Elle donne directement sur l'eau. Ça convient à un pêcheur de crevettes.

– Selon Mamaw, les boutons se trouvent dans un carton au fond à droite, à côté d'un fauteuil à bascule, expliqua-t-elle tout en plaçant le chapeau sur une boîte placée haut.

– Je vois un fauteuil à bascule, souligna-t-il en arrivant de son côté.

L'espace entre les cartons était si étroit qu'il ne pouvait la dépasser et l'air sembla soudain se faire rare entre eux.

– Par ici, dit-elle, mal à l'aise, pour ensuite se retourner et ouvrir la marche.

Le sol sous le plafond n'était rien d'autre que des planches de bois qui branlaient tandis qu'ils traversaient le grenier. Alors qu'elle contournait une table qui s'avançait dans l'allée, Harper se prit les pieds et agita les bras pour essayer de retrouver l'équilibre quand, soudain, la main de Taylor se précipita vers elle et l'attrapa juste à temps.

– Ouah, s'exclama-t-il en la redressant.

Elle retomba contre sa poitrine, consciente qu'il lui tenait les bras tandis qu'elle retrouvait l'équilibre.

– Désolée, je suis si maladroite.

Elle avait le cœur qui se débattait tandis qu'elle repoussait ses cheveux de son visage. Il la tenait toujours, plus longtemps que nécessaire. Avec gêne, elle regarda ses mains, si grandes que ses doigts enveloppaient ses poignets.

– Merci, dit-elle d'une voix sourde.

Immédiatement, il la lâcha tandis qu'elle se frottait nerveusement les bras.

– Je serais tombée face la première dans ce tas de…

Elle fit une pause tout en regardant où elle serait tombée.

Tout en plissant les yeux, elle se rapprocha d'une petite malle en cuir. Elle était si vieille que des morceaux du matériau brun foncé avaient séché et s'étaient écaillés comme des morceaux de peinture, révélant le bois. Sur le dessus, sur une plaque en laiton, les initiales MC avaient été gravées. *Marietta Colson*, le nom de jeune fille de Mamaw.

– Je connais cette malle, déclara Harper en tendant la main pour la prendre, cependant, ses doigts pouvaient à peine l'atteindre et elle ne pouvait la soulever.

– Attendez, laissez-moi la prendre, proposa Taylor en la contournant tandis qu'ils changeaient de place dans l'allée étroite.

Ce faisant, leurs corps se pressèrent l'un contre l'autre et tous ses neurones localisèrent chacun de ces points de contact. Le t-shirt de Taylor était toujours humide de pluie et elle saisit l'odeur de quelque chose de musqué qui subsistait dans le tissu.

– Quelle intimité, dit-il alors pour rompre la tension entre eux.

– Oui, acquiesça-t-elle avec un petit rire, heureuse qu'il ait donné un nom à ce qu'ils éprouvaient tous les deux.

Il souleva la petite malle avec facilité et la transporta où il y avait de la place, au milieu du grenier. Harper s'agenouilla alors en face, son long pantalon se couvrant de poussière. Pendant ce temps, Taylor se dirigea jusqu'à la fenêtre la plus proche. Saisissant les poignées, il poussa pour l'ouvrir, mais le bois gonflé d'humidité refusa de bouger. Il donna plusieurs coups sur l'ouvrant avec sa paume puis essaya de nouveau. Cette fois, la vieille fenêtre remonta bruyamment le long des dormants, mais seulement jusqu'à la moitié. Immédiatement, un vent plus frais qui sentait la pluie douce pénétra.

– Il s'est arrêté de pleuvoir, pour quelques minutes tout au moins, annonça-t-il en claquant des mains sur son short.

– Ce vent est agréable, remarqua Harper, qui sentit le vent frais traverser l'air renfermé. C'était la malle de ma grand-mère, expliqua-t-elle ensuite quand il revint à ses côtés et qu'il s'accroupit à côté d'elle. Elle nous l'a donnée à mes sœurs et à moi pour que nous y rangions nos trésors à la fin de l'été, poursuivit-elle, son visage s'adoucissant tandis que ce souvenir reprenait vie dans son esprit. C'était toujours un moment spécial quand nous revenions l'année suivante. Mamaw nous réunissait puis elle ouvrait la malle en grande pompe, continua-t-elle en souriant. Mamaw peut être vraiment théâtrale. Elle a le don pour faire de la chose la plus simple quelque chose d'extraordinaire.

Elle passa doucement les doigts sur la malle.

– Je ne l'avais plus vue depuis mes 11 ou, oh, mes 12 ans. Je n'arrive pas à imaginer ce qu'elle peut contenir.

Taylor se déplaça alors pour s'asseoir sur un tabouret. Il avait les jambes si longues que ses genoux lui touchaient presque le menton.

– N'allez-vous pas l'ouvrir ?

– D'accord.

Elle en souleva le couvercle tandis que d'autres morceaux de cuir s'arrachaient à la suite de son effort. Elle poussa un cri de surprise en découvrant que la malle était remplie d'objets provenant de l'enfance des trois sœurs.

– Dire que Mamaw a conservé ça toutes ces années.

Harper en sortit alors un paquet de feuilles de papier jaunies remplies de lettres découpées et de photos de mannequins et de vedettes adolescentes qui y étaient collées, le tout retenu par du fil de couleur passé dans les trous perforés. Sur la couverture, en grandes lettres, était écrit *Southern Stars*.

– C'est le magazine de Dora ! se souvint Harper. Elle créait de nombreux magazines de ce genre chaque été. Elle passait des heures à y travailler. Chaque fois que Carson et moi essayions de l'aider, elle nous chassait de la pièce. Elle était l'aînée, vous savez. Elle ne voyait en nous que des petites filles casse-pieds et s'assurait de bien montrer qu'elle ne voulait pas jouer avec nous. À l'époque, nous étions fâchées, mais avec le recul, c'était une bénédiction. Carson et moi nous sommes liées et avons créé nos propres jeux, ajouta-t-elle avant de sourire malicieusement : l'un d'entre eux était de l'espionner, continua-t-elle en ouvrant le magazine. Elle en était si fière. Elle se vantait qu'un jour ce serait un succès à l'échelle nationale.

– Elle était créative.

Harper se retint de répondre tandis qu'elle commençait à feuilleter ces pages et que Taylor se penchait pour regarder par-dessus son épaule. Les photos de vedettes adolescentes des années 90 découpées avec soin incluaient Winona Ryder, Marky Mark, la distribution de *Beverly Hills 90210* et d'autres, surtout des vedettes de musique country. Cependant, quand ils virent des gros plans du visage de Dora surimposés aux corps des vedettes adolescentes blondes, ils éclatèrent tous les deux de rire, à tel point que Harper dut s'appuyer contre les jambes de Taylor en riant jusqu'à ce que ses côtes lui fassent mal.

– Elle ne m'a jamais laissée voir cette partie.

Harper s'essuya les yeux.

– C'est trop drôle. Ça me donne des munitions pour des années. Pas surprenant que Mamaw les ait conservés.

Tandis que les rires diminuaient, Harper se rendit compte qu'elle avait la main sur le genou de Taylor, qui, lui, avait la main sur son épaule. Quand elle se tourna pour le regarder, il souriait toujours, complètement détendu. Les rires avaient enfin rompu la glace entre eux, pensa-t-elle en regardant ses yeux brillants.

Avec réticence elle mit de côté les quatre autres exemplaires du magazine *Southern Stars* en souhaitant les partager avec ses sœurs plus tard, puis, retournant à la malle, elle en sortit ensuite une série de trophées de natation et de prix sous forme de ruban.

– Ça, c'était à Carson, évidemment. Elle en était vraiment fière. Cette fille est plus poisson qu'humaine.

Elle les tendit à Taylor avant de regarder de nouveau dans la malle.

Elle y aperçut un bandana noir et deux cache-œil.

– Oh mon Dieu.

– C'est quoi ?

– Nos cache-œil, à Carson et moi. Je n'arrive pas à y croire.

– Peut-être y a-t-il un peu de l'or égaré du pirate dans cette malle.

– Croisons les doigts.

Harper fouilla dans le reste du contenu, en sortant quelques vieux coquillages qui s'étaient cassés au fil du temps, un troll avec ses cheveux vert fluo et une Petite Pouliche bleu clair, qu'elle passa tous à Taylor, qui pouffa pour chacun d'entre eux. Ce fut alors que la main de Harper s'immobilisa et elle eut soudain froid. Quatre petits livrets faits de couvertures de carton et de papier étaient empilés au fond de la malle. Tout comme les magazines de Dora, ils avaient des trous perforés sur les rebords et étaient reliés par du fil.

– C'est quoi ?

Elle voulut cacher la malle au regard de Taylor pour les dissimuler.

– Des livres que j'ai écrits quand j'étais petite, expliqua-t-elle timidement, puis, tendant la main, elle en sortit un.

Le carré de carton qui avait été peint en bleu avait perdu de sa couleur au fil des années. Mais sur le dessus se trouvait le dessin d'un renne qui, tout en souriant, gambadait dans la neige. Une écriture enfantine indiquait *Raoul, le renne rêveur.*

En l'espace d'une seconde, Harper eut de nouveau huit ans, assise en face du bureau de sa mère dans son élégant appartement de Manhattan. Harper avait cru qu'on la convoquait pour la complimenter d'avoir créé son premier livre. Elle était convaincue que sa mère, qui œuvrait dans le milieu du livre, en serait fière. Elle se réjouissait d'excitation, son cœur palpitait d'anticipation, car faire plaisir à sa mère était fondamental pour elle.

Au lieu de cela, celle-ci s'était montrée furieuse. Sa colère était irrépressible et bien qu'elle ne s'en soit jamais prise à Harper physiquement, ses paroles pouvaient être bien plus blessantes. Les cicatrices, quoiqu'invisibles, étaient gravées dans son âme. Cet après-midi-là, Georgiana avait accusé Harper d'avoir copié son idée dans d'autres livres qu'elle avait lus. Pire, elle avait comparé son absence de talent à celle de son père. Or, être comme son père de quelque manière que ce soit était la pire insulte que sa mère pouvait proférer.

– Ton père n'était pas écrivain, avait craché Georgiana, les yeux brillants de colère. Il n'avait pas de talent. Et, avait-elle dit en laissant tomber le livre de Harper de ses doigts comme s'il avait été un déchet, toi non plus.

Ce jour-là, Harper avait senti toute sa fierté et son enthousiasme pour l'écriture se faner dans sa poitrine. Sa mère avait éteint son rêve à huit ans aussi brutalement qu'elle éteignait une cigarette. Des mois étaient passés avant que Harper s'aventure à écrire de nouveau, et encore, seulement à Sea Breeze, loin de sa mère. Où elle se sentait en sécurité.

Puis, un jour l'été suivant, Mamaw l'avait appelée dans son boudoir, où Harper l'avait trouvée assise les pieds sur son pouf en chintz. La lumière du soleil pénétrait dans la pièce, prêtant aux boucles blanches de Mamaw une lueur dorée. Harper était entrée en souriant jusqu'au moment où elle avait aperçu le livre de triste mémoire sur les cuisses de sa grand-mère, et elle s'était recroquevillée sur elle-même, persuadée d'être de nouveau sur le point d'être grondée.

– J'ai trouvé ceci sous ton oreiller, avait dit Mamaw en soulevant le petit livret à la reliure de carton. Harper, c'est toi qui as écrit ce petit livre ?

Harper était si nerveuse qu'elle ne pouvait parler. Elle restait près de la chaise et pouvait seulement hocher la tête, les yeux écarquillés.

Mamaw lui avait fait signe de s'approcher davantage.

Avec réticence, Harper avait fait quelques pas du côté de Mamaw, qui avait tendu le bras pour garder la petite près d'elle.

– Quel merveilleux livre ! l'avait complimentée Mamaw en lui pressant la main. Il est absolument charmant. Dis-moi, ma chérie, c'est toi qui l'as fait ? Toute seule ?

Harper ne pouvait en croire ses oreilles. Était-ce un piège, comme celui que sa mère lui avait tendu ? Aussi se contenta-t-elle de hausser les épaules évasivement.

– C'est toi, n'est-ce pas ? avait insisté Mamaw, les yeux brillants de fierté. Comme tu es intelligente, et si créative. Imaginez-vous, un renne qui souhaite retrouver sa famille et qui la cherche partout dans la forêt. Tu as un véritable talent, tu sais cela ? Et comme tu as bien dessiné ces images. Tu pourrais être écrivaine quand tu seras grande.

Harper avait seulement pu la regarder avec stupeur et émerveillement, déconcertée.

Sur ce, l'expression de Mamaw avait changé, et son sourire était devenu doux-amer.

– Tu sais, ton père voulait être écrivain.

– Je sais.

Mamaw, tendant la main, avait doucement relevé le menton de Harper du bout des doigts afin de pouvoir la regarder dans les yeux.

– Je suis très, très fière de toi.

Harper avait alors senti sa poitrine enfler de soulagement, de fierté et d'amour pour sa grand-mère. En poussant un petit cri, elle avait ouvert les bras pour les serrer autour du cou de Mamaw, sans pouvoir réprimer ses larmes.

– Mais, qu'est-ce qui ne va pas, mon enfant ? avait demandé Mamaw en l'attirant sur ses cuisses et en la serrant contre sa poitrine en lui caressant les cheveux jusqu'à ce que ses larmes cessent.

– Maman m'a dit que c'était mal que j'écrive des livres.

– N'importe quoi.

– Elle a dit que j'étais une mauvaise écrivaine, comme papa.

À ces mots, la main de Mamaw s'était immobilisée.

– Elle a dit ça ?

Harper, honteuse, avait enfoncé la tête contre la poitrine de sa grand-mère.

– Jamais auparavant n'ai-je été d'accord avec ta mère sur quelque sujet que ce soit, avait affirmé Mamaw, irritée, ce n'est donc pas surprenant que je ne sois pas d'accord avec elle maintenant non plus.

– Mamaw, papa était-il un mauvais écrivain ?

Elle recommença à lui caresser les cheveux.

– Oh, mon enfant, franchement ? Nous ne le saurons jamais vraiment. Parker n'a jamais terminé son livre. Il a essayé, vois-tu, mais il en a simplement été incapable. Or, te voilà, sa fille, âgée de seulement huit ans, et tu en as terminé un ! En soi, cela est très important. C'est un triomphe ! Le talent est seulement une part de l'écriture, une part importante, il est vrai. Mais l'autre part, c'est d'y travailler dur. Et j'ai bien peur que ce soit la part avec laquelle ton père avait du mal. Mais maintenant, tu vas écouter ta Mamaw, avait-elle poursuivi en secouant doucement Harper dans ses bras. *Toi*, du talent, tu en as. C'est une histoire merveilleuse, et ta mère a tort, compris ? Alors, Harper, continue d'écrire. Écris de tout ton petit cœur, et je lirai avec plaisir tout ce que tu écriras.

Ainsi cet été-là et les étés suivants, Harper s'était-elle remise à écrire, histoire après histoire.

— Elle les a conservés, s'émerveilla Harper en regardant les quatre petits livres à la reliure de carton dans sa main.

— Du peu que je connais de votre grand-mère, ça ne me surprend pas. Je peux les voir ?

Harper secoua la tête. Elle ne pourrait supporter de l'entendre rire de ces livres comme il avait ri des magazines de Dora.

— Ils ne sont pas très bons.

— Selon qui ?

— Je sais que je ne suis pas une bonne écrivaine, admit-elle en retirant ses livres.

Il baissa la main, sans la pousser.

— Ç'a une quelconque importance ?

— Bien sûr que oui.

— Je ne suis pas sûr d'être d'accord, pas si écrire vous donne du plaisir. C'est une manière de communiquer, de partager une partie de votre âme avec le monde. Peut-être ne serez-vous pas publiée, mais ce n'est pas le but unique de l'écriture. Écrire, c'est un processus. Quand j'écris, je le fais pour moi-même.

— Vous écrivez ? s'étonna-t-elle de cet aveu.

Il hocha la tête puis lui jeta un regard en coin.

— Vous ne vous attendiez pas à ça de moi, n'est-ce pas ?

— Eh bien… marmonna Harper.

— Ce n'est pas grave, c'est le cas de la plupart des gens, souligna-t-il en respirant narquoisement du nez. Ils s'attendent à voir des cheveux longs, un col roulé, et un air plein de souffrance. Mais un Marine, pas vraiment…

Harper croisa son regard et se sentit rougir.

— Quand vous présentez les choses comme ça, je me sens gênée. Évidemment, il n'y a pas qu'un type d'écrivain.

Mais lui ne semblait pas perturbé le moins du monde.

– Je pense que vous devez avoir beaucoup à écrire, reprit-elle.

Il hocha la tête.

– Qu'écrivez-vous ? Vos mémoires ? Un roman ?

– De la poésie.

Cet homme ne cessait jamais de l'étonner.

– Vraiment ? demanda-t-elle, davantage parce qu'elle était impressionnée. J'ai toujours pensé que la poésie était la plus haute forme d'écriture.

– Je ne sais pas si ça vaut quoi que ce soit, et je m'en fiche, mais je sais que c'est bon pour *moi*, admit-il avant de regarder ses mains. Écrire de la poésie m'aide à voir les choses plus clairement. La vie peut être assez déstabilisante.

– Oui, acquiesça-t-elle tout en se penchant vers lui, intriguée. C'est pour cette raison que j'écris, moi aussi.

Il leva la tête.

– Vous écrivez toujours ?

Elle hocha la tête.

– De la poésie ?

Elle n'avait pas eu l'intention de confier à qui que ce soit son plus grand secret, mais elle voulait le partager avec Taylor.

– En fait, je suis en train d'écrire un roman.

– Un livre.

Et elle s'aperçut qu'il l'observait maintenant avec un regard nouveau.

– Je sais que, de nos jours, tout le monde en écrit un, ajouta-t-elle avec gêne.

– Quand bien même, c'est votre livre à vous.

– J'écris depuis aussi longtemps que je peux me souvenir. J'écrivais des petites histoires, mais jamais je n'ai terminé un roman. Mon père, lui, a passé toute sa vie à en écrire un qu'il n'a jamais terminé. C'est une espèce de plaisanterie dans la famille.

– Elle n'est pas bien drôle.

— Je vais porter le fardeau de sa réputation jusqu'à ce que je l'aie terminé. Un début, un développement, une fin. C'est comme vouloir prouver quelque chose.

— À qui ?

— À ma mère, répondit-elle avec empressement, et à moi, ajouta-t-elle avant de remuer la tête. Mais même si j'y arrive, ça ne l'empêchera pas de se moquer de moi et de me rabaisser chaque fois qu'elle en aura la possibilité. Elle hait mon père et tout ce qui a trait à lui, sa famille ou son écriture.

— Ça doit être difficile pour vous.

— Ça n'a pas été facile, convint-elle en hochant la tête. Elle est furieuse que je passe l'été ici, derrière les lignes ennemies.

— Est-elle furieuse que vous écriviez un roman ?

— Mon Dieu, jamais je ne lui en parlerais. C'est elle qui m'a dit que je ne pouvais pas écrire. Je crois que ses paroles exactes étaient que je *n'avais pas de talent*.

— Quelle dureté.

— Oui, approuva-t-elle, ressentant de nouveau de la douleur.

— Et vous l'avez crue ?

— C'est que j'avais huit ans, rétorqua-t-elle avec un sourire ironique avant de poursuivre plus sérieusement : et elle est une importante éditrice new-yorkaise dans une grande maison d'édition. Alors, oui.

— Mais évidemment qu'elle vous dirait que vous n'avez pas de talent. Elle ne veut pas que vous soyez comme lui, votre père, pas si elle le déteste. Auriez-vous écrit comme Charles Dickens qu'elle vous aurait dit que vous n'aviez pas de talent.

Dans le silence qui suivit, l'esprit de Harper revint sans cesse sur cette possibilité. En effet, ce serait typique de sa mère de mentir pour son propre avantage. Georgiana James était, après tout, une menteuse consommée.

Bien que Harper puisse entendre la pluie qui reprenait et qui se fracassait contre le toit, elle avait l'impression que le soleil venait tout juste de poindre et qu'elle pouvait voir à mille lieues à l'horizon. L'espoir des possibilités, du genre qu'elle avait ressenti quand elle était petite avant que sa foi soit écrasée dans sa poitrine, reprenait de nouveau vie. Dans un acte de foi, Harper saisit le livret usé et décoloré de *Raoul, le renne rêveur*, puis, pleine de gratitude, elle se tourna vers l'homme à côté d'elle parce qu'il lui avait rendu sa foi en elle-même et elle lui tendit le livre.

Il le prit avec soin comme s'il avait peur de le déchirer.

– Vous êtes sûre ?

– N'oubliez pas, c'est une enfant de huit ans qui l'a écrit et illustré.

Taylor hocha la tête en lui souriant de manière rassurante.

– J'aurais aimé vous voir à l'époque. Je parie que vous aviez des nattes et des taches de son.

– Je vous en prie…

Mais leurs rires firent diminuer la tension.

– Merci.

Harper s'accroupit ensuite et observa son visage tandis qu'il ouvrait le livre, surprenant chaque changement dans son expression, puis elle se pencha vers sa jambe. Il inclina le livret de manière à ce qu'elle puisse lire avec lui. Ainsi, l'une après l'autre tourna-t-il les pages, révélant les mots écrits avec soin et les dessins du renne et des autres animaux de la forêt. Tandis qu'elle le lisait à haute voix, il lui semblait que quelqu'un d'autre avait écrit ces phrases. En effet, tant d'années s'étaient écoulées qu'elle ne se sentait aucun droit sur elles.

Enfin, Taylor ferma le livre, puis il inclina la tête et la regarda dans les yeux.

– Harper, c'était très bon.

Elle examina son regard, ne voulant pas être traitée avec condescendance, mais dans ses yeux vert clair, elle aperçut sa sincérité et, le croyant, le compliment la fit rayonner de joie.

– Ouais, c'était plutôt mignon, n'est-ce pas ?

– Je peux lire les autres ?

Elle regarda alors les trois autres livrets, tendit la main vers la malle et les en sortit.

– Mais vous devez promettre que vous ne les montrerez à personne d'autre.

– Je vous le promets. Et votre autre livre, votre livre d'adulte ? Je peux le lire ?

Elle fit la grimace.

– Oui, mais pas maintenant, répondit-elle, car elle n'était pas prête à aller jusque-là. Il n'est pas terminé.

Il accepta cette réponse avec équanimité.

– Je peux attendre, et ça va si vous ne voulez pas que je le lise. Je me souviens quand j'ai commencé à écrire de la poésie, j'étais terrifié de la montrer à qui que ce soit. Ça fait peur d'exposer sa face cachée. De plus, il y avait beaucoup de colère en moi, et de souffrance, déclara-t-il avant de remuer la tête avec autodérision. Beaucoup. Mais la poésie m'a aidé à m'en débarrasser. Alors, bien sûr, c'était difficile de laisser quelqu'un la lire, l'une des choses les plus effrayantes que j'ai jamais faites, et j'ai fait beaucoup de choses où c'était une question de vie ou de mort. Mais savez-vous, ça m'a aidé. Plus j'écrivais, plus on me critiquait, plus ma poésie s'améliorait.

– Je pourrais lire un peu de votre poésie ?

– Bien sûr. J'ai publié mon recueil à compte d'auteur, et j'ai de grosses ventes de 10 exemplaires. J'en ai acheté huit et ma mère a acheté les deux autres.

– Oh, ça ne peut pas être si pire.

Elle rit.

– Mais si, répondit-il avec un sourire moqueur. Je ne l'ai pas fait pour les ventes, mais surtout pour que mes poèmes soient tous rassemblés afin de pouvoir les offrir à quelqu'un, expliqua-t-il avant de s'arrêter. Comme vous.

À ces mots, elle sentit que sa respiration la démangeait.

– Merci, j'adorerais en avoir un exemplaire. J'en serais très honorée.

– Je conçois l'écriture comme un don. On donne à quelqu'un la possibilité de lire ce qu'on écrit, c'est comme lui donner un peu de son âme, ajouta-t-il en soulevant un peu plus les livres d'enfant de Harper. C'est un don que vous me laissiez les lire. Merci.

– Je vous en prie.

Elle le dit d'une manière extrêmement cérémonieuse.

Soudain, un éclair illumina la fenêtre, suivi d'une nouvelle averse. Elle se fracassait contre le toit en même temps qu'un coup de tonnerre qui donnait l'impression d'avoir explosé juste au-dessus d'eux. Surprise, Harper bondit du sol dans les bras de Taylor et pour un instant, elle s'accrocha à lui tandis que la tempête faisait rage et qu'un déluge de pluie frappait la maison de côté, pénétrant par la fenêtre ouverte tandis que le grenier résonnait de toutes ces vibrations.

Elle ferma les yeux en sentant la chaleur et la force de ses bras autour d'elle. Elle huma le parfum persistant du savon sur sa peau. Il ne la lâcha pas. Elle sentit sa respiration s'accélérer pour suivre la sienne, inspiration, expiration, consciente qu'il les comptait aussi.

Il baissa finalement la tête pour la regarder puis entoura celle de Harper de sa main avant de l'incliner doucement pour qu'elle le regarde.

Quand elle le regarda dans les yeux, tout le bruit qui les entourait cessa dans son esprit, car tout son univers était concentré sur ces deux yeux verts palpitants d'émotion.

– Harper... murmura-t-il.

Soudain, tous ses doutes disparurent. Elle ne vit plus qu'elle-même reflétée dans ses yeux, où elle observa du désir et quelque chose en plus... quelque chose qu'elle avait bien l'impression d'avoir déjà vu. Elle retira la main de Taylor de son visage, la porta jusqu'à sa bouche et, doucement, en embrassa chaque doigt. Elle entendit son souffle se contracter.

D'un seul coup, il la souleva plus haut dans ses bras et sa bouche fondit sur la sienne, entrouverte. Dehors, la tempête faisait rage tandis qu'ils s'embrassaient, affamés, comme des amants séparés qui se seraient retrouvés avec des baisers censés durer à jamais.

Ou tout au moins jusqu'à un nouveau coup de tonnerre qui fit trembler la maison et tous deux s'écartèrent. Cependant, Taylor resserra son étreinte juste avant que, avec la même soudaineté que le tonnerre, ils se mettent tous les deux à rire du rugissement assourdissant.

Elle le regarda dans les yeux et il lui sourit, chacun sachant ce que l'autre avait éprouvé, chacun sachant que ce baiser était aussi violent que le tonnerre.

– Sortirais-tu avec moi ?

– J'adorerais, accepta-t-elle.

Cependant, il plaça sa main contre son oreille comme pour feindre la surdité dans tout ce vacarme.

– J'adorerais, cria-t-elle.

– J'aimerais t'emmener au Lundi de la poésie et de la musique, reprit-il en souriant.

– D'accord… C'est quoi ?

– C'est l'une des soirées de lecture de poésie de Charleston, où les gens de la région lisent leurs poèmes, mais on reçoit aussi des poètes invités, parfois, des poètes ayant gagné des prix. C'est très sympa, énonça-t-il en devant baisser la tête et lui parler à l'oreille pour se faire entendre.

– Ça semble parfait.

Il se pencha alors pour l'embrasser une nouvelle fois sur la bouche, doucement cette fois avant de soulever le poignet avec réticence pour vérifier sa montre.

– Il se fait tard.

– Je m'en fiche.

— Nous devrions prendre ces boutons.

Il s'écarta afin de se mettre debout et la releva en même temps. Il devait lui parler à l'oreille pour couvrir le bruit de la pluie qui se fracassait contre le toit.

— Je vais fermer la fenêtre et je te rejoins là-bas.

Elle hocha la tête. Taylor se tourna pour aller jusqu'à la fenêtre tandis que Harper marchait avec précaution dans la direction opposée vers le fond du grenier. Heureusement, elle aperçut les deux cartons sur lesquels était écrit en grandes lettres BOUTONS à l'avant-plan et, en dessous, un autre, plus gros, qui était étiqueté POIGNÉES DE PORTE. Le ruban adhésif était si vieux que sa colle avait séché. En retirant le papier bulle, elle fut remplie d'enthousiasme en découvrant des douzaines de boutons en verre, des boutons en bois en forme de boule, et des vieilles poignées en laiton et en céramique. Tout en les triant, elle constata que la plupart étaient en bon état.

Quand finalement Taylor la rejoignit, la pluie battante avait diminué en un crépitement régulier.

— Tu as trouvé quelque chose ? s'enquit-il en passant un bras autour de sa taille de manière possessive.

— Un véritable trésor ! Il y en a tellement. Mamaw a dû retirer tous les boutons et les poignées de la maison.

— Tu as bien dit que tu avais du sang de pirate.

Elle rit en imaginant sa grand-mère allant de porte en porte pour en retirer les poignées. Il rit de nouveau, et elle sut qu'il imaginait la même chose. Il y avait bien longtemps qu'elle n'avait ri avec un homme de manière si aisée et si libre. Lentement, Taylor s'ouvrait à elle et elle, à lui.

— Ils sont parfaits. Peux-tu transporter ces boîtes ?

— Je pense que j'en suis capable, acquiesça-t-il avec un sourire ironique avant de s'avancer et de soulever les trois cartons avec autant d'aisance que s'ils avaient été remplis de plumes. Si tu pouvais prendre la petite malle. Elle n'est pas lourde.

Elle la prit.

– Attention, l'avertit Taylor en se retournant et en lui jetant un regard de côté. Cette fois, je ne peux pas t'attraper.

Tandis qu'elle le suivait en descendant l'escalier et en quittant la poussière et la chaleur qui augmentait, elle était triste de quitter le grenier.

Vraiment très triste.

CHAPITRE 9

Les jours suivants, tandis que la pluie crépitait sur le toit et que Taylor peignait la cuisine, Harper, elle, tapait sur son clavier. En effet, les paroles du jeune homme avaient renouvelé son enthousiasme et elle ne pouvait arrêter ce flot.

Mais évidemment qu'elle vous dirait que vous écrivez mal. Elle ne veut pas que vous soyez comme lui, votre père. Auriez-vous écrit comme Charles Dickens qu'elle vous aurait dit que vous n'aviez pas de talent. Plus elle pensait aux paroles de Taylor plus elles lui paraissaient justes.

Ç'avait été une bonne semaine. Elle faisait des progrès avec son roman qui, d'une certaine manière, était plutôt des mémoires que de la stricte fiction, un peu ce qu'elle imaginait que Louisa May Alcott pouvait avoir pensé en écrivant la première ébauche des *Quatre filles du Docteur March*. Harper ne se mettait aucune pression pour en faire une chose plutôt qu'une autre. Elle était tout simplement résolue à coucher les mots sur le papier, et elle en ferait l'édition ensuite. Elle ne savait pas même encore comment l'histoire se terminerait.

Vers 13 h, son estomac gargouilla. Elle s'était levée et s'était immédiatement jetée dans son travail de sorte qu'elle n'avait toujours pas mangé ce jour-là, bien qu'elle ait bu du café comme un chameau. Elle se frotta les yeux et ferma son portable.

En regardant par la fenêtre, elle vit que la pluie avait finalement cessé, laissant dans son sillage une journée fraîche et claire au ciel azuré qui s'étendait à l'infini. Les oiseaux étaient sortis en grand nombre, poussant leurs chants de joie au soleil. Harper se leva donc et s'étira. Après tant de pluie, c'était une trop belle journée pour rester enfermée à la maison.

Elle avait travaillé dans le bureau du cottage de Lucille, qui était le seul endroit ne sentant pas la peinture. Rien n'y avait changé depuis sa mort. Les filles avaient parlé de trier ses affaires, mais Mamaw avait immédiatement mis un terme à toute tentative de ce genre en déclarant qu'elle voulait que tout soit laissé tel quel jusqu'à ce qu'elle ait le temps de s'en occuper elle-même. Harper fit le tour du cottage, qui était aussi rempli que le grenier. Manifestement, Mamaw n'était pas encore prête à affronter cet obstacle émotif, mais la maison devait être vendue. Tôt ou tard, ses sœurs et elle allaient devoir lui faire prendre conscience qu'il restait de moins en moins de temps.

Harper se rendit ensuite dans la cuisine du cottage, qu'elles avaient utilisée pendant que celle de la maison principale était repeinte, et elle s'y prépara un sandwich à la tomate, au fromage blanc et aux germes de luzerne qu'elle emporta sur la véranda avant du cottage avec un verre de lait d'amande. Elle y trouva Mamaw assise dans l'un des fauteuils à bascule, en train de lire.

– Ah, te voilà. As-tu faim ?

– Merci, j'ai déjà mangé, répondit-elle distraitement.

– Et Dora et Nate, eux, et Carson ? Ils ont mangé ?

Mamaw leva la tête de son livre et retira ses lunettes.

– J'ai bien peur que nous ne soyons seules. Dora est allée visiter la nouvelle école avec Nate et je ne sais pas où est Carson. Elle est partie sans dire un mot.

Harper regarda alors en direction du garage, dont la porte était ouverte et qui était vide.

– Alors Carson a pris le Blue Bomber ?

– En effet.

– Et Dora a pris sa voiture ?

– Bien sûr.

– Zut. Je dois aller chercher le luminaire que j'ai commandé pour la cuisine, mais je suppose que je suis coincée ici.

– Il y a une bicyclette quelque part dans le garage.

– Oh, Mamaw, je ne pourrais vraiment pas aller chercher quoi que ce soit sur ce vieux truc.

– Je suppose que non, concéda Mamaw en remettant ses lunettes et en retournant à sa lecture.

– Je ne peux pourtant pas être enfermée ici à la merci de la présence de Dora ou Carson pour qu'elles me laissent emprunter leur voiture. Je devrais simplement en louer une. Où est située l'agence la plus proche ?

– À Mount Pleasant, sûrement.

– Je ne sais pas pourquoi je ne l'ai pas fait avant. Je vais commander un taxi pour me rendre à l'agence.

– Mais louer une voiture pour un mois ou plus, ce ne sera pas exorbitant ? questionna Mamaw en baissant son livre.

– Que puis-je faire d'autre si je veux une voiture ?

– Tu pourrais en acheter une, suggéra Mamaw, qui avait pris un air rusé.

– En acheter une ? Mais qu'en ferais-je, une fois que je partirai ? J'habite à Manhattan, et les seules personnes qui ont une voiture sont les banlieusards, les super riches, ou ceux qui sont fous.

– Je suppose que ta mère pourrait appartenir à chacune de ces trois catégories, émit Mamaw malicieusement. Georgiana n'a-t-elle donc pas besoin d'une voiture pour se rendre dans les Hamptons ?

– Maman a un chauffeur pour l'emmener partout où elle se rend.

– Mais bien évidemment, remarqua brusquement Mamaw.

Harper ne tint cependant aucun compte du ton de Mamaw, car elle ne souhaitait pas se lancer dans une diatribe contre sa mère, ce qu'elle avait tendance à faire sans beaucoup d'encouragement.

– J'avais une voiture quand j'étais à l'université, pour aller et venir, mais je l'ai revendue quand j'ai commencé à travailler en ville. Elle était coûteuse à entretenir et la circulation à New York est plus que ridicule. Je prends donc le métro ou le taxi.

– En tout cas, ici, tu ne peux pas faire ça, répliqua Mamaw en retirant ses lunettes. Mais, par chance, commença-t-elle avec une voix qui signifiait habituellement qu'elle avait une idée derrière la tête, il se trouve que j'ai une amie qui a à vendre une petite voiture toute mignonne, très sport, une Jeep, je crois que ça s'appelle. Je me demande si tu ne l'aurais pas déjà vue ? Elle est garée sur Middle Street, avec un panneau À VENDRE sur le pare-brise.

– Tu parles de celle qui se trouve près de la caserne de pompiers ? Celle qui est crème ?

– Celle-là même.

– Elle est mignonne, en effet, admit Harper en se rappelant la Jeep Wrangler qui avait l'air en bon état, mais elle ne peut pas être meilleur marché qu'une location.

– Peut-être que si.

– Combien demande-t-elle ?

– Je peux lui téléphoner et lui demander, déclara Mamaw en se levant avec détermination. Suis-moi.

Elles se rendirent directement au téléphone du cottage qui se trouvait à côté du canapé. Dans le bâtiment persistait toujours un léger parfum de vanille.

– Mamaw, nous devrions vraiment nous occuper du cottage, il y a beaucoup de choses à trier, suggéra doucement Harper.

– Pas encore, nous avons bien d'autres choses à faire.

– Je sais, le grenier, par exemple. J'étais là-haut pour prendre les boutons pour la cuisine, et c'est plein à craquer. Mamaw, quand pensais-tu trier tout ça ?

– Plus tard, ma chérie, plus tard, répondit Mamaw en agitant la main pour repousser ce sujet comme on le ferait avec un moucheron embêtant.

– C'est de la procrastination, marmonna doucement Harper tout en suivant Mamaw et en sachant très bien que quand *plus tard* arriverait, il serait mêlé de panique.

Quoi qu'il en soit, Mamaw s'assit à côté du téléphone et composa un numéro. Ses yeux scintillèrent d'excitation quand elle leva la tête pour regarder Harper.

– Allô, Paula ? dit Mamaw d'une voix joyeuse. C'est Marietta.

Elles échangèrent d'abord des propos aimables pendant quelques minutes avant que Mamaw rapproche le téléphone de sa bouche et entre dans le vif du sujet.

– Je te téléphone au sujet de cette jolie petite voiture que tu vends… Oui, la Jeep. Elle est toujours à vendre ?... C'est le cas ? dit-elle en faisant un clin d'œil à Harper. Puis-je te demander combien tu en demandes ?... Hum hum, fit-elle en allongeant le visage. Tant que ça ? Mais tu as cette voiture depuis un bon bout de temps, non ?

Harper, de son côté, regardait les yeux de sa grand-mère à la recherche d'indices tout en écoutant.

– Eh bien, merci pour ces informations, Paula. Ma petite-fille Harper a besoin d'une voiture, rien de trop cher. La tienne pourrait parfaitement convenir si tu as un peu de marge du côté du prix… Mais, oui, je pense que nous pourrions passer y jeter un coup d'œil immédiatement… Que disais-tu ?

Vraiment? ajouta-t-elle en hochant la tête en direction de Harper. Très bien, donc. Nous serons chez toi tout de suite, mais ça pourrait nous prendre quelques minutes, car nous venons à pied! conclut-elle en riant.

– Mamaw, demande-lui si je peux lui faire un chèque, murmura Harper, assise à ses côtés.

– Oh, Paula, encore une chose. Harper passe l'été chez moi et c'est pour cela qu'elle n'a pas de voiture. Si les choses se concrétisent, pourrait-elle te faire un chèque personnel? Je m'en porterai moi-même caution… Oh, merci, Paula, tu es une bonne amie… Que dis-tu?

Les yeux de Mamaw s'élargirent et elle fit un signe du pouce à Harper.

– Mais c'est vraiment généreux de ta part… Oui, ce serait bien d'en débarrasser la pelouse… En effet, ça peut être une verrue, ajouta-t-elle avant de raccrocher.

– Eh bien?

– Dépêchons-nous d'y aller. Elle a acheté cette Jeep sur un coup de tête il y a des années. La pauvre, elle pensait que sa famille pourrait avoir du plaisir à la conduire, sauf que ça n'a pas été le cas, et une Jeep n'est pas le genre de véhicule qui, disons, convient à une femme de son âge et de son rang, de sorte qu'elle est restée dans le garage tout ce temps, à prendre la poussière et à accumuler les taxes. Elle est donc impatiente de s'en débarrasser. Elle m'a dit que si tu l'achètes aujourd'hui et l'enlèves de sa pelouse, elle te fera un rabais famille et amis!

~

Harper et Mamaw parcoururent les six pâtés de maisons qui les séparaient de la pelouse où était garée la Jeep sur Middle Street. Quand elles s'en approchèrent, elles se turent pour faire le tour du véhicule, regarder par les fenêtres et vérifier s'il y avait des traces de rouille et s'il était bosselé.

Comme promis, la Jeep paraissait en parfait état, ayant passé la plus grande partie de sa vie dans le garage. Sur la capote non plus, Harper ne put déceler la moindre usure.

— C'est le véhicule proverbial qui n'a jamais roulé et qu'une vieille dame a conservé dans son garage.

— Nous devrions tout simplement remercier notre bonne étoile qu'il soit toujours disponible. Il te plaît ?

Harper hocha la tête. Il lui plaisait. Beaucoup.

— Alors, ne perdons pas de temps. Paula nous attend.

La maison de madame Randolph était l'un des cottages historiques de Sullivan's Island. La plupart des premières maisons avaient été bâties par des Charlestoniens comme maisons de campagne pour échapper à la chaleur et l'humidité de la ville. Plus petits, charmants et très distingués, ces cottages renfermaient les 200 ans d'histoire de l'île. Des maisons plus récentes et plus impressionnantes la parsemaient maintenant, mais pour Harper, c'étaient ces cottages qui donnaient à Sullivan's Island son attrait. Elle avait d'ailleurs une admiration particulière pour la longue véranda de madame Randolph ainsi que pour la rangée de fauteuils à bascule et de pots de fleur débordant d'annuelles.

La porte d'entrée s'ouvrit brusquement et madame Randolph sortit de la maison en chantonnant des salutations à Mamaw tout en la serrant amicalement dans ses bras. C'était une femme ronde du même âge que Mamaw dont le visage potelé était parcouru de rides. Ses yeux, toutefois, étaient chaleureux et brillants de vitalité.

— Il fait tellement beau aujourd'hui, s'exclama Paula. Pourquoi n'allons-nous pas bavarder et boire un peu de thé glacé sur la véranda pendant que Harper jette un coup d'œil à la Jeep ? offrit-elle en lui tendant les clés. Ne te presse surtout pas, ma chère.

Harper traversa donc la pelouse jusqu'au véhicule sans se presser. Elle ne s'y connaissait guère en voiture, aussi fit-elle semblant de regarder dessous puis prit place derrière le volant. Mais une fois à l'intérieur, elle ressentit l'excitation des possibilités. La Jeep était adorable et amusante, un véhicule parfait pour une île, et il avait l'air presque neuf avec, comme bonus, le fait de n'avoir roulé que 20 000 km. Cependant, elle pensa à son compte bancaire en sachant qu'elle devrait être prudente. Après tout, elle aurait à rentrer à New York, verser un dépôt de garantie pour un appartement, un loyer et des dépenses à payer, sans compter qu'elle devait toujours se trouver un emploi.

Elle esquissa un sourire. En effet, elle recevrait bientôt un chèque de son fonds fiduciaire qui suffirait à la renflouer pour un moment. Harper passa les mains sur le volant en sentant qu'elle devait absolument posséder la Jeep. Peut-être avait-elle raison à propos du coup de foudre, gloussa-t-elle, sauf que dans son cas, c'était pour un véhicule.

Elle retourna à la véranda avec une démarche pleine d'aisance. Mamaw et madame Randolph étaient assises dans des fauteuils à bascule, la tête inclinée, plongées dans leur conversation. Quand elle fut près d'elles, elles tournèrent la tête en la regardant comme deux chats satisfaits.

– Je l'achète ! s'exclama Harper.

– C'est merveilleux, s'écria madame Randolph en battant des mains.

Une fois que les documents furent signés, Harper s'empara des clés du premier véhicule qu'elle possédait depuis l'université.

– Comment te sens-tu ? l'interrogea Mamaw tandis qu'elles retournaient à la Jeep.

– Libre comme l'air, répondit-elle en pressant les clés. Libre de partir et d'aller où je le souhaite sur un coup de tête.

– Ce genre de liberté ne dure pas longtemps. Profites-en.

– Tu sais, pendant les premières semaines que j'ai passées à Sea Breeze, il n'y avait nulle part où je voulais aller. J'étais parfaitement heureuse de mener une vie d'ermite, j'appréciais l'absence de pression, le fait qu'il n'y ait personne – et elle jeta à Mamaw un regard plein de sous-entendus –, ma mère... toujours en train de m'appeler. Mais maintenant, soupira-t-elle, je veux sortir, explorer.

– Comme quand tu étais petite.

– Exactement ! Sauf que maintenant, j'ai une voiture.

– Oh, *Faire le tour du monde en 80 jours,* s'exclama Mamaw en mentionnant le titre du roman de Jules Verne qu'elle lui avait lu quand elle était petite.

Elles rirent toutes les deux et Harper fut heureuse de voir sa grand-mère s'amuser. Puis, elle contourna le véhicule pour l'aider à grimper dans la Jeep.

– Mon Dieu, s'exclama Mamaw en se plaçant sur son siège, je comprends pourquoi Paula ne voulait pas la conduire. C'est une véritable séance d'entraînement rien que d'y monter et d'en descendre.

– C'est ce qui la rend si amusante, et j'ai besoin de m'amuser un peu dans la vie.

Harper grimpa elle aussi et se mit au volant, enfonça la clé dans le contact, tendit la main vers la manette, mais soudain, toute son excitation disparut.

– Oh non, s'écria-t-elle tout en fixant la transmission, sous le choc.

– Qu'y a-t-il ?

– Elle est manuelle.

– Mais oui ma chérie. Et alors ?

– Et alors... Je ne sais pas conduire une manuelle, répondit-elle, les mains sur le front.

– Tu n'as donc jamais appris ? s'étonna Mamaw.

– Mais non. J'ai dû apprendre la base du fonctionnement d'un changement de vitesse quand j'ai appris à conduire, mais j'ai toujours eu des automatiques. Non, mais vraiment, qui conduit une manuelle de nos jours ? s'exclama-t-elle en remuant la tête, consternée. Je n'ai même pas pensé à poser la question, j'ai simplement tenu pour acquis que c'était une automatique, dit-elle en défaisant sa ceinture de sécurité et en saisissant son sac à main. J'espère que madame Randolph ne sera pas contrariée, je dois la lui rendre.

– Bon, ne t'énerve pas, rétorqua Mamaw en lui saisissant le bras. C'est un fait accompli, la gronda-t-elle en posant son sac à main sur le plancher du véhicule. Et tu ne trouveras pas une autre occasion aussi bonne, je te le jure. Paula te l'a presque donnée. Tu es une fille intelligente, tu peux apprendre la conduite manuelle. À mon époque, toutes les voitures en étaient équipées.

– Mais qui va m'apprendre ? Je ne connais personne qui conduit une manuelle.

– Moi, je sais.

– Toi ?

– Oui. Je pourrais t'apprendre.

Harper se contenta de la regarder.

– N'aie pas cet air surpris. Je suis vieille, mais je ne suis pas gâteuse. Je te ferai savoir que je suis une excellente conductrice. Je n'ai jamais reçu une contravention.

Harper se souvint alors que sa grand-mère conduisait à la vitesse d'une tortue.

– Je ne pense pas que l'on donne de contravention parce que l'on roule trop *lentement*.

– Peut-être que non, mais j'ai entendu ma dose de coups de klaxon, plaisanta Mamaw. Bon, maintenant, attache ta ceinture, mon petit chou, nous allons nous balader.

Il s'avéra que Mamaw était une excellente professeure, encore qu'exigeante. Pendant la demi-heure suivante, Harper secoua la Jeep, cala et changea de vitesses le long des petites rues de Sullivan's Island. Mamaw était patiente, mais ferme, ne permettant pas à Harper d'abandonner jusqu'à ce qu'elle soit capable de passer de la première à la deuxième vitesse et vice-versa sans caler. Comme il y avait peu de voitures et encore moins de piétons, elle put donc démarrer et s'arrêter souvent sans provoquer la colère de qui que ce soit.

Quand elles rentrèrent à Sea Breeze, le Blue Bomber et la Lexus argentée étaient tous les deux de retour dans l'allée. Taylor, lui, était en train de ranger des seaux de peinture à l'arrière de sa fourgonnette et Harper dirigea lentement la Jeep dans l'espace d'à côté. Quand elle enclencha le frein à main et retira la clé, ses épaules s'affaissèrent de soulagement.

— C'est très bien, ma chérie, la félicita Mamaw. Et maintenant, tu devrais aller conduire tous les jours et faire le tour du quartier jusqu'à ce que tu en prennes l'habitude, proposa-t-elle avant de faire une pause, et avant de t'aventurer dans la circulation, ajouta-t-elle avant de descendre du véhicule.

— Merci, Mamaw, lança Harper. Je n'aurais pu y arriver sans toi.

— Oui ma chérie, je sais, répondit-elle avec un sourire mal assuré tout en replaçant ses cheveux.

Harper, quant à elle, laissa glisser ses mains sur le volant avec fierté.

— Nouvel engin ?

La remarque la fit sursauter et elle porta les mains à sa poitrine avant de tourner brusquement la tête pour voir Taylor, penché, en train de regarder à travers la fenêtre de sa portière, le visage à quelques centimètres du sien.

— Je ne cherchais pas à te faire peur.

— J'étais perdue dans mes pensées, expliqua-t-elle en souriant. Je viens tout juste de l'acheter. Qu'en penses-tu ?

Il examina l'intérieur.

— Elle est très jolie. Elle a l'air neuve, mais je pense que c'est une 1995 avec ces phares carrés. Ce sont celles que je préfère. En plus, elle a une suspension avec ressorts en lame pour une conduite plus nerveuse.

— Mais elle est manuelle.

– C'est une bonne chose.

– Pas quand on ne sait pas conduire les manuelles. Mamaw vient tout juste de me donner ma première leçon.

À ces mots, les yeux de Taylor se plissèrent tandis qu'il essayait de ne pas rire.

– C'est pour ça que ta grand-mère a monté l'escalier à toute vitesse?

– Sans doute se dirigeait-elle vers sa bouteille de rhum.

– Ne t'inquiète pas, tu vas t'habituer et avant même de t'en rendre compte, changer de vitesse sera une chose naturelle pour toi, ajouta-t-il tout en faisant le tour de la Jeep pour l'évaluer.

Harper prit alors son sac à main et en descendit, les genoux toujours flageolants après cette leçon avec l'embrayage.

– Dis-moi, reprit-il en revenant vers elle, les yeux durcis pour feindre la suspicion, ce ne serait pas la Jeep qui était garée sur Middle Street?

– C'est bien celle-là.

Un air peiné traversa alors son visage tandis qu'il remuait la tête avec remords.

– Je pensais bien que je reconnaissais ce chou à la crème. J'y ai jeté un coup d'œil l'autre jour en passant en voiture et j'envisageais de l'acheter pour mon petit frère qui va avoir 15 ans. Ç'aurait été une super bagnole pour un adolescent.

– Eh bien, tu auras peut-être de nouveau cette possibilité à la fin de l'été.

– Tu vas la vendre, si rapidement?

– Je n'en aurai pas besoin à New York.

Peut-être était-ce son imagination ou la lumière du soleil en train de se coucher dans son regard, mais Taylor cligna violemment des yeux et elle eut l'impression qu'il était déçu.

– Quand as-tu l'intention de partir?

– Quelque part à la fin de l'été.

Il déplaça son poids d'une jambe à l'autre et pendant un instant, aucun d'eux ne dit mot. Seul un corbeau croassa depuis l'arbre du voisin.

– J'ai fait les placards aujourd'hui, reprit-il en prenant soudain une voix professionnelle tout en regardant vers la maison, ce qui donna à Harper l'impression qu'il voulait regarder partout sauf dans sa direction. Ensuite, je vais attaquer les murs et je devrais avoir à peu près fini demain, de sorte que vous, Mesdames, retrouverez bien vite votre cuisine.

– Je pensais que ça prendrait un peu plus de temps.

– Non. J'ai fait les moulures aujourd'hui, et les murs, ça se fait vite. J'installerai les boutons et les poignées pour finir. Il vaut mieux laisser sécher la peinture pendant 24 h.

– Tu fais un boulot fantastique. Tu sais, je voulais te demander. Tu m'as dit que ton père faisait certains travaux d'électricité. Peut-il installer un luminaire ?

– Oui, et moi aussi.

– Oh, bien, répondit-elle en réprimant un sourire. J'en ai acheté un nouveau que je dois aller chercher, mais je peux te l'avoir pour demain. As-tu le temps de l'installer ?

Il se frotta pensivement la mâchoire.

– Pour faire cela, le plafond aura besoin d'être raccommodé puis repeint. Ce sera des coûts en plus, mais pas trop importants. Et ça prendra un jour de plus.

Harper ne tint aucun compte de sa voix intérieure lui disant de ne pas dépenser cet argent. En effet, elle venait de promettre la prochaine tranche de son fonds fiduciaire à madame Randolph pour la nouvelle Jeep, mais elle voulait que le travail soit bien fait pour Mamaw. En plus… cela signifiait un jour de plus avec Taylor.

– D'accord.

– Alors parfait, acquiesça-t-il en la regardant et en ayant l'air de se détendre.

Puis, il regarda par-dessus son épaule pour s'assurer qu'ils étaient seuls avant de baisser la tête pour l'embrasser. Au moment où elle sentit ses lèvres, son sang ne fit qu'un tour et elle se serra contre lui en glissant la main autour de son cou. Il émit un son sourd du fond de la gorge avant de passer les bras autour d'elle et de la serrer contre lui.

Finalement, il la laissa aller avec un sourire réticent et donna deux coups sur le toit de la voiture.

– À lundi.

Puis, il se retourna et se dirigea vers sa fourgonnette tout en sifflant.

~

Dora était découragée.

Elle était assise aux côtés de Devlin dans la fourgonnette de ce dernier, qui était garée devant une maison à Mount Pleasant. Il l'avait accompagnée faire la tournée de trois maisons potentielles à louer. Celle-ci représentait la dernière de la semaine, passée à en visiter sous la pluie et le soleil, et elle ne s'imaginait emménager avec Nate dans aucune d'entre elles. Elles étaient dans un état déplorable, ou bien dans un quartier douteux, ou encore il y avait quelque chose de bizarrement inadéquat, comme dans le cas de celle-ci qui était directement à côté d'une ligne électrique.

– Je ne pense pas que je trouverai une maison acceptable qui soit dans mes moyens, pas même une petite. J'imagine qu'il est temps de mettre ces espoirs de côté. La seule option dans les prix qui me conviennent semble être de louer un appartement.

– Ta nullité de mari te donnera-t-il plus d'argent pour le loyer ?

– Il prétend ne pas en avoir davantage, rétorqua-t-elle en remuant la tête, pas avec tous les travaux sur la maison. Et il n'y a toujours pas d'offre.

Devlin grogna en serrant la main sur le volant, mais sans répondre.

— J'ai cependant reçu une bonne nouvelle. Je pense avoir obtenu l'emploi à la boutique de robes ! s'exclama-t-elle en lançant une note joyeuse.

— C'est vraiment bien, chérie, la félicita-t-il en lui pressant la main. Par ailleurs, si tu as un instant, je peux m'arrêter au cottage à Sullivan's Island ? J'ai certaines choses à vérifier avant de le mettre en vente.

— Bien sûr, tu as pris ton après-midi pour moi.

Quand il eut mis le moteur en marche et démarré, Dora lui posa finalement la question qui la taraudait.

— Le cottage est terminé ?

Elle avait aidé Devlin à rénover le pittoresque petit bâtiment pendant l'été.

— Pourquoi ne m'as-tu pas dit que tu étais prêt à le mettre en vente ?

— Je viens tout juste de le faire et je pensais que tu aimerais le voir maintenant qu'il est en beauté. Ça me paraît simplement juste, étant donné que tu l'as vu dans son pire état.

— Jamais dans son pire état, contra-t-elle avec un élancement de douleur. Cette maison a toujours eu quelque chose de touchant.

Un peu plus tard, Devlin arrêta sa fourgonnette sur la toute nouvelle allée en béton type *tabby*. Dora regarda par la fenêtre pour apercevoir les travaux d'aménagement paysager qui avaient été effectués depuis la dernière fois qu'elle avait vu la maison, à peine quelques semaines plus tôt.

— Tu as utilisé mes idées, s'exclama-t-elle.

— Bien sûr. Je t'ai dit que tu étais douée. Ton concept ouvrait vraiment l'espace, en particulier cette pergola au-dessus du garage. Ç'a de la classe. Jamais je n'y aurais pensé.

Ses paroles étaient comme un baume sur une blessure. Mais tout de même, ça lui brisait le cœur de voir le cottage mis en vente, même si son travail avait consisté à le préparer à cette fin. Néanmoins, le voir tout décoré avec en plus son nouveau décor, c'était comme donner un chiot après avoir vu la chienne le mettre bas et s'en être occupé pendant huit bonnes semaines.

– Entrons, indiqua Devlin, qui se débattait avec les clés. Je dois installer cette boîte à clés pour les courtiers. Toi, entre et jette un coup d'œil.

Dora traversa le cottage de pièce en pièce, sa tête tournant de droite à gauche tandis qu'elle examinait les murs fraîchement peints dans les tons qu'elle avait choisis, les parquets poncés et vernis, les luminaires flambant neufs qu'elle avait sélectionnés. Derrière, à l'extérieur, Devlin avait créé l'espace de terrasse qu'elle avait conçu pour compléter la pergola plus importante qui correspondait à celle de devant. Un sinueux sentier en pierre allait jusqu'à Hamlin Creek. Dora était sur la terrasse, le bout des doigts sur les lèvres et les larmes aux yeux quand elle aperçut le nouveau quai en bois qui s'étirait au-dessus de l'eau agitée.

Tous les choix de couleur, tous les luminaires du cottage, c'était elle qui les avait faits. Chaque terrassier, chaque plante, chaque arbre provenaient directement de son concept. C'était comme si elle avait décoré cette maison pour elle-même.

Elle entendit soudain un crissement de gravier derrière elle avant de sentir les bras de Devlin autour de sa taille.

– Qu'en penses-tu ? demanda-t-il doucement à son oreille.

– C'est superbe. C'est parfait.

– Je te disais que tu étais douée pour l'immobilier.

– Hum hum.

– Pourrais-tu te voir habiter ici avec Nate ?

À ces mots, la respiration de Dora se figea. Toujours dans ses bras, elle se tourna pour lui faire face.

– Que veux-tu dire ?

À la lumière du crépuscule, le regard bleu de Devlin brillait et dans la lueur de ses yeux, elle pouvait lire son amour. Il était si sincère que son cœur s'ouvrit.

– J'ai une proposition.

– Oh, Devlin…

– Je ne suis pas en train de te demander de m'épouser, l'interrompit-il avec une frustration feinte. Femme, comme tu épuises un homme. Je te parle d'un plan que j'ai.

Dora eut alors le tact de rougir.

– Oh, excuse-moi, dit-elle tandis que ses lèvres tressaillaient.

– Alors, tu as vu ce que tu pourrais te permettre de louer avec ta maigre pension alimentaire. Bon, je pourrais tourner autour du pot, mais je ne tenterai pas de jouer avec toi, tu es trop intelligente. Je sais que tu as la puce à l'oreille, alors je vais aller droit au but. Tu adores ce cottage, tu as mis ton cœur, ton âme et ta sueur pour le remettre en état, et ce, à mes côtés. Tu crois que je n'en suis pas venu à aimer cette maison, moi aussi ? Je pense que nous avons créé quelque chose de vraiment bien. Pas toi ?

Dora hocha la tête en l'écoutant avec attention.

– Je pourrais la mettre en vente et je ferais un petit profit si elle se vendait immédiatement. Mais, à vrai dire, le marché est au ralenti et elle risque de ne pas se vendre avant longtemps, ce qui n'est jamais bon. Alors, si je la gardais pendant un moment en laissant le marché s'améliorer, ce qui va arriver, j'augmenterais mon profit dans un an, peut-être deux. Après tout, cette petite maison est assise sur des eaux profondes, elle a du potentiel.

Dora n'osait dire un mot.

– Alors, reprit Devlin en faisant passer son poids sur son autre jambe, je me demandais si tu voudrais me faire la faveur d'habiter ici quelque temps, de t'en occuper, seulement pour un an plus ou moins.

– Absolument pas, refusa Dora en se libérant de ses bras.

– Bon sang, femme, pourquoi pas ? s'étonna-t-il en remuant la tête et en laissant tomber ses bras. Ne l'aimes-tu donc pas ?

– Je l'adore, et tu le sais.

– Eh bien alors…

– Parce que si j'accepte ce cadeau, parce que c'est ce dont il s'agit, je serai considérée comme une fieffée salope d'ici jusqu'au comté voisin. Déjà que je te fréquente et que je couche avec toi. On dira que je suis une femme entretenue, ajouta-t-elle en remuant la tête avec détermination. Je ne peux pas faire vivre une telle situation à Nate.

– Une femme entretenue ? Mais dans quel siècle vis-tu ?

– Tu sais ce que je veux dire. C'est une région conservatrice.

– Alors épouse-moi ! hurla-t-il.

– Non ! hurla-t-elle à son tour.

Devlin fit quelques pas en arrière, l'air profondément blessé.

– Je ne peux pas t'épouser, se reprit Dora en tentant de l'amadouer et en tendant les doigts vers les boutons de sa chemise. Je n'ai pas encore divorcé.

– Je le sais, grommela-t-il avec tristesse. Je veux dire plus tard.

– Devlin, s'il te plaît. N'aborde pas ce sujet, pas pour le moment, pas ce soir. Je te l'ai déjà dit, je ne veux pas penser à me marier de nouveau tant que je n'aurai pas signé mes documents de divorce. Je veux prendre une grande respiration en tant que femme célibataire, signer et que mon nom soit Eudora Muir juste une fois de plus avant de le changer de nouveau. Ne mélangeons pas les choses entre nous. Nous serons toujours ensemble, un couple, rien ne changera entre nous sauf ce morceau de papier qui, pour toi, est insignifiant, mais qui, pour moi, est tellement symbolique. Devlin, voilà qui je suis. Je suis une fille traditionnelle, et je brise déjà beaucoup de règles en ce moment. Mais à un moment donné, je serai prête, et quand ce sera le cas, ajouta-t-elle en tendant la main pour caresser tendrement sa barbe de trois jours, je te promets que tu seras le premier à le savoir.

Devlin soupira, et cet effort fit gronder sa poitrine.

— Femme, tu es une sacrée négociatrice.

— Voilà la plus belle chose qu'on ait dite sur moi, souligna-t-elle en souriant et en l'embrassant.

— Alors que dirais-tu de ça ? proposa-t-il en lui tapotant le derrière avec un air de propriétaire. Je te loue la maison. Nous allons légaliser le tout.

— Je n'en ai pas les moyens…

— Je sais quels sont tes moyens, intervint-il en lui coupant la parole, et je te la louerai pour ce montant. Tu pourras dire au monde entier que tu la loues et cela épargnera ta réputation. Mais maintenant, Dora, ajouta-t-il lentement, réfléchis avant de cracher un nouveau *non*.

Dora se calma et le laissa dire ce qu'il avait à dire.

— Nate adorera habiter ici. Il adore l'île, il la connaît, la considère comme son foyer et il sera près de Mamaw. Habiter ici ne représentera pas un aussi grand changement pour lui que d'emménager dans un appartement quelconque loin d'ici, émit-il avant d'étirer le bras pour indiquer le quai : il pourra pêcher quand il le voudra. Je l'ai bâti spécialement pour lui.

— Oh, Devlin… s'exclama Dora, les larmes aux yeux.

Il l'atteignait là où elle était le plus vulnérable.

— Bon Dieu, femme, je t'aime, mais tu refuses de m'épouser, tu refuses même que nous nous fiancions. Il me semble que le moins que tu puisses faire, c'est de louer mon cottage, et sans aucune obligation. Faire moins serait tout simplement méchant.

Alors, Dora éclata de rire, un rire en trille qui sonna à ses oreilles comme le bonheur. Elle s'appuya contre lui et serra les bras autour de son cou.

— Oui, d'accord, accepta-t-elle en levant les yeux au ciel avec une résignation feinte, je vais le louer, ton cottage.

— Voilà qui est bien. Vraiment bien.

CHAPITRE 10

– Nooon ! Je n'irai pas.

Harper et Taylor interrompirent leur discussion sur l'emplacement du luminaire en se regardant l'un l'autre avec inquiétude.

Sur la côte, c'était la mi-août, ce qui signifiait que les enfants qui y vivaient à longueur d'année (des petits de première année effrayés aux vétérans du secondaire), les cheveux coupés, étaient vêtus de vêtements propres, armés de nouveaux livres, de sacs à dos, de fournitures scolaires pour se diriger vers leur école au son de la cloche.

Sauf dans le cas de Nate.

– Je n'irai pas ! Tu ne peux pas me forcer ! cria-t-il de nouveau.

De l'extrémité du couloir, ils entendirent alors la voix de Dora, conciliante et aiguë, s'opposer aux refus colériques et persistants de Nate.

Harper posa sa tasse de café et tout en s'appuyant contre le comptoir, croisa les bras pour écouter avant de jeter un regard vers Taylor, qui restait immobile, la tête inclinée.

– C'est le jour de la rentrée pour Nate, expliqua-t-elle, et pendant toute son existence, il a été scolarisé à domicile, alors tout ça, c'est complètement nouveau pour lui. De plus, avec le syndrome d'Asperger, il ne s'adapte pas très bien aux changements.

– On dirait qu'il est en train de perdre la tête, remarqua Taylor, inquiet.

Comme pour confirmer ce qu'il venait de dire, Nate se remit à crier et à hurler « non » encore et encore, chaque fois de manière plus hystérique.

– Ça pourrait durer un moment, murmura Harper.

Taylor demeura silencieux, mais son regard était absent, comme si son esprit était ailleurs.

Après plusieurs minutes de cris, Dora entra dans la cuisine, l'air débraillée, frustrée et épuisée.

– Que Dieu me vienne en aide, soupira-t-elle en plaçant les mains sur le comptoir et en s'y appuyant, la tête baissée.

Harper vint alors à ses côtés et posa délicatement la main sur son épaule.

– Il est en train de complètement craquer. Je savais que ce serait difficile pour lui ce matin, alors j'ai fait tout ce que j'ai pu pour désamorcer la situation. Nous avons parlé de la nouvelle école pendant toute la semaine dernière, nous l'avons visitée plusieurs fois, et il a même rencontré ses professeurs. Enfin, hier soir, nous avons passé en revue son nouvel emploi du temps. Nous nous sommes préparés. Nous nous sommes vraiment préparés !

– Je sais, concéda Harper en voyant les larmes dans les yeux de sa sœur, nous le savons toutes.

– Mais il ne voulait même pas se lever ! Il s'est réveillé et m'a posément dit qu'il n'irait pas à l'école puis, plus j'essayais de l'encourager, plus il perdait la tête.

– Il a tout refoulé et ce matin, avec le retour du refoulé, il a explosé.

– Avant, reprit Dora en hochant la tête, j'étais capable de le tenir pendant l'une de ses crises, mais maintenant, il est trop grand et je ne suis plus assez forte, pas quand il devient aussi énervé. J'ai essayé de le calmer, mais je suis au bout du rouleau, poursuivit-elle en portant les mains à son visage avant d'ajouter, d'une voix étouffée : je ne sais pas quoi faire.

Pendant ce temps, on entendait toujours Nate en train de hurler, hors de maîtrise, et Harper ne savait comment aider.

— Ça vous dérangerait si j'allais le voir ? demanda Taylor.

Harper tourna brusquement la tête, surprise par cette proposition tandis qu'il se rapprochait. Son visage, d'habitude taciturne, était adouci par l'inquiétude.

— Pourquoi ? s'enquit Dora en reniflant et en essuyant ses larmes tout en le regardant avec confusion.

— Je m'y connais un peu en crises, je pourrais lui venir en aide.

— Allez-y, répondit-elle en haussant l'épaule. Je suis prête à essayer n'importe quoi.

— Très bien, opina-t-il.

Il se tourna et se dirigea vers la porte. L'ayant ouverte, il poussa un sifflement bref et aigu et en un instant, Thor fut à la porte.

— C'est un chien d'assistance à la thérapie. Il sait comment se comporter dans ces situations, expliqua-t-il.

Une fois que Dora eut hoché la tête, Taylor fit discrètement un signe de la main au chien et Thor trotta jusqu'à ses côtés.

— Viens, mon garçon, ordonna-t-il avant de demander à Harper : dans quelle chambre se trouve Nate ?

— Juste au bout du couloir.

— Je vais vous montrer, déclara Dora, qui conduisit Harper et Taylor jusqu'à la bibliothèque, qui servait de chambre à Nate.

Alors même que la porte était fermée, on entendait parfaitement les hurlements du petit et Taylor s'arrêta devant la porte avant de se tourner vers les deux femmes.

— Je devrais y aller seul, avec Thor. Je vais laisser la porte ouverte pour qu'il n'ait pas peur. Ça vous va ?

Dora regarda Harper d'un air interrogatif et quand celle-ci opina, Dora répondit :

– Oui.

Thor, de son côté, renifla la porte en gémissant doucement. Manifestement, il voulait entrer. Taylor caressa l'énorme tête du chien puis ouvrit la porte. Doucement, il entra, suivi de Thor, le museau au sol en train de renifler tandis que Harper et Dora restaient à la porte à les observer.

Les rideaux étaient ouverts, laissant le soleil illuminer la chambre. Des papiers, des livres, des jouets et des vêtements jonchaient le sol, ayant de manière évidente été lancés par un Nate colérique qui était maintenant étendu sur le tapis, en train de battre des bras de manière hystérique tout en tapant des pieds avec fureur.

– Non. Tu ne peux pas me forcer à y aller, hurlait-il en même temps de manière à peine cohérente entre deux cris.

Taylor resta un instant au milieu de la pièce, les mains sur les hanches à évaluer la situation puis il se dirigea vers la télévision et examina les jeux vidéo. En ayant choisi un, il le mit en marche avant de brancher deux manettes et de s'asseoir par terre en face de l'écran. Il plaça ensuite une des manettes à ses côtés et se mit à jouer avec l'autre. Aux yeux de Harper, il semblait qu'il ignorait complètement le petit, mais elle savait que ce n'était pas le cas. D'ailleurs, quand le jeu commença, elle vit que c'était l'un de ceux qu'elle avait achetés pour Nate, un jeu coopératif conçu pour deux joueurs.

Pendant ce temps, Thor tournait autour de la pièce, le museau au sol, les yeux sur Nate. Tandis qu'elle l'observait, elle remarqua que les cercles du gros chien devenaient de plus en plus petits jusqu'au moment où il ne fut plus en train que de faire le tour du garçon qui hurlait et qui ne tenait aucun compte de lui. Le chien s'arrêta finalement devant Nate en gémissant avec compassion avant de s'approcher davantage et de pousser le petit du museau.

Surpris, Nate retint son souffle et, pour un instant, fut arraché à son hystérie.

— Va-t'en! dit-il finalement en agitant la main après avoir regardé le chien.

Cependant, immédiatement, Thor baissa la tête et se mit à lécher la main du petit, et celui-ci le laissa faire. Même s'il sanglotait toujours, de longs sanglots étouffés, les hurlements cessèrent et Harper put constater que le petit garçon était en train d'être calmé par ces lèchements. De son côté, Taylor regarda ce qui se passait par-dessus son épaule, mais sans bouger de sa place, maintenant toujours sa concentration sur le jeu vidéo et son dos tourné à Nate.

Ce fut ce dernier qui broncha le premier. Toujours par terre, il se tourna sur le côté et tendit sa main libre pour pouvoir caresser le poitrail du chien, qui réagit en se rapprochant et en lui léchant le visage.

Harper et Dora, qui avait les larmes aux yeux, se regardèrent alors tout en observant le petit garçon être tendrement calmé par le gros chien, qui semblait lire ses émotions sans qu'aucune parole soit nécessaire. Nate, de son côté, qui sentait le lien entre eux, continuait peu à peu de se rapprocher tout en tendant la main plus haut sur le cou du chien. Ainsi, graduellement, les sanglots diminuèrent, faisant place à des soupirs rauques jusqu'à ce que Thor se couche à côté du petit avec un grognement d'aise tout en continuant de se laisser caresser tandis que Nate se cachait le visage dans sa fourrure.

Tandis qu'elle et Dora observaient Thor apaiser Nate, Harper perdit la notion du temps. Au bout d'un moment cependant, après s'être calmé, Nate s'aperçut que Taylor était dans la pièce et il lui lança immédiatement un regard noir, ne s'attendant pas à y trouver l'homme, et il n'aimait guère les surprises. Toutefois, tandis que le temps passait et que Taylor continuait de l'ignorer, le petit se redressa et avec une curiosité grandissante, le regarda en train de jouer. Finalement, il se leva et se rendit à côté de lui, mais Taylor continua de jouer, le regard rivé sur l'écran. Nate resta quelques minutes à environ un mètre de lui à regarder le jeu puis, sans mot dire, il s'assit aux côtés de Taylor et prit la manette.

Taylor le regarda alors en hochant la tête de manière réservée et se remit à jouer.

Soudain, Nate était aussi en train de jouer. Il n'y avait plus d'hystérie et le silence de la chambre n'était plus brisé que par les bips et les sons du jeu. Thor, de son côté, se leva et avança à pas feutrés sur ses grosses pattes jusqu'aux côtés de Nate pour, de nouveau, s'installer à côté de lui en plaçant l'une d'elles, énorme, sur la cuisse maigre du petit.

Dora poussa alors Harper du coude en lui faisant signe qu'elles devraient se retirer. Quand elle regarda une dernière fois dans la chambre, elle put voir l'homme imposant et le petit garçon en train de jouer ensemble à un jeu vidéo. Le petit s'était calmé sans qu'un seul mot soit prononcé.

~

À Charleston, East Bay Street est une artère historique qui longe Cooper River jusqu'à Charleston Harbor. De Market Street jusqu'à Broad Street, on retrouve certains des meilleurs restaurants de la ville et du sud de Broad Street jusqu'à la pointe de la légendaire péninsule de Charleston se trouve un trésor de certains des meilleurs exemples d'architecture coloniale aux États-Unis.

Harper et Taylor parcouraient les trottoirs sinueux, la main de l'homme refermée sur celle de la jeune femme. Le soleil était en train de se coucher et les réverbères commençaient à luire dans la douceur de la soirée. Harper était vêtue d'un pantalon bleu marine moulant et d'un corsage bleu clair qui miroitait comme les eaux tandis que ses cheveux cuivrés lisses lui retombaient sur les épaules et qu'un imposant collier de lapis et de topaze lui encerclait le cou. Elle avait passé beaucoup de temps à se préparer pour cette soirée, car elle voulait avoir l'air séduisante, spécialement pour son premier rendez-vous avec Taylor. C'était d'ailleurs la première fois depuis des mois qu'elle portait des talons hauts, aussi grimaçait-elle tandis qu'elle avançait le long des écueils des vieux trottoirs sinueux. Néanmoins, l'air de Taylor quand elle avait ouvert la porte ce soir-là avait justifié ses efforts.

Taylor, lui aussi, en avait fait. Il était vêtu d'une chemise grise déboutonnée au cou, fraîchement repassée dont il avait roulé les manches le long de ses avant-bras bronzés et qu'il avait assortie à un jean noir, avec aux pieds des sandales en cuir qui remplaçaient les bottes de travail qu'il portait d'habitude. Il avait l'air aussi frais que s'il venait tout juste de sortir de la douche et en s'approchant de lui, Harper avait pu sentir une légère odeur d'après-rasage.

Ils étaient l'un des dizaines de couples en train de se promener dans cette rue populaire, jetant un coup d'œil à la vitrine des galeries d'art, se pressant vers un restaurant pour leur réservation, s'arrêtant pour lire les menus qui étaient affichés. Tandis qu'elle marchait à côté de Taylor, Harper s'aperçut avec satisfaction que sa mère lui avait appris à marcher du côté de la chaussée en compagnie d'une dame. Alors même qu'elle portait ses plus hauts talons, il la dominait complètement, mais juste au moment où elle admirait son beau profil, son talon se tordit dans la fissure du trottoir craquelé, de sorte qu'en poussant un petit cri, elle trébucha contre Taylor. Ses réflexes rapides comme l'éclair, son bras se tendit pour la rattraper et la redresser.

Les joues de Harper s'enflammèrent : en effet, c'était la deuxième fois qu'elle trébuchait. Il devait probablement penser qu'elle était empotée.

— Merci, dit-elle, le souffle coupé, en reprenant pied.

— Voilà ce qui arrive quand on se déplace sur des échasses, répondit-il avec un sourire ironique. Il vaut peut-être mieux que tu continues à t'accrocher à moi. Nous y sommes presque.

Avec reconnaissance, elle lui tint le bras des deux mains en marchant avec prudence tandis qu'ils parcouraient le demi-pâté de maisons qui les séparait d'une enseigne noire surmontant une porte et qui indiquait SALLE DE RÉUNION EAST BAY. Les portes en accordéon qui donnaient sur la rue étaient grandes ouvertes et de petites tables de type bistro débordaient sur le trottoir. À l'intérieur, c'était très français. Des chaises et des tables de type bistro étaient regroupées entre de hautes fenêtres aux longs rideaux à gauche, et à droite, un bar en bois classique. Il était près de 20 h et les tables étaient presque toutes prises, mais Taylor s'empara de la dernière. Au bout de quelques minutes, il ne restait plus que des places debout.

Il leva le bras et une jeune et jolie serveuse se dépêcha de venir s'enquérir de ce qu'ils désiraient boire.

Harper, tout en observant autour d'elle le restaurant chaleureux, laissa sa main glisser sur la nappe de coton tout en se disant : *Ça m'a manqué*. Sortir, se mêler à la foule, l'excitation d'une performance, être à table en face d'un bel homme. Juste à ce moment, il tourna la tête et la surprit en train de le regarder. Cela la fit rougir et elle renvoya ses cheveux derrière son oreille.

— Cet endroit est populaire, remarqua-t-elle finalement par-dessus le bruit qui remplissait la salle bondée.

— Il y a beaucoup de poètes à Charleston, expliqua Taylor en se penchant vers elle pour qu'elle puisse l'entendre. Mais ce soir, c'est une soirée spéciale. Marjory Wentworth, la lauréate de poésie de Caroline du Sud, lira des extraits de son nouveau recueil.

— Vas-tu lire quelque chose, toi aussi ?

— Bien sûr que oui. Nous avons chacun six minutes.

— Tu n'es pas nerveux ?

– Naturellement, mais je ne prends pas peur facilement, répliqua-t-il en haussant les épaules. Une fois que je suis sur scène, la peur se retire et je me fonds dans les mots.

Harper le regarda en se demandant quelle impression donnait ce genre de courage et ses orteils se contractèrent dans ses chaussures rien qu'à penser qu'on pourrait lire ce qu'elle écrivait, sans mentionner le fait d'être devant des inconnus en train de leur lire.

Juste à ce moment, la serveuse leur apporta son vin blanc et la bière de Taylor. Elle en prit une petite gorgée, en savoura le goût sucré et se mit presque à ronronner.

– C'est le premier verre de vin que je bois depuis le mois de juin.

Taylor, tout en avalant sa bière, la regarda avec étonnement.

– Tu ne bois pas ?

– Mes sœurs et moi avons fait le pacte de ne pas boire pendant une semaine, juste pour voir si nous en étions capables. Au début, je dois reconnaître que c'était une véritable torture, car j'aime prendre un verre de vin, le soir. Mais ensuite, nous avons simplement continué et au bout d'un moment, ça arrêté de me manquer, admit-elle en en prenant de nouveau une petite gorgée avant de sourire diaboliquement : jusqu'à maintenant.

– Il est bon ?

– Délicieux, reconnut-elle, puis elle posa son verre sur la table et le caressa des doigts avec désinvolture tandis qu'elle laissait son regard parcourir la rue.

La nuit s'installait et, aux tables, les bougies brillaient. Des gens passaient en bavardant et en riant.

– Charleston est tellement animée le soir. Je peux compter sur les doigts d'une main le nombre de fois que je suis venue en ville depuis que je suis ici. Je me demande si c'était sage. C'est charmant.

– Tu n'aimes donc pas les villes ?

— J'adore les villes, répondit-elle en laissant échapper un petit rire. J'habite à New York, n'oublie pas. C'est plutôt que, quand je suis venue à Sea Breeze au début de l'été, j'avais un dilemme, je recherchais quelque chose qui requérait de la paix et de l'introspection. Je devais repousser le bruit et les distractions.

— C'est ce dont certaines personnes ont besoin pour écrire.

— Apparemment, c'est mon cas, car jamais je n'ai autant écrit ni aussi régulièrement.

— Peut-être devrais-tu rester ici, proposa-t-il en arrachant l'étiquette de sa bouteille de bière.

— Tu penses ?

— Oui, je le pense, confirma-t-il en la regardant droit dans les yeux et en maintenant son regard.

Elle n'avait jamais sérieusement envisagé la possibilité de ne pas retourner à New York.

— Je suis une éditrice. C'est à New York que je trouverai le plus probablement un emploi.

— Et ce que tu écris ? insista-t-il en prenant une nouvelle gorgée de bière.

— J'ai l'intention de finir mon livre avant de partir. C'est le plus loin que j'en suis dans mes plans.

Leur conversation fut interrompue par le premier poète qui s'approcha du pupitre. La foule se tut et Taylor lui fit un sourire d'encouragement. Le lui rendant, elle décroisa les bras et se pencha vers la table pour écouter.

Tandis que les poètes se succédaient pour lire quelques poèmes, Harper se sentait entourée par la musique des mots ; le rythme, la cadence, les intonations aiguës et les graves, une musique qui franchissait les barrières, qui appelait des souvenirs en éclats de couleurs, d'images si réelles qu'elle les voyait prendre vie devant elle. Elle était allée à de nombreuses lectures de prose auparavant en tant qu'employée d'édition, mais jamais à une lecture de poésie. C'était vraiment un spectacle total, et elle était émerveillée, ce qui l'aidait à comprendre leur signification et rehaussait les émotions allumées par les plus simples expressions, chacune choisie avec soin.

Elle était tellement prise par ces lectures qu'elle en oublia presque que Taylor, lui aussi, allait y participer, puis elle entendit qu'on appelait son nom et il se leva. Le souffle de Harper s'accéléra tandis qu'il se dirigeait vers le pupitre, un mince volume à la main. Elle était nerveuse pour lui, car elle voulait qu'il soit bon. Son estomac se serra quand il fit face à la foule. La lumière venue du plafond projetait une ombre sur son visage, soulignant ses pommettes et son nez droit qui se dilatait un peu à cause de sa nervosité.

Il resta un instant derrière le pupitre, son regard parcourant la salle.

– Je vais vous lire un poème écrit à mon retour d'Afghanistan. Il s'intitule *Réveille-toi et ne t'arrête pas.* C'est ce qu'on dit à un homme qui souffre de stress post-traumatique quand il fait un cauchemar.

Harper se figea et son souffle lui resta en travers de la gorge. Le syndrome de stress post-traumatique ? Elle ne savait pas qu'il en souffrait. Son esprit s'emballa. Elle savait pourtant qu'il était un Marine, qu'il avait été envoyé au combat. Elle se souvint alors d'une photographie que Carson lui avait montrée sur laquelle on voyait Taylor et Thor au Dolphin Research Center. Harper avait d'ailleurs été ravie en le voyant (par son beau corps) ordonnant à deux dauphins de sauter dans les airs, avec Thor sur le quai, qui portait un emblème noir de chien d'assistance.

Je suis tellement bête, se dit-elle soudain. Alors qu'elle se targuait d'être observatrice, elle n'avait rien déduit de ces signes évidents. Mais maintenant, chacun des plus petits détails du comportement de Taylor prenait un sens. Il était plus que réservé, il était vigilant, hypervigilant, même. Quand il pénétrait quelque part, son regard parcourait toujours les lieux. Juste maintenant, au pupitre, il venait de vérifier où se trouvaient les sorties. Harper avait fait un peu de recherche au sujet du trouble de stress post-traumatique pour Nate après l'accident du dauphin, et elle avait vu les symptômes, en demeurant cependant aveugle. *Délibérément ?* se demanda-t-elle.

Elle posa ses mains tremblantes sur ses cuisses et regarda l'homme dont elle était en train de tomber amoureuse. Cela changeait-il quelque chose ?

À ce moment, Taylor se racla la gorge et souleva son petit livre tandis qu'elle prenait une grande respiration.

Quand il commença à lire, elle n'entendit pas la moindre note de nervosité dans sa voix et elle se souvint qu'il lui avait dit qu'une fois qu'il commençait à lire, sa peur se retirait tandis qu'il se fondait dans les mots.

Ne me remerciez pas pour ce que j'ai fait
Ne m'injuriez pas non plus.
J'ai rédigé des notes de suicide avec mon sang
qui toutes disent *Réveille-toi et ne t'arrête pas.*

On ne sait comment on réagira sous le feu de l'ennemi
Sera-t-on héroïque ou pétrifié par l'effroi ?
Certains prétendent que l'on se bat pour son camarade, pour son frère.
D'autres disent seulement *Réveille-toi et ne t'arrête pas.*

Te laisserai-je m'aimer avant qu'il soit trop tard ?
Me sauver d'un destin déshonorant ?
Y aura-t-il une autre chance d'être un héros ?
Tu me réponds *Réveille-toi et ne t'arrête pas.*

J'ai tué plus d'hommes que je ne peux en compter
Au nom du devoir et de la patrie.
Comment Dieu prend-Il donc la mesure d'un homme ?
Les fantômes me répondent *Réveille-toi et ne t'arrête pas.*

Sa voix était puissante et assurée tandis qu'il lisait ses vers dans une cadence militaire, donnant vie à un foyer secret de souffrance. Le cœur de Harper suivait ce rythme tandis qu'il lisait ; elle se sentit complètement immergée dans ces vers, penchée en avant pour saisir chaque syllabe, chaque nuance, et son cœur bondissait vers la souffrance qu'il avait dû endurer.

Dès la première fois qu'elle l'avait vu, elle avait été attirée par Taylor et à mesure que les jours passaient, elle en était venue à admirer son opiniâtreté, sa capacité de travailler de longues heures sans faire une pause, son aspect soigné et sa politesse sans faille. Après tout, il était un Marine. Avec les animaux, il était doux, mais ferme. Avec Nate, elle avait constaté sa compassion et la capacité qu'il avait de prendre soin d'autrui. Elle commençait aussi à s'apercevoir de l'énergie en ébullition qui bouillonnait derrière sa façade si calme.

Et ce soir, en écoutant sa poésie, Harper comprit la souffrance à laquelle il était confronté, la culpabilité qu'il portait en lui, et la profondeur de sentiment qu'il tentait de dissimuler. Il était intelligent et possédait une âme artistique. Elle l'écoutait avec émerveillement, avec un respect nouveau pour le courage que cela demandait de partager ses sentiments, pour son combat visant à maîtriser ses émotions à fleur de peau.

Ce soir, elle le voyait les yeux ouverts.

Une fois qu'il eut terminé, il y eut une salve d'applaudissements. Tout le monde dans la salle savait qu'il avait parlé du fond du cœur et tandis que Taylor retournait à leur table, plusieurs personnes l'arrêtèrent pour lui parler et lui serrer la main. Harper vit ainsi que les gens l'aimaient bien, que c'était un groupe de ses amis, un monde à lui dont elle avait ignoré l'existence avant ce soir.

— Tu étais incroyable, le félicita-t-elle avec excitation quand il se rassit. Maintenant, je comprends ce que tu voulais dire quand tu disais que partager ce qu'on écrit, c'est faire un don, faire don d'une part de soi. C'est ce que je ressentais quand je t'écoutais tout à l'heure, que tu racontais ton histoire. C'était tellement puissant.

Il ne répondit pas immédiatement, calmant plutôt sa soif avec une longue gorgée de bière avant de reposer la bouteille sur la table puis de lui prendre la main, un geste qui la surprit tant elle ne s'y attendait pas, tant il était rempli d'intimité. Soudainement, elle avait l'impression que tout son être était capturé par cette seule main.

– C'était pour toi que je lisais, avoua-t-il en la regardant dans les yeux.

– Je sais, murmura-t-elle après avoir fermé les yeux un instant.

Juste à ce moment, un nouveau poète fut annoncé, et une femme plus âgée aux cheveux blancs comme neige avec des lunettes noires s'approcha du pupitre. Taylor jeta un coup d'œil autour de la salle, puis se leva sans lui lâcher la main avant de se pencher pour lui parler à l'oreille.

– Il y a une table libre sur le trottoir. Allons-y.

Sans faire de bruit, afin de ne pas déranger la lectrice, il la mena jusqu'à la table qui se trouvait dehors et elle fut désolée quand il lâcha sa main pour lui tirer une chaise.

Une autre serveuse, tout aussi mignonne, vint immédiatement prendre leur commande. Quand elle se fut éloignée, Taylor sortit un paquet de cigarettes de sa poche.

– Ça te gêne si je fume ?

– Il le faut vraiment ?

– Ça me met à l'aise, répondit-il en haussant les épaules avant de lever la main pour interrompre toute argumentation de la part de Harper. Je sais que c'est mauvais et je vais arrêter, annonça-t-il avec un regard résolu, mais pas tout de suite.

– D'accord, accepta Harper encore que dans son cœur, elle était tout sauf d'accord.

Puis, elle le regarda porter une cigarette à sa bouche, prendre une allumette qu'il frotta en la protégeant derrière sa main. Harper avait pour règle de ne pas fréquenter les hommes qui fumaient, car elle trouvait que c'était une mauvaise habitude qui finissait seulement par entraîner de la souffrance. Cependant, avec un peu de recul, elle savait aussi qu'elle associait de si mauvaises choses au fait de fumer à cause de sa mère.

Taylor prit une bouffée de sa cigarette et d'un geste, empêcha la fumée d'aller dans sa direction.

– Ça va, dit-elle en se rendant. Ma mère est une fumeuse à la chaîne, j'ai l'habitude.

– Une seule, c'est promis.

Sur ce, la serveuse revint avec le vin de Harper et une autre bière pour Taylor, qui en prit une gorgée, comme à la recherche de son courage.

– Ce poème, commença-t-il en faisant référence à ce qu'elle avait dit auparavant, c'était *personnel.* Je l'ai écrit quand je suis revenu d'Afghanistan.

– Je l'avais bien compris.

– Tu savais que j'ai souffert de trouble de stress post-traumatique ? demanda-t-il après s'être tu pour secouer la cendre de sa cigarette.

– Non.

– Carson ne te l'a jamais mentionné ?

– Non… *Elle,* comment le savait-elle ?

– C'est à cause de ça que j'ai commencé à travailler avec les dauphins. Nous en avons parlé au Dolphin Research Center.

– Évidemment.

– Ça te gêne ? s'enquit-il en se déplaçant sur sa chaise.

– Non, répondit-elle avec franchise et en le regardant dans les yeux. Ça devrait ?

Il l'observa à son tour, le regard palpitant, avant de détourner les yeux et de hausser les épaules.

– Il y a des gens que ça dérange. Ils ne veulent pas avoir affaire à quelqu'un qui est fou, ajouta-t-il avant de prendre une longue bouffée de sa cigarette.

— Tu souffres de trouble de stress post-traumatique, tu n'es pas fou.

— En effet, je ne le suis pas, approuva-t-il en relevant la tête et elle put voir qu'il était soulagé. Je suis content que tu fasses la différence. Ce n'est pas le cas de tout le monde.

À ce moment, elle aurait voulu être aussi éloquente que lui l'avait été, pour partager tous les sentiments qui s'agitaient en elle, pour le rassurer, pour dissiper sa crainte, et la sienne.

Mais il n'y avait rien à dire. Alors, au lieu de cela, elle se pencha vers lui et lui prit le menton dans ses deux mains puis elle l'embrassa, doucement, avec tendresse, un baiser rempli de promesse. Quand elle s'écarta, elle vit qu'il n'était plus sur ses gardes et qu'il montrait sa vulnérabilité.

S'adossant à sa chaise, Harper prit son verre.

— *Ce* que Carson m'a dit, c'est que tu étais fantastique avec les dauphins, déclara-t-elle en souriant avant de prendre une petite gorgée de vin.

Il esquissa alors un sourire rempli de souvenirs avant de s'adosser lui aussi à sa chaise.

— J'y suis allé parce que je participais au Wounded Warrior Project. Les dauphins sont des animaux incroyables, honnêtes, drôles et sages. Ils possèdent une réelle présence. Quand on regarde un dauphin droit dans les yeux, on sait qu'on entre en contact avec un être intelligent, on le sent d'instinct. Ils nous voient, ils nous voient vraiment, ajouta-t-il en regardant sa cigarette. Ils m'ont aidé à traverser des moments difficiles, alors je n'ai cessé d'y retourner.

— Et comment as-tu commencé à écrire de la poésie ?

— Ça faisait partie de ma thérapie, répondit-il en haussant les épaules. Quand je suis revenu de la guerre, émotionnellement, je me sentais engourdi. J'étais hypervigilant, terrifié de me retrouver dans la foule. Ça faisait partie du trouble de stress post-traumatique, poursuivit-il en regardant de nouveau sa cigarette. On souhaite mourir et, malheureusement, il y en a qui réussissent.

– Je suis désolée.

– Ouais, dit-il en prenant une gorgée de bière. Je fais partie des plus chanceux. Mes blessures physiques ont guéri, mais pour les psychologiques, celles qu'on ne voit pas, il a fallu plus de temps. Alors j'ai essayé plusieurs types de thérapies : la thérapie par l'art, la désensibilisation et reprogrammation par mouvement des yeux, les dauphins, les jeux vidéo. C'est pour ça que je savais quoi faire avec Nate ce matin.

– Je me posais la question. Tu as été fantastique avec lui, lança-t-elle avant de sourire et d'ajouter : tout comme Thor.

– Il est dressé pour me tirer des ténèbres. Il sent quand je fais un cauchemar et me lèche la main et le visage pour me réveiller avant que j'entre dans la zone de danger. Tu as pu voir comment ça marche avec Nate, ce matin. Son travail est de me ramener de la guerre qui fait rage dans ma tête. Alors nous savions tous les deux ce que traversait le petit ce matin. Quand il fait une crise, c'est comme s'il était prisonnier d'un cauchemar et ne pouvait se réveiller. Pour moi, c'était déchirant de le voir comme ça, tout comme pour Thor.

– Je l'ai entendu gémir.

Taylor prit une gorgée de bière.

Harper en prit une de vin, posa son verre sur la table et avant de lui poser la question, attendit.

– Que t'est-il arrivé en Afghánistan ? Si tu me permets de te poser la question.

– C'est une longue histoire.

– J'ai tout mon temps, si tu veux m'en parler.

Taylor prit une nouvelle bouffée de sa cigarette et regarda en direction de la rue en réfléchissant. Quand il se tourna de nouveau vers elle, il prit une dernière gorgée de sa bouteille avant d'y jeter sa cigarette et quand il releva la tête, elle vit dans ses yeux qu'il était décidé.

– J'étais en Afghanistan, commença-t-il lentement, et on eut dit que sa voix venait de très loin. Les jours semblent tous se mêler les uns dans les autres dans mon esprit, alors je ne peux dire exactement quand l'accident est survenu. Parfois, j'ai l'impression que c'était hier. Là-bas, tout est si différent : les odeurs, les bruits, le peuple. Mais nous avions notre emploi du temps, nos tâches à accomplir. Évidemment, c'était difficile, mais nous savions ce dans quoi nous nous étions engagés, et nous avions nos amis, nos frères d'armes.

Tendant la main vers son paquet de cigarettes, il s'arrêta comme s'il se souvenait de sa promesse et laissa sa main retomber.

– Nous nous déplacions en caravane en direction d'un nouvel endroit comme nous l'avions fait des douzaines de fois auparavant et nous étions prêts si on nous attaquait. Je portais un gilet pare-balles et un casque, poursuivit-il avec un rire sec. Bon sang, qu'est-ce qu'il faisait chaud, plus chaud qu'ici, tu peux me croire. Alors, mon pote Dave a retiré son casque pour s'essuyer le front.

Sur ce, Taylor s'arrêta et se frotta le front lui aussi. Harper s'immobilisa tout à fait en sachant qu'il arrivait à la partie difficile de son histoire.

– Je ne peux toujours pas concevoir qu'un petit mouvement, un mouvement insignifiant, peut faire la différence entre la vie et la mort. Quoi qu'il en soit, il a retiré son casque juste assez longtemps pour s'essuyer le front… reprit-il avant de faire une pause pour détourner le regard. Ce n'est pas notre camion qui a été frappé. Si ç'avait été le cas, je ne serais pas ici en ce moment. Impossible, dit-il en haussant les épaules et en regardant ses pieds. Une minute je regardais son visage, et la suivante, il y a eu une violente explosion, j'ai été projeté et je me suis évanoui. Quand j'ai repris connaissance, je ne pouvais rien voir, c'est-à-dire que j'étais aveugle, tout était devenu blanc et mes oreilles bourdonnaient. En tendant la main vers elles, j'ai senti qu'elles saignaient. Quand finalement ma vision s'est éclaircie, j'ai vu que j'étais étendu dans un fossé, dans une espèce de stupeur, n'ayant pas les idées claires, de sorte que je n'étais pas sûr de ce qui s'était produit. Quand j'ai enfin réussi à me remettre debout, j'ai souhaité ne pas être en mesure de voir. Il y avait des débris partout, des corps… Le camion de tête, qui avait été frappé par l'engin explosif improvisé, était en miettes. Mon pote Dave, lui, était mort, tout comme trois autres de mes frères d'armes, partis en un instant, ajouta Taylor d'une voix rauque.

Harper ne dit mot, refoulant des larmes de compassion en essayant d'imaginer l'ampleur de cette perte et de cette souffrance, et l'effet que cela pouvait avoir sur quelqu'un.

– Tu sais, je ne cesse de penser à la façon dont le destin a distribué les cartes. Si notre camion avait été en tête, ou si c'était moi qui avais retiré mon casque, ou si j'avais occupé le siège de Dave, c'est moi qui serais mort, et non pas lui.

– Mais ça n'a pas été le cas.

– Non, lâcha-t-il entre ses dents en remuant la tête.

Et Harper, pour elle-même, pensa *Dieu merci*, mais garda le silence.

– Ensuite, on m'a emmené voir le toubib, reprit-il d'une voix posée. Comparé à d'autres, je m'en suis bien sorti. Je n'ai pas perdu la vie, ni la vue, ni un membre. J'ai donc dit au docteur que tout allait bien et que je pouvais reprendre mon poste. Après tout, je n'avais aucune blessure que je puisse voir. Mais tout n'allait pas bien. Je commençais ma deuxième période de service, et c'était la troisième ou la quatrième fois que nous nous faisions toucher par un engin explosif improvisé. Cette fois, c'était mon billet de retour. Je détestais être là-bas et je voulais rentrer, mais pas comme ça.

– Le docteur a-t-il diagnostiqué ton trouble de stress post-traumatique ?

– Pas immédiatement. Je suis un Marine, et nous aimons penser que nous pouvons tout endurer. Mais cette fois, j'en ai été incapable.

Harper vit alors quelque chose dans son expression qui lui fit prendre conscience qu'il avait certainement beaucoup souffert avant d'atteindre le point où il avait dû demander de l'aide, de sorte qu'elle tendit la main à travers la table pour la poser sur la sienne.

– Et comment la thérapie fonctionne-t-elle pour toi ?

Il regarda leurs mains avant d'entrecroiser ses doigts aux siens.

– Ça aide. Je communique avec les gens, je me force. Il a fallu une fois de plus que je trouve le courage et la force d'élaborer un nouveau plan. J'ai donc décidé de rentrer et de remettre ma vie sur la bonne voie. J'ai mon diplôme universitaire de Citadel, alors j'ai posé ma candidature à quelques endroits, et une société d'ici, à Charleston, m'a téléphoné pour un entretien d'embauche. C'est d'ailleurs ce qui a fait que je suis revenu maintenant plutôt que plus tard. Ainsi, jusqu'à maintenant, tout se déroule selon mes plans.

– N'importe quelle société aurait de la chance de t'employer.

À ces mots, il retourna la main de Harper dans la sienne avant de frotter doucement son pouce sur sa paume et elle sentit chacune des terminaisons nerveuses de sa main picoter.

Puis, levant les yeux de leurs mains, il croisa son regard.

– Mais le plus important, c'est que je t'ai rencontrée.

Ils se regardèrent alors dans les yeux, tous deux conscients qu'ils entraient dans un nouveau territoire où les paroles, les émotions, tout devait être parcouru à nouveau.

Soudain, autour d'eux, leur parvint une salve d'applaudissements et les gens se mirent à se lever. Le bruit du restaurant augmenta tandis qu'on se disait au revoir et qu'on échangeait des félicitations. Taylor et Harper se lâchèrent la main quand quelques-uns de ses amis s'arrêtèrent à la table pour le saluer et lui faire des commentaires sur ses poèmes.

– Dernier service, leur apprit la serveuse en venant à leur table. Nous fermons bientôt.

– Nous y allons ? demanda Taylor à Harper en se tournant vers elle.

Elle hocha la tête. Il régla la note avant de se lever et, sans mot dire, tendit la main pour prendre la sienne, et bras dessus, bras dessous, il la garda sur sa main.

– Je ne voudrais pas que tu tombes.

Elle aurait voulu répondre quelque chose du genre *je suis déjà tombée,* mais elle ne put se résoudre à dire une chose aussi cul-cul, de sorte qu'elle se contenta de sourire, heureuse de porter des chaussures ridicules qui gardaient son bras sous le sien tout en sachant qu'avec lui, elle ne se ferait pas de mal.

De nouveau, ils roulèrent le long d'East Bay Street, puis sur Ravenel Bridge, qui s'élevait au-dessus de Charleston Harbor comme un grand oiseau. Assise en hauteur dans le camion, Harper regardait devant elle la file de feux rouges des freins. Coleman Boulevard, la plupart des restaurants étaient fermés. Ils discutèrent des poèmes qu'ils avaient entendus, de leurs favoris et d'autres lectures auxquelles ils s'étaient rendus et quand ils commencèrent à traverser les marécages en une file unique sur la longue route à deux voies à travers les longs hectares de marais, ils étaient tombés dans un silence agréable. Les pneus ronflaient et la lune brillait, illuminant l'extrémité noire et irrégulière des huîtres à marée basse.

Dans l'obscurité, Taylor glissa la main à travers le siège pour prendre celles de Harper, et ce contact la fit soupirer et sourire. Elle fut touchée par ce geste si simple qui était, elle le savait, une déclaration. La radio diffusait de la musique country, et même si elle n'aimait pas particulièrement, elle était sensible à ses paroles. Cette soirée avait été une célébration du langage, et ces chansons lyriques parlaient d'amour et de perte, de la vie. Tout en roulant dans une fourgonnette avec un homme de la côte, en traversant les marécages éclairés par la lune, Harper se sentit remplie par cette musique.

Au clair de lune, Sea Breeze était superbe. La lumière passait à travers la mousse qui recouvrait les lourdes branches arquées du vieux chêne, baignant le gravier de mystère. Taylor accompagna Harper jusqu'à la porte et les 15 marches leur semblèrent avoir été une randonnée en montagne quand finalement ils atteignirent la véranda. Elle s'arrêta alors à la porte et fit face à Taylor, les joues en feu, tandis qu'entre eux le désir palpitait. Mamaw avait laissé la lumière de la véranda allumée.

— Je te proposerais bien d'entrer, indiqua-t-elle doucement, mais avec Mamaw…

— Non. Et je n'ai pas mon propre appartement.

Il baissa alors son front contre le sien et elle sentit la chaleur de ses lèvres sur les siennes, ses yeux verts pareils à ceux d'un chat, intenses et séduisants. La respiration de Harper s'accéléra.

— Tu me rends fou, le sais-tu seulement… admit-il d'une voix rauque.

— Oui, répondit-elle avec un petit rire.

À ces mots, il se redressa, créant ainsi une distance entre eux et Harper eut le souffle court.

Alors, les lèvres de Taylor esquissèrent un sourire en coin.

— Je ne sais d'ailleurs pas même s'il est convenable que je t'embrasse. Après tout, je travaille pour toi.

Harper se pencha vers lui pour lui passer les bras autour du cou et attirer son visage vers le sien.

— Dans ce cas, tu es renvoyé.

Taylor eut alors un sourire ironique.

— Voilà qui est bien.

Il la serra dans ses bras avant de baisser la tête pour lui donner un baiser explosant de passion et de possession.

Au cours des jours suivants, Harper renvoya et réengagea Taylor plusieurs fois.

CHAPITRE 11

Mamaw entra dans la cuisine, heureuse de la trouver vide afin de pouvoir observer tous les changements. À travers les fenêtres, le soleil illuminait la pièce claire et fraîchement peinte. Elle tendit le bras pour toucher le nouveau lustre au-dessus de la table, puis le dosseret en carrelage blanc brillant. La configuration de la pièce était la même, mais tout le reste était si chaleureux et accueillant, si jeune et vivant. Mamaw se dit de nouveau que jamais elle n'aurait fait tout ça sans les encouragements de Harper, car depuis la mort de Lucille, elle était tombée dans la routine, satisfaite des choses telles qu'elles étaient, et même auparavant, d'ailleurs, si elle devait être honnête. Un peu de sang nouveau était bon pour remuer les vieux chaudrons de temps à autre, pensa-t-elle.

Soudain, des rires et des cris provenant de l'extérieur attirèrent son attention. Elle se dépêcha de se rendre à la fenêtre, ouvrit grand le volet et regarda en direction des eaux.

– Eh bien, j'aurai tout vu, marmonna-t-elle en plissant les yeux.

On faisait la fête sur le quai. Carson, dans l'eau sur sa planche à bras, s'en rapprochait, tandis que Nate et Dora, vêtus de leurs gilets de sauvetage, étaient en train de sortir de leur kayak. Tiens, aux côtés de Harper, il y avait même Taylor, constata-t-elle avec surprise, et elle le regarda se pencher pour soulever l'extrémité du kayak de Nate et le hisser sur le quai.

Mamaw porta la main à sa joue. Oh, comme c'était bien pour eux, ce devait être une coïncidence qu'ils se soient tous retrouvés sur le quai en même temps.

– Merci, Jésus, marmonna-t-elle.

À ce moment, Carson, en riant et en agitant les bras, se mit à appeler tout le monde dans l'eau depuis sa planche. Mamaw vit Taylor essayer de pousser Harper à y plonger alors même que celle-ci reculait en essayant d'échapper à son étreinte.

– Allez, Harper, murmura Mamaw à haute voix, ne sois pas timide, plonge ! Mouille-toi !

En effet, elle ne pouvait se rappeler l'avoir vue nager dans la crique de tout l'été, car sa petite-fille préférait la piscine où l'eau était propre et où il n'y avait ni poisson ni requin.

Soudain, les yeux de Mamaw s'écarquillèrent de surprise en voyant Taylor soulever Harper dans ses bras, sous les applaudissements et les cris de joie de ses sœurs tandis que Nate sautillait sur place d'excitation.

– Tiens, tiens, tiens, dit-elle en souriant.

Les choses devaient progresser entre ces deux-là.

Elle entendit ensuite les filles compter jusqu'à trois, vit Harper remuer les jambes dans les bras de Taylor, son visage se nicher contre son épaule tandis qu'elle s'agrippait à lui et qu'il sautait dans la crique. Mamaw éclata de rire et battit des mains. Mais voilà maintenant que Nate aussi plongeait ! C'était la première fois qu'il nageait dans la crique depuis l'accident de Delphine. Dora, quant à elle, dévala alors le quai et le suivit en plongeant dans l'eau comme un boulet de canon, tandis que Carson, qui avait quitté sa planche pour plonger, émergeait à côté de Nate. Tout le monde riait et s'éclaboussait.

Mamaw rit de nouveau et porta ses mains jointes à son cœur, envahie de joie.

— Lucille, nous avons réussi, déclara-t-elle en prononçant une prière en direction des cieux. Il y a de nouveau des rires à Sea Breeze.

Elle se détourna alors de la fenêtre avec l'impression qu'un lourd poids lui avait été retiré des épaules. Elle regarda tous les changements qui avaient été effectués dans la cuisine, et elle sut ce qu'elle devait faire.

Sans aucune hésitation, elle se dirigea directement vers le cottage de Lucille.

— Fini de reporter à demain. Il est temps de recommencer à zéro.

~

Plus tard cet après-midi-là, Dora, Carson et Harper, à la demande de Mamaw, se réunirent dans le cottage équipées de seaux, de produits nettoyants, de serpillières, de boîtes et de sacs à ordures. Mamaw avait donné aux jeunes femmes l'instruction de nettoyer et d'organiser le cottage de Lucille de la cave au grenier, encore que, de manière typique pour Mamaw, elle s'était vite excusée de tout ce travail sous prétexte qu'elle avait besoin de faire la sieste. Par ailleurs, Harper était ravie que Mamaw ait demandé à Taylor de revenir dans quelques jours pour repeindre aussi la maison de Lucille.

Aucune d'entre elles ne s'était attendue à ce que l'organisation du contenu du cottage de Lucille soit une si grande source d'émotions. De plus, manipuler ses effets personnels évoquait bien des souvenirs. Des flacons de médicament étaient placés dans une boîte qui serait apportée à la pharmacie pour être traités, car Blake avait expliqué à Carson que le fait de jeter les médicaments inutilisés dans les toilettes était nocif pour l'eau de la région. En effet, ceux-ci n'étaient pas complètement filtrés par l'usine de traitement des eaux et finissaient par être rejetés dans les eaux de la région et par être consommés par la faune aquatique. Cette forme de pollution était d'ailleurs l'une des raisons pour lesquelles les dauphins sauvages tombaient malades.

Elles empaquetèrent ensuite les effets personnels de Lucille, retirèrent les rideaux, roulèrent les tapis. Elles s'attaquèrent ensuite à ce qu'elle avait eu de plus intime : ses vêtements.

Carson ouvrit la porte du placard et sentit ses genoux flageoler à l'odeur familière qui persistait sur les vêtements et en voyant la série de robes chemisiers de toutes les couleurs. Elle en prit une, d'un bleu clair, et la porta à son visage.

– Elle sent toujours Lucille, affirma-t-elle, la voix étouffée par le tissu.

– La vanille, précisa Dora.

– Quand je pense à Lucille, je la vois toujours dans une de ces robes, ajouta Harper, même quand j'étais petite, elles avaient toujours le même style.

– C'était son uniforme, souligna Dora.

– Ne l'appelle pas un uniforme, la prévint Carson, Mamaw n'a jamais aimé ce terme. Elle ne voulait pas que Lucille ait l'impression de devoir en porter un. Mais vous savez comment Lucile était. Elle a choisi ces robes chemisiers parce qu'elles lui plaisaient et elle les portait tous les jours. Voilà qui va être plus difficile que ce à quoi je m'attendais, poursuivit-elle en déposant délicatement la robe sur le lit, et sa voix se brisa. C'est que je suis émotive, ces temps-ci.

Elles empaquetèrent néanmoins les robes, les chaussures et les manteaux de toutes les couleurs avec soin dans des boîtes pour les donner à des organismes caritatifs. Sur l'étagère supérieure du placard, alignés avec soin, se trouvait une série de cartons à chapeau contenant chacun un chapeau magnifique, tous plus extravagants les uns que les autres.

– Oh, mon Dieu, voilà qui évoque bien des souvenirs, s'exclama Dora.

Elle prit un chapeau de paille à large bord à la garniture couleur corail et orné d'énormes fleurs. Se précipitant jusqu'au miroir, elle le plaça sur sa tête.

– De quoi ai-je l'air ?

Carson lui arracha le chapeau.

– Nous devrions nous montrer respectueuses. Lucille était tellement fière de ses chapeaux. Elle les portait chaque dimanche pour aller à l'église.

– Je ne me moque pas de Lucille. Elle, ça lui allait. C'est de ce dont *moi* j'ai l'air avec ce chapeau que je me moque.

– Tu aurais l'air drôle avec n'importe lequel. Tu n'as pas une tête à chapeau.

– C'est quoi, une tête à chapeau ? Je te ferai savoir que j'adore les chapeaux et que toute femme est belle avec un chapeau s'il s'agit du bon chapeau.

– Je ne t'ai jamais vue en porter, rétorqua Carson en s'esclaffant, exaspérée.

– J'en porte tout le temps.

Harper, ne tenant aucun compte de ces hâbleries, ouvrit un autre carton et en écarta délicatement le papier de soie. Lentement, avec révérence, elle sortit le magnifique chapeau, violet royal au large bord tombant et avec une profusion de rubans et de plumes.

Harper se souvint alors d'un dimanche en particulier où, alors qu'elle n'avait pas plus de 10 ans, elle avait vu Lucille sortir de son cottage vêtue d'un manteau violet et de ce chapeau. Bouche bée, elle avait cessé ses activités pour le fixer. En Angleterre, les chapeaux extravagants et les parures de tête fantaisie étaient chose courante ; cependant, Harper n'avait jamais vu un tel chapeau à New York, et certainement pas non plus sur la côte, de sorte qu'elle s'était rendue jusqu'à la véranda du cottage pour mieux l'examiner. Lucille, qui était en train de fermer son sac à main, ayant alors vu la petite fille qui la fixait du regard, avait incliné la tête et regardé l'enfant avec suspicion.

– Que regardes-tu comme ça, petite ?

– Ton chapeau, avait répondu Harper de sa voix calme.

– Eh bien, qu'est-ce qu'il a, mon chapeau ? avait demandé Lucille en y portant la main. Il est de travers ?

– Il est tellement beau, comme une couronne de reine.

Pendant un moment, Lucille s'était alors pavanée en souriant tout en ajustant le chapeau sur sa tête.

– Merci bien, Harper, c'est que je l'aime, ce chapeau. D'ailleurs, le violet est ma couleur préférée.

– Lucille, pourquoi portes-tu toujours des chapeaux si extravagants pour aller à l'église ?

Lucille avait alors étudié le visage de Harper un instant avant de descendre les marches pour se rapprocher d'elle.

– Voilà une question qui exige une réponse appropriée, avait-elle émis avant de lui prendre la joue dans sa main et de la regarder intensément dans les yeux, et Harper pouvait toujours sentir à quel point la peau de Lucille était sèche et comme sa main était forte. Je ne suis pas surprise que cette question vienne de toi. Tu es peut-être toute calme, mais tu ne laisses rien passer, n'est-ce pas, petite ? Eh bien, avait repris Lucille en faisant passer son poids d'une jambe à l'autre, cela remonte à il y a fort longtemps, à l'époque de l'esclavage et plus tard aussi, quand bien des femmes noires travaillaient comme bonnes et domestiques. Nous devions porter des uniformes pendant la semaine, mais le dimanche – et Lucille avait levé le bras avec un geste plein d'emphase –, nous laissions nos uniformes derrière nous et nous montrions notre style personnel avec nos chapeaux.

Elle avait alors ri de ce gloussement qui lui était si unique et qui avait toujours fait rire Harper quand elle l'entendait.

– Peu importe de quoi le chapeau était fait, avait poursuivi Lucille, il était toujours décoré avec fierté de rubans, de plumes et de fleurs. Je suppose que, au fil des ans, les chapeaux qu'on porte à l'église sont devenus plus imposants et plus extravagants, avait-elle reconnu en portant délicatement la main au sien, car nous considérons qu'ils sont notre couronnement.

Harper se souvint encore d'avoir pensé, tout en écoutant Lucille, que jamais elle n'avait tant eu l'air d'une reine que ce jour-là.

Les yeux brillants des larmes qu'elle n'avait pas pleurées, Harper replaça délicatement le chapeau dans son carton.

– J'aimerais garder ce chapeau, affirma-t-elle à ses sœurs. Ça vous irait?

– Mamaw a dit que nous pouvions prendre des souvenirs, répondit Dora. Évidemment, s'il y a quelque chose qui a véritablement de la valeur, comme ses bijoux, nous devrions le donner à Mamaw pour qu'elle décide quoi en faire, clarifia-t-elle avec son autorité typique.

– Non, il n'y a rien d'autre que je veux, juste le chapeau.

– N'oubliez pas qu'elle nous a aussi laissé une peinture chacune, rappela Carson avant de lever la main. Je réclame le Jonathan Green.

Tandis que la journée passait et qu'elles vidaient les armoires, les commodes, les placards et les bibliothèques, chacune des trois femmes trouva quelque petit objet qui évoquait pour elle des souvenirs particuliers. Pour Harper, ce fut le chapeau, pour Dora, une vieille étole en renard avec les yeux et la queue, et qui avait été l'un des biens les plus précieux de Lucille.

Quant à Carson, elle conserva la collection de livres pour enfants Golden que Lucille lui avait lus quand elle était petite et qu'elle habitait avec Mamaw. Elle passa la main sur les titres : *The Poky Little Puppy, The Saggy Baggy Elephant, Hansel et Gretel.*

– Mon préféré, c'était *The Happy Family,* avoua-t-elle à ses sœurs. Je me souviens d'avoir lu et relu ce livre sans arrêt. Vous voyez comme les pages sont usées? Ce que je préférais, c'était les illustrations. Ces dessins du papa, de la maman, du frère et de la sœur, comme je les étudiais de près. Ils faisaient des choses normales, des choses du quotidien tous ensemble… Jardiner, prier, dîner. Je fixais ces images en essayant d'imaginer ce que pouvait être une vie normale. C'est que j'étais loin d'avoir la famille heureuse typique.

– Moi non plus, énonça Harper.

– Non, répliqua Carson en respirant narquoisement du nez tout en levant les yeux au ciel. Tu devais seulement te demander quelle maison tu allais habiter, poursuivit-elle en portant le doigt à son menton et en se le tapotant moqueusement. Voyons, où irons-nous cette semaine ? Dans les Hamptons ? À l'appartement de Central Park ? Ou alors au domaine en Angleterre ?

– Ferme-la, rétorqua vivement Harper, contrariée.

C'était loin d'être la première fois que Carson lui lançait une pique au sujet de la fortune de sa famille, mais alors qu'auparavant elle avait laissé passer ces commentaires sans en tenir compte, il y avait quelque chose qui, au cours des dernières semaines, avait créé en elle du ressentiment envers les critiques de sa sœur aînée : elle en avait assez.

– Tu fais toujours ça.

– Quoi ?

– Mentionner la fortune de ma famille, comme si c'était la seule chose qui importait.

– En tout cas, ce qui est certain, c'est que ça aide. Tu aurais pu être coincée dans mon appartement bon marché dans un mauvais quartier de Los Angeles sans savoir si ton père allait être capable de payer le loyer et si tu allais avoir à déménager de nouveau.

– Je suis désolée que tu aies eu à vivre de telles choses, mais ne crois-tu donc pas qu'avoir été trimballée d'une maison à une autre par une nounou était tout aussi difficile ?

Carson, qui prenait des écharpes dans un placard, ricana.

– Non.

Harper lui arracha alors les écharpes des mains et les lança sur le lit.

– Eh bien, ça l'était ! cria-t-elle, les yeux étincelant de colère.

Surprise par la colère de Harper, Carson resta immobile. Ce n'était tellement pas son genre d'exploser ainsi.

– Ho, on s'arrête, intervint Dora.

– Non ! cracha Harper, les poings fermés en se tournant vers Carson. Pendant tout l'été, tu m'as cherchée à cause de mon argent, toute ma vie même ! Eh bien, réglons ça maintenant. Qu'est-ce que tu as contre moi ?

Carson avait l'air traquée, sinon pleine de remords.

– Je n'ai rien contre toi.

– Oh que si. Ça te dérange que j'aie de l'argent.

– Non, ça ne me dérange pas que tu en aies : ce qui me dérange, c'est de ne pas en avoir du tout !

– Mais pourquoi me blâmes-tu pour ça ?

– Je ne te blâme pas, répondit-elle en se passant la main dans les cheveux.

– Si, tout le temps, même quand nous étions petites et que nous cherchions l'or du pirate, tu me disais que si nous en trouvions, ce serait toi qui garderais tout parce que je n'en avais pas besoin.

– Je te taquinais simplement.

– Ce n'était pas amusant, et ça ne l'est toujours pas.

– Je suppose que j'étais jalouse, reconnut Carson.

– Jalouse de mon argent ?

– Oui ! Jalouse de ton argent, concéda Carson en criant. Tu en as tellement ! J'ai été élevée par un homme qui était incapable de conserver un emploi. Je ne savais jamais d'où le dollar suivant viendrait. D'un mois à l'autre, je ne savais pas si nous n'allions nous retrouver sans électricité.

Cependant, Harper avait dépassé le point où elle pouvait ressentir de la pitié pour la manière dont Carson avait été élevée. Qui pouvait dire que son propre sort avait été plus désirable juste parce que les adultes dans sa vie avaient plus d'argent à gaspiller ?

– D'abord, cet homme dont tu parles, c'était mon père à moi aussi, et je ne l'ai pas connu, et Dora, à peine. J'ai été élevée par une nounou de 62 ans qui pétait excessivement et qui suçait des pastilles à la menthe pour cacher son haleine alcoolisée. Tu veux discuter de déplacements ? Dès l'âge de six ans, j'ai été mise en pension, ou envoyée chez mes grands-parents pour les fêtes de fin d'année et chez Mamaw pour l'été. C'est loin d'être une famille modèle.

– Mais au moins tu avais de l'argent. Il y a une peur qui est liée au fait de ne pas savoir si on a assez à manger que tu n'imagines même pas, et le pire, c'est que quoi que je fasse, je me retrouve toujours au même point. Comment penses-tu que je me suis sentie quand tu as sorti ton chéquier et que tu as payé les rénovations de la cuisine ?

– J'essayais d'aider Mamaw à se sentir mieux !

– Mais tu m'as aussi fait sentir comme de la merde, comme un parasite, ce que je suis d'ailleurs.

– Si tu en es un, dans ce cas, moi aussi, intervint Dora.

– Je ne peux tout simplement pas gagner, répliqua Harper en remuant la tête. J'essaie d'être généreuse, et tu me le remets en pleine face. Tu préférerais peut-être que je n'aide pas Mamaw ? Ou toi ?

Ce dernier argument piqua Carson au vif.

– Non, bien sûr que non, convint-elle d'une voix plus grave. J'apprécie toute l'aide que tu m'as fournie, ça, tu le sais.

– Non, je ne le sais pas, rétorqua Harper, dont la voix se brisa.

Elle sentait ses lèvres trembler et luttait contre la douleur.

– Je voulais t'aider parce que je t'aime.

À ces mots, le visage de Carson se crispa et elle se dirigea vers Harper pour la prendre dans ses bras.

– Je sais, Harpo, je suis désolée. Jamais je n'aurais dû te dire toutes ces choses. Je ne les pensais pas. Je peux être tellement stupide.

– Si, tu les pensais, contra Harper en serrant à son tour sa sœur dans ses bras, mais je suis contente que nous ayons réglé la question. Je voulais seulement que tu comprennes que je n'ai pas mené une vie enchantée, et ce que c'est d'avoir une mère comme la mienne qui m'a toujours fait me sentir mal au sujet de moi-même. Parfois, je souhaiterais ne pas en avoir eu, et qu'elle m'ait simplement donnée à papa, comme ta mère l'a fait. Nous aurions pu être élevées ensemble et au moins, nous aurions été là l'une pour l'autre.

Carson réprima un rire en s'essuyant les yeux.

– Ouais, mais moi, je souhaiterais plutôt que mon père m'ait donnée à ta mère, ç'aurait été plus facile, tu peux me croire. Et ensemble, nous aurions pu nous occuper de Georgiana.

L'idée des deux petites filles en train de saccager l'appartement élégamment meublé de sa mère fit rire Harper.

– Je t'enverrai contre Georgiana n'importe quand.

– Qu'elle s'amène.

Tout en s'essuyant les mains avec une serviette, Dora jeta un coup d'œil autour du cottage.

– Avant que vous commenciez le spectacle de gladiateurs, finissons-en ici. À part le coffre à bijoux, je ne pense pas qu'il y ait quoi que ce soit d'autre à garder, soupira-t-elle. Je pense que nous avons terminé.

Harper regarda à son tour dans le petit cottage prêt à être repeint. Le parquet en pin était couvert de cartons remplis d'objets à donner, les bibliothèques étaient vides, les rideaux, retirés, les tapis, roulés pour être nettoyés ou donnés, et les peintures étaient soigneusement placées contre les murs.

– Il y a toute une vie empaquetée dans ces boîtes, remarqua Dora. Ça semble tellement peu.

– Tu trouves ? Si j'empaquetais tout ce que je possède, je n'aurais même pas la moitié de tout ça.

– Quoi qu'il en soit, voir tous ces cartons me fait prendre conscience du peu d'importance de toutes ces choses, reprit Dora. J'ai éprouvé la même sensation en me promenant dans ma maison de Summerville la dernière fois que j'y suis allée. Tous mes biens étaient empaquetés, mes meubles recouverts de bâches. Vous savez, il y avait une époque où ça m'aurait rendue folle de tout laisser là, où j'aurais été terrifiée qu'on me vole quelque chose, mais quand j'ai vu tout cela la semaine dernière, ça m'a comme rendue malade, je voulais seulement sortir de là. Cette maison et toutes ces choses, c'est un boulet, un champ de bataille pour les avocats. Ils sont en train de tout partager, même mes meubles. Au début, j'étais contrariée, mais maintenant… dit-elle en haussant les épaules. Que Cal les vende. De toute manière, je ne peux pas les emporter au cottage, et je ne veux pas dépenser d'argent pour les entreposer. Tout ça, conclut-elle en étirant les bras, ce ne sont que des objets.

Sur ce, Carson ouvrit la porte du cottage et se rendit lentement sur la véranda.

– Le coucher de soleil va en valoir la peine, annonça-t-elle à ses sœurs, venez me rejoindre.

Harper et Dora la suivirent donc sur la véranda. Carson plaça alors un fauteuil à bascule de manière à faire face au soleil couchant et s'y glissa pendant que Dora prenait le second et que Harper allait chercher une chaise dans la maison puis elles restèrent assises ainsi sur la véranda dans un silence collectif tandis que le ciel, à l'ouest, prenait des tons magenta.

– J'étais en train de penser, finit par dire Harper, que nous avons empaqueté toutes les affaires de Lucille, et elles ne nous manqueront pas. Ce qui va nous manquer, c'est Lucille. Le cottage paraît tellement vide sans elle.

– Ce qui importe, c'est ce dont nous nous souvenons, souligna Carson, nos souvenirs.

Dora sourit alors avec nostalgie et dans ses yeux on vit luire l'étincelle de la réminiscence.

– Quand j'évoquerai Lucille, je ne penserai pas à elle en train de porter sa vieille étole de renard ou un chapeau, mais une robe chemisier, et elle sera devant la cuisinière en train de brandir sa cuillère en bois dans ma direction.

Cette image fit sourire Carson.

– Elle s'est servie de cette cuillère sur mon derrière plus d'une fois, déclara-t-elle, et elles rirent toutes à ce souvenir commun. Moi, quand je pense à elle, je me la rappelle assise sur la véranda en train de jouer aux cartes avec Mamaw.

Harper et Dora murmurèrent avec approbation.

– Je pourrais me donner des coups de pied de n'avoir jamais pensé à prendre une photo de ces deux vieilles poules toutes les deux ensembles, ajouta-t-elle.

– Mais tu l'as, cette image, remarqua Dora en lui tapotant le front, dans ta mémoire, nous l'avons toutes, et c'est ce que nous sommes en train de faire, cet été : nous nous souvenons du passé, mais nous sommes aussi en train de créer de nouveaux souvenirs qui nous garderont proches les unes des autres au cours des années à venir, une fois que Sea Breeze aura été vendue.

Dora tendit alors la main à sa gauche pour prendre celle de Carson et fit de même à sa droite pour Harper.

– Nous ne devons pas de nouveau disparaître de la vie les unes des autres, plus jamais. Nous devons continuer de créer de nouveaux souvenirs ensemble.

CHAPITRE 12

Quand elle était petite, Harper s'était souvent rendue dans le Sud avec Mamaw et ses sœurs, de l'autre côté de Grace Bridge, à Charleston, pour y faire des emplettes ou pour un évènement. Mais c'était seulement la semaine des quatre jeudis, après l'avoir beaucoup suppliée, que Mamaw prenait le chemin du nord vers Myrtle Beach et les manèges des parcs d'attractions populaires, les restaurants et, occasionnellement, un spectacle. Cependant, Harper n'était jamais allée à McClellanville, la légendaire communauté de crevettiers, l'une des rares existant toujours sur la côte sud-est.

Jusqu'à maintenant.

Taylor lui avait rappelé la promesse qu'il lui avait faite de lui montrer un crevettier quand ils avaient fait connaissance.

Harper était maintenant assise dans le camion noir de Taylor en train de regarder par la fenêtre les kilomètres de pins de la magnifique Francis Marion National Forest et le Cape Romain National Wildlife Refuge. C'était véritablement la contrée de Dieu, se dit-elle, en grande partie identique aujourd'hui à ce qu'elle avait été au XVIIIe siècle quand les anciennes plantations de riz fleurissaient. L'histoire respirait le long de la vieille route royale. Dans leurs cabanes en bois au toit incliné qui bordaient les quatre voies, les femmes de la région s'affairaient à remplir les étagères de paniers tissés d'herbes et de joncs cousus à la main.

Puis, elle jeta un regard furtif vers Taylor à côté d'elle, soulagée de trouver son regard fermement rivé sur la route devant eux. Elle adorait son profil puissant, ses sourcils épais, son nez droit et ses lèvres pulpeuses. Machinalement, elle se demanda de quoi il aurait l'air une fois que ses cheveux courts auraient poussé. De son côté, il tapotait le volant au rythme de la musique country que la radio diffusait. Ils n'avaient guère bavardé pendant leur déplacement, tombant souvent dans un silence agréable tandis que Harper admirait le paysage magnifique qui défilait. Elle avait d'ailleurs appris que Taylor était du genre beau grand ténébreux, non pas timide, mais réservé, prudent même, et elle sentait qu'elle avait encore beaucoup à apprendre à son sujet. Encore, pensa-t-elle avec un petit rire d'autodérision, qu'elle-même n'avait jamais été du genre bavarde.

Harper se redressa en remarquant que Taylor mettait son clignotant. La seule chose indiquant la sortie était un feu de circulation clignotant.

– Nous ne sommes plus bien loin maintenant, indiqua-t-il en s'écartant de cette partie de l'autoroute 17 qui paraissait infinie pour se diriger vers l'est et la mer.

Pinckney Street faisait des méandres à travers un épais tunnel de chênes, de pins, de choux palmistes et de buissons épais qui procurait une ombre bienvenue pour se protéger du soleil d'août brûlant. Harper regardait par la fenêtre côté passager cette nature pareille au jardin d'Éden et les rares maisons qu'ils croisaient.

Bien vite, Pinckney Street pénétra au cœur du pittoresque petit village de pêcheurs : quelques pâtés de maisons historiques au charme désuet avec leurs moulures de pain d'épices et les boutiques nichées entre de majestueux chênes. Harper avait l'impression d'avoir voyagé dans le temps. Des enfants jouaient sur les pelouses vertes, des chiens dormaient sur les vérandas, et des adultes parcouraient lentement les étroits trottoirs qui longeaient la rue étroite, elle aussi. Son regard perçant nota les effets de la vie au bord de la mer, évidents dans la peinture qui s'écaillait, le lierre qui poussait sans contrainte sur les maisons de bardeaux, les traces de rouille. Les devantures de magasins vides et les panneaux À VENDRE devant des maisons inhabitées laissaient aussi deviner les temps difficiles qu'avait mentionnés Taylor. Mais tout de même, le village possédait un charme intemporel qui attira la main de Harper jusqu'à la vitre avec un désir sans nom.

Taylor roula à travers le quartier historique avec la lenteur d'un escargot, donnant ainsi à Harper le temps de tout regarder bêtement avec un petit sourire entendu aux lèvres. Finalement, Pinckney Street se termina au niveau des eaux miroitantes de Jeremy Creek. Taylor fit alors demi-tour et remonta Pinckney Street, tourna sur Oak Street, une plus petite rue ombragée qui longeait les eaux et qui était bordée d'un mélange éclectique de maisons victoriennes à deux étages imposantes et de cottages historiques plus modestes. À la fin de cette artère sinueuse, Harper aperçut l'extrémité des crevettiers.

Taylor arrêta le camion sur le quai. Des herbes des marais d'un vert clair s'étiraient de la rive jusqu'à la mer, leur extrémité se balançant quand soufflait une brise. Traversant tout cela, une ligne de pilotis irrégulière pareille à une barrière longeait la longue étendue des quais éclaboussés par la fiente des mouettes. Deux pélicans perchés là scrutaient les eaux à la recherche de leur prochain repas. Les bateaux étaient regroupés le long du quai comme des oiseaux du littoral sur une étroite bande de plage. L'extrémité des mâts arborait des drapeaux colorés et sous eux, les grands filets verts qui fournissaient aux pêcheurs leur moyen de subsistance étaient suspendus. Le bruit des mouettes en train de crier perçait les airs tandis qu'elles volaient en boucle et sous elles, Harper entendait les craquements et les gémissements du vieux bois et le doux clapotis de l'eau.

D'où elle se trouvait, il semblait que l'industrie de la pêche à la crevette se portait bien. En effet, elle compta une douzaine de chalutiers longeant le quai principal, cinq amarrés au second, tous se balançant doucement contre la vieille jetée grinçante. Elle s'aperçut alors qu'il ne s'agissait pas de bateaux en fonction, car un certain nombre d'entre eux affichaient un panneau À VENDRE.

– Le voilà, indiqua Taylor avec fierté tout en pointa le dernier bateau dans la ligne de chalutiers.

Le *Miss Jenny* était l'un des plus gros d'entre eux, 18 m de blanc avec une bordure vert foncé. *Ce bateau est loin d'être neuf,* se dit Harper en remarquant la peinture qui s'écaillait, les bandes de rouille qui formaient une croûte sur l'équipement, et pourtant, il était majestueux. Tout en regardant Taylor contempler le chalutier, elle vit son amour pour le vieux bateau briller dans ses yeux verts comme la mer.

– Le *Miss Jenny* est peut-être bien un vieux tas de ferraille, mais il nous appartient. Il y a un truc pour embarquer. Je vais grimper et t'aider.

Elle regarda, impressionnée, Taylor escalader avec adresse l'imposante muraille du bateau jusqu'à ce qu'il se retourne et lui tende le bras.

– Je ne sais pas…

– Quoi ? Tu as peur que je te lâche ? ricana-t-il. J'ai soulevé des glacières qui pesaient plus que toi par-dessus cette muraille.

Harper poussa un soupir puis lui prit la main tout en essayant de demeurer aussi élégante que possible pendant qu'elle était tirée le long du bateau, mais au niveau du garde-fou, elle se retrouva sur le ventre, une jambe dans le vide. *Aussi élégante qu'un hippopotame,* se dit-elle alors en se redressant sur le pont. Puis, une fois qu'elle fut de nouveau sur ses deux pieds, Taylor sauta par-dessus le garde-fou avec l'adresse de celui qui en a l'habitude.

— Tu bondis comme Johnny Depp, le taquina-t-elle.

Cette remarque le fit rire bruyamment.

— Es-tu en train de me traiter de pirate ?

— Tu serais un beau pirate.

Taylor la regarda avec méfiance par-dessus son épaule tout en hissant les fournitures comme si elles ne pesaient rien dans les bras de Harper qui les attendaient. Une fois qu'il eut terminé, il souleva la glacière et grimpa de nouveau dans le bateau.

— Tu sais, nous, les Muir, nous sommes attirées par les pirates, nous ne pouvons nous en empêcher, nous avons ça dans le sang.

Les yeux de Taylor brillèrent d'humour.

— Tu sais ce que disent les pirates au sujet des dames, n'est-ce pas ?

Elle fit non de la tête.

— Mort aux dames ! s'écria Taylor en brandissant le poing.

Harper éclata de rire, ravie qu'il se soit souvenu de ce qu'elle lui avait raconté au sujet du cri de ralliement de son enfance.

— Tu embrasses déjà comme un pirate.

Il plissa alors les yeux, prenant goût à ce jeu.

— Et comment ça embrasse, un pirate, exactement ?

Harper se dit alors que c'était leur première plaisanterie intime.

— Il attaque et il pare.

Taylor lui donna alors un baiser rapide et intense, prouvant ainsi ce qu'elle affirmait, avant de la laisser aller aussi rapidement.

— Maintenant, ma coquine, pousse-toi. Le moment est venu de partir en mer avec cette vieille truie.

Harper demeura le long du garde-fou pour ne pas le gêner et le regarda tandis qu'il se déplaçait avec adresse du pont jusqu'au poste de pilotage avant de retourner sur le côté du bateau pour larguer les amarres. Il lui était impossible de ne pas remarquer la manière qu'avaient ses muscles de se contracter au travail et les gouttes de sueur qui perlaient sur son front.

Taylor fit ensuite démarrer le moteur diesel et le bruit rugissant emplit l'air, accompagné du cri des mouettes et de la puanteur du carburant. Il se dépêcha de se rendre de nouveau jusqu'au poste de pilotage, saisit la barre et se mit à parler à la radio maritime puis, lentement, sous sa direction, le *Miss Jenny* s'éloigna du quai.

Elle se dit alors qu'il était tellement beau ainsi, debout, les jambes écartées, à la barre, le regard rivé sur l'eau, un homme né pour commander un bateau, et se rappelant son ancêtre, elle pensa : *Je sais ce que Claire a ressenti quand elle a fait la connaissance du gentilhomme pirate.*

Sous eux, le puissant moteur rugissait et tandis qu'ils s'éloignaient du quai, quelques mouettes crièrent et plongèrent dans le ciel de fin d'après-midi. Quand ils dépassèrent la longue ligne de maisons qui longeaient Jeremy Creek, Taylor lui passa le bras autour de l'épaule et ils restèrent ainsi, côte à côte, le visage face à la mer, tandis qu'il pilotait le bateau à travers le ruban d'eau vive bordé par un labyrinthe de marécage d'un vert clair sans fin. Harper pensa alors qu'elle se souviendrait de cet instant, elle à la barre d'un crevettier avec le bras de Taylor autour de son épaule, aussi longtemps qu'elle vivrait, qu'elle le raconterait à ses petits-enfants, puis elle sourit. Non, se corrigea-t-elle, elle écrirait à son propos, elle en rendrait compte sur le papier pour le lire et le relire. Elle sentit alors les mots bouillonner dans son cœur.

Quand enfin la vue s'ouvrit sur l'océan Atlantique, Taylor la libéra et posa une main sur la commande des gaz du moteur.

— Accroche-toi, ma fille.

Le moteur se mit à rugir et le bateau à vibrer sous ses pieds, l'eau à bouillonner en crête, et Harper éclata d'un rire de joie pure en sentant la puissance du moteur traverser son corps tandis qu'elle retournait à toute vitesse sur le pont s'accrocher au garde-fou. Le vent passait au-dessus d'elle en lui soulevant les cheveux des épaules, éclaboussant son visage de gouttes d'eau. Le gros chalutier passait avec puissance à travers l'eau agitée et, au-dessus d'elle, les filets suspendus aux portants craquaient aussi bruyamment que les mouettes dans les airs. Au bout d'un moment, Taylor l'appela et en tournant la tête vers lui, elle le vit pointer du doigt en direction des eaux juste à côté du bateau, de sorte qu'elle regarda l'endroit indiqué.

– Oh, regarde ! s'exclama-t-elle en riant de nouveau.

Un dauphin faisait la course aux côtés du bateau en nageant dans son sillage. Son corps lisse et gris pénétrait et sortait des crêtes avec un plaisir évident. Harper eut alors un coup au cœur ; elle pensa à Delphine et se demanda si ce doux dauphin qu'elle avait appris à aimer se plairait de nouveau un jour dans la nature sauvage.

Tout en s'accrochant au garde-fou, elle regarda le dauphin jusqu'à ce qu'il s'éloigne et disparaisse. Bien vite ensuite, Taylor diminua la vitesse afin de laisser le bateau se déplacer lentement pour ensuite venir à côté d'elle.

– Alors, tu aimes ?

– J'adore, admit-elle en levant le visage vers lui.

– Je me disais que ça pourrait être le cas, et j'espérais que ce le serait.

– Je dois reconnaître que je ne me doutais pas du tout que c'était si beau. La côte montre ses plus beaux atours depuis l'océan.

– C'est ainsi que les gens ont vu cette terre pour la première fois. Plus loin, là-bas, dit-il en pointant du doigt vers l'intérieur des terres, se trouve le grand Santee River, le lieu de naissance des plantations.

– On fait toujours pousser du coton là-bas?

Taylor éclata de rire.

– Mais pourquoi les gens pensent-ils donc que la seule culture qu'il y avait dans les plantations du Sud, c'était le coton?

– Parce qu'on a tous vu *Autant en emporte le vent.*

– En fait, c'est sur le riz que reposait l'économie des plantations dans la région. On l'appelait de l'or jaune. Ça, et le savoir-faire et la force des esclaves. Notre paysage marécageux et semi-tropical était parfait pour le riz. De plus, non seulement les esclaves provenant de Sierra Leone savaient-ils cultiver le riz, mais ils ont apporté leur culture.

– La culture Gullah-Geechee.

– En effet. De sorte qu'une grande partie de ce qu'on considère aujourd'hui comme faisant partie de la culture de la côte puise en fait ses racines chez les Gullah, expliqua-t-il avant de pointer du doigt les marécages qui longeaient la terre. À une certaine époque, plus de 150 000 acres servaient à la culture du riz. Imagine.

Tandis qu'elle regardait en direction des marécages, Harper essaya d'imaginer à quel point la vie que les esclaves avaient endurée dans ces marais devait avoir été dure, à lutter contre les serpents, les alligators, les maladies, le tout en travaillant sous le soleil brûlant et dans cette humidité. Elle pensa, aussi, aux menottes qu'elle avait trouvées dans le jardin.

– J'en suis incapable, répondit-elle avant de se tourner vers lui. Tes ancêtres cultivaient-ils du riz?

– Nous n'étions pas des planteurs, déclara-t-il en faisant non de la tête. Quand les McClellan regardent en direction des marécages, ils ne voient pas du riz, poursuivit-il avant de sourire ironiquement. Ils voient des crevettes.

– Les crevettes ne vivent-elles donc pas dans les profondeurs? le taquina-t-elle.

— Si, affirma-t-il avec équanimité, mais dans les estuaires — et il y eut une lueur dans ses yeux —, ma fille, là, c'est notre pépinière pour les crevettes. C'est là que la pêche grandit.

— Toi, Taylor McClellan, tu es le fils du fils d'un marin.

À ces mots, il rit, et ses yeux révélèrent qu'il était heureux qu'elle connaisse les paroles d'un des plus grands succès de Jimmy Buffet[5].

— Je suis le fils d'un *crevettier*, la corrigea-t-il cependant. Mais en parlant de crevettes, j'espère que tu as faim.

— Je suis affamée.

— Parfait. J'ai emporté beaucoup de nourriture.

— Emporté ? Nous n'allons pas pêcher nos propres crevettes ? Nous sommes sur un crevettier !

Il la regarda alors d'un air douteux.

— As-tu la moindre idée du travail que c'est de pêcher la crevette au chalut ? Il faut du muscle, de l'expérience et beaucoup de patience. Tu aurais les mains en sang et tu sentirais le hangar de préparation du poisson. Nous aurions pu faire ça, mais je n'ai pas cru que ça donnerait une soirée bien romantique.

— Au moins, fais-moi visiter le bateau.

— Bon, d'accord, mais pour commencer, ça s'appelle un chalutier.

Il lui fit visiter le chalutier, lui expliqua comment on abaissait les filets sur les portants de chaque côté du bateau à la manière des ailes d'un papillon. Il lui montra comment faire un nœud avec la grosse corde qui gardait les filets fermés, même pleins de centaines de kilos de crevettes, comment ces mêmes filets ratissaient le fond de l'océan, chatouillant les crevettes pour qu'elles y entrent.

— Je ne peux pas t'expliquer ce que c'est de tirer les filets de la mer avec toute l'eau qui en dégouline, de les laisser

5. N.d.T.: La chanson anglaise s'intitule *Son of a Son of a Sailor*.

suspendus au-dessus du pont avant de dénouer ce nœud et de voir l'explosion de crevettes. Mais si tu veux, un jour, je te le montrerai, quand tu seras habillée de manière appropriée.

— Tu me le promets ?

Il se pencha alors pour lui embrasser le nez et ses yeux étaient plissés de plaisir.

— Oui.

— Je vais te le rappeler.

— J'y compte bien, admit-il en souriant toujours davantage, puis il la laissa aller et se rendit au poste de pilotage, d'où il revint avec une table pliante. Ce soir, nous devrons nous contenter de crevettes de la région qui ont déjà été pêchées, dont on a retiré la tête, qui sont décortiquées et déjà cuites.

— Je te ferai savoir que je sais les décortiquer, annonça-t-elle comme pour se défendre. Lucille me l'a montré quand j'étais petite. Elle nous les faisait toujours décortiquer avec ces espèces de couteaux en plastique rouge. Je suis plutôt rapide. Cependant, je ne leur ai jamais retiré la tête.

— C'est facile, indiqua Taylor en lui faisant une espèce de chiquenaude. On les tourne tout simplement, comme ça.

— Cette partie, je passerai, merci bien, énonça Harper en faisant la grimace.

— Novice.

— Non, têtue, le corrigea-t-elle.

Tout ce badinage la fit sourire tandis qu'elle prenait la nappe en vichy bleu et la plaçait sur la table.

— Tu ne peux pas t'imaginer comme c'est rare, là d'où je viens, de seulement savoir d'où proviennent les crevettes et encore plus de les décortiquer. On les achète toutes nettoyées et emballées dans du papier à l'épicerie ou à la poissonnerie.

— Ce sont probablement des crevettes importées, lança-t-il d'un air renfrogné.

— Probablement en effet, confirma-t-elle en plaçant les serviettes et les couverts. Mais je connais la différence. Quel est le dicton ? Des amis ne laissent pas leurs amis manger des crevettes importées ?

Impressionné qu'elle connaisse ce slogan, il sourit avec approbation.

— En effet.

Ensuite, Harper disposa d'épais morceaux de fromage tandis que Taylor débouchait une bouteille de vin blanc frappé. Le coucher du soleil apporta un changement de température qui chassa la chaleur de la journée et une brise soudaine souleva la nappe. Harper bondit pour saisir les lourds gobelets en plastique, les attrapant juste avant qu'ils soient emportés par-dessus bord, ce qui les fit rire quand Taylor versa le vin. Bien vite, tout fut prêt et ils prirent tous deux place à la table de fortune l'un en face de l'autre. L'air était frais et venteux, la mer, calme, et le soleil se couchait dans le ciel assombri.

Se laissant glisser sur sa chaise, Harper se plaça de manière à pouvoir regarder le visage de Taylor en même temps que le magnifique coucher de soleil derrière lui. Cette nuit devenait aussi follement exotique qu'une strelitzia. Le ciel se teinta de vives nuances d'orange, de magenta, de violet et de doré tandis que le soleil se couchait lentement. De douces brises soufflaient délicatement contre ses bras et ses jambes nues. Puis, sentant la fraîcheur du vin blanc sur ses lèvres, Harper se dit : *C'est le paradis.*

Tandis qu'ils festoyaient d'un butin de crevettes et de crabe de la région, de cœurs d'artichaut assaisonnés, de tomates anciennes avec du basilic, de pain français croustillant et de fromage, la saveur du sel se maintenait dans le ciel. Puis, Taylor alluma les lampes tempête qui vacillèrent dans la pénombre comme de précoces étoiles. Harper fit tourner le vin dans son verre en se rappelant les nombreuses fois où elle était allée sur de luxueux yachts dans sa jeune vie, ou partie en croisière autour du monde en compagnie de sa mère, avec des repas gastronomiques et des vins de prix servis sans compter. Et pourtant, assise ici sur le pont du *Miss Jenny* avec personne d'autre à bord que Taylor et elle, avec les grands filets qui se balançaient au rythme des mouvements du bateau et le soleil vibrant qui se couchait avec une majesté incomparable sur un horizon infini où la mer rencontrait le ciel, elle ne pouvait se rappeler avoir jamais vécu une soirée plus parfaite sur les eaux.

Elle jeta un coup d'œil à Taylor et vit que lui aussi regardait le ciel. Au crépuscule, sa silhouette, à contre-jour du ciel magenta, était gravée dans son esprit, dans sa mémoire.

– Il s'agit, dit-elle doucement, du dîner le plus romantique que j'aie connu.

– C'est une bonne nouvelle, répondit Taylor en saisissant la bouteille. Un peu de vin ?

– Avec plaisir.

Il remplit son verre, posa la bouteille et en prit une d'eau dans la glacière pour lui-même.

– Tu ne bois plus ?

– Je conduis, répliqua-t-il en faisant un signe de tête en direction du poste de pilotage.

– Ah, oui, bien sûr.

– Mais en général, je ne bois plus beaucoup. Bien sûr, je prends un verre de temps à autre, mais pas beaucoup. Maintenant, c'est-à-dire.

– Tu buvais beaucoup ?

– Oh oui.

– Qu'est-ce qui a changé ?

Taylor s'arrêta pour réfléchir.

– Le trouble de stress post-traumatique et l'alcool ne font pas bon ménage.

À la lumière vacillante des chandelles, elle pouvait voir son visage pénétrer dans de sombres pensées et elle le sentit se refermer.

— La nature guérit bien des maux. Je suis sûre que tout ça — et elle fit un mouvement du bras pour indiquer la vue —, ça doit être un baume sur tes blessures.

Taylor regarda alors la vue et au point où elle en était, elle le connaissait assez bien pour savoir qu'il était en train de réfléchir à quelque chose. Elle lui laissa donc tout le temps nécessaire pour le faire, demeurant silencieuse en regardant la mer jusqu'à ce qu'il prenne la parole.

— Quand je reviens chez moi, cet endroit et toute son histoire m'avalent. Cette géographie vit dans mon âme. Mes ancêtres sont venus ici par la mer, la survie de ma famille dépendait de la générosité de l'océan, des marécages et de ces criques tortueuses. Notre histoire, nos mythes, notre cuisine, notre culture… s'interrompit-il un moment avant de reprendre : Tout cela vient d'ici. Je ne sais pas si c'est à cause de notre histoire que nous avons cette relation amoureuse avec la terre et la mer qui nous entoure ou si cela fait simplement partie de notre ADN. D'une manière ou d'une autre, cette eau, c'est notre lait maternel. Notre histoire mêle notre sang à de l'eau salée. C'est ce qui fait que nous sommes qui nous sommes, mais ça nous lie aussi. Je ressens une responsabilité non seulement envers ma famille, mais aussi envers ce bateau, ces eaux. Cet *endroit*. Je ne sais si on peut vivre séparément.

— C'est une mauvaise chose ?

— Non. Si, lâcha-t-il en remuant la tête. C'est difficile de rester et impossible de partir.

Tandis que Harper écoutait le ton émouvant de sa voix en regardant ses yeux du même gris-vert que la mer qu'elle aimait tant, elle se sentit subjuguée.

— Je comprends ton amour de l'histoire et le fait que tu te sentes lié à elle. J'ai grandi dans l'histoire illustre de la famille James, en Angleterre, je peux nommer chacun d'une dizaine d'ancêtres au visage rigide dont les portraits s'alignent dans les couloirs de Greenfields Park.

— Tu dois éprouver un puissant sentiment d'appartenance.

— D'obligation, plutôt.

— Ce n'est pas la même chose, n'est-ce pas ?

Harper fit non de la tête.

— Tu sais ce que je pense ?

Taylor secoua la tête.

— Je pense que tu as du mal à quitter cet endroit parce que, dans ton cœur, tu sais qu'*ici*, c'est chez toi.

Taylor ne répondit pas, mais ses yeux verts vacillèrent.

— J'ai tellement envie d'un endroit qui soit chez moi. En grandissant, je passais de maison en maison, mais sans jamais avoir l'impression que j'appartenais à l'une d'elles. Je me sentais toujours comme une invitée, partagea-t-elle en frissonnant. Je ne me souviens pas d'une fois où ma mère m'a serrée dans ses bras quand je rentrais à la maison de l'école, ou m'a rassurée dans mon lit quand je pleurais.

Taylor tendit alors le bras pour placer sa main sur la sienne qui était sur la table.

— Tu dois me trouver terriblement gâtée, d'avoir habité dans tant de maisons et de toujours chercher un foyer.

— Pas du tout. Ce n'est pas la maison qui fait le foyer, ce sont les gens.

— Oui, acquiesça-t-elle en reprenant du courage parce qu'il comprenait, exactement. J'avais ce grand trou, ce trou béant dans la poitrine, et même si j'adorais la côte, c'était Mamaw et mes sœurs qui me remplissaient d'un sentiment d'appartenance, poursuivit-elle avant de sourire. Pour être juste, j'ai toujours eu l'impression d'être aimée par grand-mère James à Greenfields Park aussi. Mes grands-mères ont été les lumières qui ont guidé ma vie. Je suis chanceuse de les avoir, remarqua-t-elle avant de sourire timidement : et maintenant, de t'avoir, toi.

Taylor se déplaça pour lui passer le bras autour de la taille tandis que de l'autre, il prit le verre de vin et en vida le contenu avant de le poser sur la table.

Harper le regarda dans les yeux et vit dans son regard résolu que l'accès de sentiments qu'elle éprouvait, cette attirance indéniable, cette connexion spontanée inexplicable, Taylor les éprouvait, lui aussi.

Soudainement, il desserra son étreinte et, quittant la table, traversa le pont pour se rendre au poste de pilotage.

Harper resta immobile sur sa chaise en le regardant, la brise du soir refroidissant sa peau enfiévrée. Elle cligna des yeux de confusion. Que s'était-il donc passé pour qu'il s'en aille ainsi ? se demanda-t-elle, hébétée. Qu'avait-elle donc dit ? Avait-elle été trop personnelle, avait-elle trop pris les devants, était-elle allée trop vite ?

Un instant plus tard cependant, Taylor ressortit du poste de pilotage en transportant une grande couverture. Il s'arrêta dans un espace ouvert sur le pont pour l'ouvrir en la secouant, produisant dans l'air le même bruit de froissement qu'un drapeau, puis il la déploya sur le pont avant de rejoindre immédiatement Harper et de s'arrêter en face d'elle. Son expression était pleine de tendresse, remplie d'amour, et il lui tendit la main.

Harper plaça donc sa petite main dans la sienne et immédiatement ses longs doigts se fermèrent sur elle. Il l'attira vigoureusement et elle se retrouva dans ses bras, les seins plaqués contre sa poitrine. Elle sentit l'odeur de la mer et de la peau de Taylor, une douceur aux notes profondes et fortes. Ils se rapprochèrent alors davantage l'un de l'autre, leur désir augmentant. Elle s'appuya contre lui et, tout en inclinant la tête, elle sentit la bouche de Taylor sur la sienne, sa langue humide et son désir en train de croître. Les mains de Taylor parcoururent tout son corps, son dos, ses seins et elle poussa un gémissement venu des profondeurs de sa gorge avant de se presser contre lui et de l'entourer de sa jambe.

Il lui prit alors la tête dans sa main et elle sentit leurs haleines se mêler tandis qu'il s'éloignait d'elle. Avec douceur, il lui embrassa le front, les yeux, les joues tandis que le ciel cédait sa place à la nuit. Cette fois, quand il desserra son étreinte, il lui prit la main pour la porter à ses lèvres : une invitation brillait dans ses yeux au-dessus de son poing. En le regardant dans les yeux, elle sut ce qu'il lui demandait.

Ce soir-là, il n'y avait pas de décision à prendre. Cette décision, Harper l'avait prise des semaines auparavant quand elle avait ouvert la porte d'entrée de Sea Breeze et, pour la première fois, vu le visage de Taylor. Elle n'allait pas douter, remettre en question sa décision ou penser aux conséquences. Ce soir, elle abandonnerait ce qu'il y avait de rationnel chez elle pour se laisser aller à cet instant. À *Taylor*. Jamais auparavant n'avait-elle éprouvé une telle connexion avec quelqu'un et elle ne la laisserait pas passer sans la vivre jusqu'au bout.

Le regard de Harper s'alluma et lui prenant la main, elle embrassa chacun de ses doigts.

Il la conduisit alors au centre du pont où, ensemble, ils glissèrent sur la couverture. Tandis qu'ils se déshabillaient, la lumière argentée des étoiles donnait à leur peau nue une lueur surnaturelle. Il embrassa alors chaque millimètre de son corps et quand elle ferma les yeux, elle entendit le clapotis de la mer contre le bateau.

Quand enfin il fut en elle, les hanches de Harper s'ouvrirent sous lui contre le pont qui tanguait doucement. Elle s'accrocha fermement à son dos tout en nichant son visage contre son cou humide. Elle releva la tête et poussa un long gémissement dans l'immensité de la mer et du ciel.

Plus tard, quand ils furent allongés dans les bras l'un de l'autre, elle regarda par-delà la mer sombre et vit se lever la pleine lune. Elle les inondait de sa lueur dorée.

CHAPITRE 13

Tôt le matin suivant, Carson se réveilla avec une douleur sourde et palpitante dans l'abdomen. S'éveillant davantage, elle abandonna sa position de côté pour se coucher complètement sur le dos. Les maux de dos étaient communs pendant une grossesse et elle se caressa délicatement le ventre en souhaitant que ces crampes cessent.

Cependant, la douleur persistante l'empêcha de se rendormir, de sorte qu'avec réticence, elle repoussa le couvre-lit et traversa le couloir silencieux jusqu'à la cuisine. Elle avait lu quelque part que le lait chaud aidait à dormir, et ça ne pouvait qu'être bon pour le bébé. Elle en versa donc dans une tasse qu'elle plaça dans le micro-ondes en prenant bien soin de ne pas rester devant avant de le mettre en marche, ce qu'un des articles qu'elle avait lus conseillait de faire. Elle avait lu énormément de livres, d'articles et de billets en ligne au sujet de la grossesse ces derniers temps, car si elle devait avoir cet enfant, elle allait s'y prendre correctement.

Tandis qu'elle s'appuyait contre le comptoir tout en regardant le compte à rebours de la minuterie, la sourde sensation se transforma soudain en une douleur vive qui la fit se plier en deux, et elle laissa échapper un petit cri.

Ça ne peut pas être bon, pensa-t-elle, prise de panique, ça ne peut pas être normal. Et, en effet, après un nouvel élancement violent, elle sentit du sang couler entre ses jambes.

— Non, non, non, gémit-elle en se précipitant aux toilettes, accroupie comme une tortue en sentant tous ses espoirs disparaître avec ce sang qui lui coulait le long des jambes.

~

Les hôpitaux n'étaient pas étrangers à Mamaw et tout en attendant, assise à côté d'une fenêtre, elle s'occupait l'esprit et les mains à une tapisserie sur canevas. Il y avait Harper en face d'elle, assise sur une chaise en métal inconfortable. Comme il avait fallu que Dora reste avec Nate, Mamaw avait conduit une Carson frénétique et en pleurs à l'hôpital. Les urgences étaient bondées : plus d'une douzaine de personnes affichant toutes la même expression inquiète attendaient les informations d'un médecin au sujet d'un proche.

Heureusement, Mamaw et Harper n'eurent pas à attendre longtemps. Une docteure de petite stature en blouse de travail et aux cheveux bruns en queue de cheval passa les doubles portes.

— Madame Muir ?

— C'est moi ! annonça Mamaw en se levant pour accueillir le médecin tandis que Harper se rapprochait pour entendre son rapport.

— Je suis la docteure Carr. Malheureusement, Carson a fait une fausse couche, mais elle va aussi bien que possible.

— Pouvons-nous la voir ? s'enquit Mamaw.

— Pas encore, elle est en train de passer une révision utérine. Avec un peu de repos, elle devrait se remettre complètement. Je suis vraiment désolée pour le bébé.

Une fois que la docteure fut partie, Mamaw se rendit à la fenêtre pour regarder le paysage urbain de Charleston. Elle avait passé chacune de ses 80 années ici, et tant de belles journées, mais aussi, tant de mauvaises. Elle repensa alors aux multiples fausses couches qu'elle avait faites, au sang se mettant à couler de manière si effrayante, au sentiment si envahissant de perte, d'échec et de futilité. Pauvre Carson, pensa-t-elle en ayant mal au cœur. Il avait été si difficile pour sa petite-fille de s'engager. Quelques semaines auparavant, elle aurait pu voir cette fausse couche comme un soulagement, mais maintenant, la perte de son bébé serait dévastatrice.

Cependant, Mamaw savait que le temps la guérirait, comme elle savait qu'il n'y avait rien qu'elle puisse faire maintenant pour diminuer la souffrance de sa petite-fille sauf être là pour elle et lui tenir la main. Elle attendrait donc jusqu'à ce qu'elle puisse la voir, et elle resterait à ses côtés.

~

Elle avait perdu son bébé.

Carson, étendue sur le dos, regardait par la fenêtre de sa chambre d'hôpital aseptisée, sans être vraiment capable d'accepter la réalité, alors qu'elle venait à peine de s'habituer à l'idée d'être mère, de se fier à son instinct et de laisser la nature suivre son cours. Était-ce donc là la nature en train de suivre son cours, ou était-elle le dindon de la farce de quelque plaisanterie cosmique ?

Plaçant ses mains sur son abdomen, elle laissa ses doigts lui tapoter doucement le ventre. Hier encore seulement, il y avait un bébé en elle, mais maintenant, elle ressentait un grand vide, une grande tristesse. Elle frissonna dans sa légère tenue d'hôpital et tendit le bras pour attraper la couverture que, plus tôt, elle avait repoussée d'un coup de pied. Cependant, en se pliant, elle ressentit une vive douleur dans l'abdomen qui la fit haleter avec effort.

Une infirmière qui passait aperçut ses mouvements et se dépêcha de venir la trouver.

– Laissez-moi vous aider, offrit-elle en replaçant Carson de nouveau contre son oreiller. Il est encore trop tôt pour les redressements assis, plaisanta-t-elle.

– J'essaie seulement d'atteindre la couverture.

L'infirmière la couvrit donc avant de rapidement ajouter une nouvelle poche de liquide pour la perfusion intraveineuse.

– Vous êtes déshydratée. Vous devez conserver vos liquides.

La remarque fit presque sourire Carson, qui se souvint de Mamaw, qui rappelait constamment aux filles qu'elles devaient toujours rester hydratées et utiliser une lotion hydratante.

– Vous sentez-vous capable de recevoir un visiteur ?

– Qui ?

– Un jeune homme. Blake Legare.

– Blake est ici ?

– Le pauvre, il est dans la salle d'attente à se tordre les mains depuis que vous êtes arrivée. C'est votre copain ?

– Oui, confirma Carson avant de s'arrêter. En tout cas, il l'était.

– Si vous ne voulez pas le voir, je vais l'envoyer promener.

– Attendez.

En fait, Carson voulait absolument le voir et partager ce moment incroyablement triste avec la seule autre personne qui ressentait la même douleur et la même perte.

– S'il vous plaît, faites-le entrer.

Un instant plus tard, on frappa à la porte de sa chambre, qui s'ouvrit.

Un Blake particulièrement débraillé resta dans l'embrasure de la porte, les yeux rouges et les cheveux dressés comme s'il les avait ratissés avec ses doigts.

– Carson…

Elle ouvrit les bras pour le serrer contre elle.

Chapitre 13

~

Le matin suivant, Harper, sur le ventre, était allongée de travers sur son lit, ses pieds se balançant dans les airs, en train de fixer son téléphone. Deux jours s'étaient écoulés depuis sa nuit avec Taylor, 48 heures à attendre que le téléphone sonne ou avertisse de la présence d'un message texte, mais il n'y avait rien. Elle le savait, car elle vérifiait son téléphone une centaine de fois par jour.

Elle avait essayé de travailler sur son livre, mais elle était trop distraite. Frustrée, elle se leva et traversa Sea Breeze à la recherche de Carson, qu'elle trouva sur la véranda, assise à l'ombre en train de lire un magazine, les pieds sur un pouf. Elle portait une robe imprimée île bleue longue et fluide, et ses longs cheveux noirs étaient attachés en une natte qui lui tombait par-dessus l'épaule.

– Bonjour, la salua Harper en se penchant vers elle pour lui faire la bise.

– Qu'est-ce qu'il a de si bon ? s'enquit Carson en fronçant les sourcils.

L'estomac de Harper se serra de compassion pour sa grande sœur tandis qu'elle se laissait glisser dans l'un des grands fauteuils en osier à l'ombre à côté d'elle.

– Oh, chérie, tu as passé une mauvaise nuit ?

– J'ai mal au dos, j'ai des crampes, alors, oui, ç'a été une mauvaise nuit.

Harper ne répondit pas. Depuis son retour de l'hôpital, Carson était irritable et les femmes de Sea Breeze avaient décidé de lui donner du temps pour sortir de la dépression qui était normale après une fausse couche.

– Je peux faire quelque chose ? la questionna Harper en lui tapotant la main. Tu veux que j'aille te chercher quelque chose ?

Carson, tout en faisant non de la tête, ferma son magazine.

– Excuse-moi. C'est seulement que j'ai chaud, que j'ai mal partout et que je ne peux même pas aller dans l'eau. Je me sens méchante, mais je ne devrais pas me défouler sur toi.

– Oh, allez, laisse-toi aller, je suis capable d'encaisser. De toute manière, tu as de bonnes raisons d'être triste. D'ailleurs, si ça peut te consoler, je me sens grognonne, moi aussi.

– Qu'est-ce qui ne va pas ? Tu étais tout sourire l'autre jour, tu n'arrêtais pas de répéter que ton rendez-vous avec Taylor avait été merveilleux, avec le bateau, le clair de lune… Qu'est-il arrivé ?

– *Rien* n'est arrivé, justement, souligna Harper avec frustration en laissant tomber ses jambes sur le pouf avec un bruit sourd. Il ne m'a pas téléphoné.

À ces mots, Carson tourna brusquement la tête.

– Il ne t'a pas téléphoné ? Pas une fois ?

– Non.

– Avez-vous…

– Oui.

– C'est nul, admit Carson en se maîtrisant. Mais je ne comprends pas. Je pensais que vous deux, vous étiez des âmes sœurs qui se retrouvaient ou quelque chose comme ça…

– Apparemment, ce n'était pas réciproque, supposa Harper en remuant la tête avant de détourner le regard. Mais tu as déjà assez de tes problèmes sans que je t'ennuie avec mes histoires d'amour.

– Non, je t'en prie. N'importe quoi vaut mieux que de m'apitoyer sur mon sort.

Reprenant courage, Harper se redressa, plaça ses jambes sur le pouf avant de se tourner pour faire face à sa sœur.

– J'ai déjà eu une histoire d'un soir, mais avec Taylor, ce n'était pas comme ça. Je sais qu'il éprouvait quelque chose pour moi, précisa-t-elle avant que ses épaules s'affaissent. Ou je pensais que c'était le cas. Je suis blessée. Perplexe. Pourquoi ne m'appelle-t-il pas ?

Carson, retirant ses lunettes de soleil, se pencha davantage vers sa sœur.

— Chérie, tu sais qu'il souffre du trouble de stress post-traumatique ?

— Oui, il me l'a dit. Et alors ?

— Ça pourrait expliquer pourquoi il ne t'appelle pas. La fuite, c'est classique, expliqua-t-elle avant d'incliner la tête tout en réfléchissant. Je pensais qu'il avait surmonté ce problème, mais… peut-être que non.

Carson venait de mentionner la plus grande crainte de Harper.

— Sais-tu à quel point il a souffert ? l'interrogea-t-elle après s'être passé la langue sur les lèvres.

— Nous n'en avons pas parlé, répondit Carson en secouant la tête. En fait, nous ne nous connaissons pas vraiment. Ce qui est sûr, c'est qu'il est sur ses gardes, et pour le faire parler, on a parfois l'impression de devoir lui arracher les mots de la bouche. Pourtant, il a l'air solide. D'ailleurs, les dauphins sont d'excellents juges de caractère, meilleurs que les humains, et ils l'adoraient. Mais, poursuivit-elle en soupirant, il y a des hommes qui n'arrivent jamais à surmonter cet état. Je regrette de le dire, termina-t-elle après avoir remis ses lunettes de soleil et repris son magazine, mais peut-être vaut-il mieux qu'il ne t'ait pas rappelée.

— Pourquoi dis-tu cela ? murmura Harper.

— Parce que, chérie, es-tu convaincue de *pouvoir* composer avec ses problèmes s'il souffre toujours de trouble de stress post-traumatique ?

Harper s'adossa à son fauteuil. Carson ne faisait pas de quartier, sa dépression la rendait caustique, ce qui n'était pas son genre. D'habitude, elle avait une attitude tout à fait positive par rapport à la vie.

— Écoute, Harper, sois réaliste, poursuivit Carson avec un ton de grande sœur qui sait tout, tu retournes à New York. Que pensais-tu vraiment qu'il arriverait ?

Harper, tout en jouant avec l'un de ses ongles, haussa les épaules.

– Que peut-être il viendrait avec moi.

– Ma fille, s'exclama Carson après avoir respiré narquoisement du nez, tu n'y connais rien aux hommes de la côte.

– Et toi, si ? répliqua Harper avec colère.

Sans répondre, Carson s'appuya contre un coussin.

– Et que feras-tu au sujet de Blake ?

Carson ne répondit d'abord pas, sa bravade se tarissant.

– Je ne sais pas, répondit-elle d'une petite voix avant de poursuivre négligemment : je ne sais même pas ce que je vais faire de moi.

– Et toi justement, comment vas-tu ? demanda Harper avec douceur.

– J'ai l'impression de flotter dans la vie, sans but.

– Tu viens juste de faire une fausse couche.

– Ouais, je sais, mais… lâcha Carson avant de jeter le magazine sur la table. Il y a plus. Je n'ai pas seulement perdu un bébé : je me suis perdue, *moi.*

– De quelle manière ? demanda Harper en inclinant la tête.

– Crois-tu aux rêves ?

– *J'ai* des rêves.

– Non, ce n'est pas ce que je veux dire. Crois-tu qu'ils ont une signification, un message ?

– Comme l'interprétation jungienne ? C'est ce que tu veux dire ?

– Je suppose.

Cependant, le haussement d'épaules de Carson insinuait qu'elle ne connaissait pas Jung.

– C'est compliqué. J'ai beaucoup lu au sujet de l'interprétation des rêves. En gros, je crois que par nos rêves, nous recevons des messages de notre subconscient et qu'ils nous aident à trouver une solution aux problèmes qui nous occupent.

De cette manière, nous faisons appel à une autre partie de nous-mêmes.

Carson hésita avant de prendre une petite respiration.

– Oui, mais… Je pense que j'ai reçu un message d'une autre source. Je ne pense pas que ça venait de moi.

– Dans un rêve ?

– Oui. Quand j'étais sous anesthésie. Ç'a été la première fois, mais depuis, je refais toujours le même.

À ces mots, Harper ressentit un picotement d'intérêt.

– Il y a une école de pensée qui croit que les rêves servent de moyens de communication des messages du subconscient, et même des dieux. À quoi as-tu rêvé ?

– À un animal.

– Quel animal ?

– Un requin, répondit Carson en détournant le regard.

Harper était stupéfaite. Elle aurait mis sa main au feu que Carson allait répondre un dauphin.

– Un *requin* ?

– Oui.

Harper examina le regard de sa sœur et constata qu'elle était tout à fait sérieuse.

– Je t'écoute.

– Quand j'étais toujours sous anesthésie, commença Carson d'une voix tremblante, j'avais l'impression de flotter sous l'eau et j'ai fait cette espèce… de rêve. Là, j'étais à la recherche de Delphine, mais elle était introuvable. Je nageais sans cesse en l'appelant, mais je me sentais tellement mal, si seule, quand soudain j'ai vu une nageoire dorsale et mon cœur a bondi de joie en pensant que c'était elle. Mais en me rapprochant, j'ai commencé à avoir peur et à avoir froid. J'avais tellement froid… C'était le requin, le même requin qu'au mois de mai dernier, précisa-t-elle en frissonnant à ce souvenir. J'ai essayé de m'échapper, mais tu sais comment c'est dans les rêves quand on essaie de bouger, mais qu'on ne peut pas ? Eh bien, l'eau était comme de la boue, et je ne pouvais lui échapper. Alors le requin est venu près de moi, si près que je pouvais le regarder dans ses yeux sombres et sans âme. J'avais le cœur qui battait fort, j'étais de retour en mai, faisant face à ma propre mort.

» Sauf que cette fois, en regardant dans ces yeux, j'ai cessé d'avoir peur. Je continuais de regarder quand soudain... je suis devenue le requin, exposa-t-elle en regardant Harper pour déterminer sa réaction. Ensuite, je me suis réveillée.

Harper resta silencieuse quelque temps.

– Ouah !

– N'est-ce pas ? dit Carson d'une voix si basse que Harper put à peine l'entendre. Je sais qu'il y a un message quelque part là-dedans, mais rien ne me vient.

Harper sortit alors son téléphone de sa poche et commença à faire une recherche. Après quelques minutes, elle releva la tête.

– As-tu déjà entendu parler des totems animaux ?

– Non.

– Il existe des mythes anciens qui parlent de notre lien naturel avec les animaux. Nous devons être en accord avec eux, les respecter et, de cette manière, nous apprenons à communiquer avec eux, expliqua-t-elle avant de vérifier si sa sœur la suivait bien.

Carson était assise toute droite, les yeux grands ouverts tant elle était attentive. Harper venait de frapper une corde sensible.

– Ainsi, selon ce que j'ai trouvé, un totem est un animal qui est un messager pour toi. Nous pouvons en avoir plusieurs durant notre existence, et si nous sommes ouverts d'esprit, nous pouvons apprendre d'eux, annonça-t-elle avant de se remettre à lire en silence. Toujours selon cette source, ta rencontre avec ce requin n'était pas une coïncidence. Elle a touché une partie primordiale de ton cœur et de ton âme.

– Et comment ! La peur.

– Et on dirait que ç'a remué en toi des sentiments en sommeil depuis longtemps. Tiens, offrit-elle en lui passant son téléphone. Je viens de chercher les totems de requin. Jette un coup d'œil et dis-moi ce que tu en penses.

Carson prit le téléphone et se pencha sur lui pour créer de l'ombre et pouvoir lire, mais une minute plus tard, il vibra.

– C'est Taylor qui te téléphone.

À ces mots, Harper se redressa brusquement.

– Réponds, insista Carson en lui rendant l'appareil.

Harper le saisit en articulant silencieusement *merci,* puis elle regarda Carson se lever d'un bond et se diriger rapidement vers la porte, sans doute pour aller faire une recherche sur les totems de requin. Alors seulement plaça-t-elle le cellulaire contre son oreille.

– Allô ?

– Salut, c'est moi, dit Taylor d'une voix animée. Je peux t'emmener dîner ce soir ?

Harper attendit avant de répondre, laissant durer le silence pour qu'il sache qu'elle était fâchée.

– Es-tu sûr de vouloir me revoir ? finit-elle par lui répondre, impassible.

– Pourquoi me poses-tu une telle question ? Bien sûr que oui.

– Tu ne m'as pas téléphoné pendant deux jours.

Après un silence, il lui répondit d'une voix plus grave.

– Je sais, je suis désolé. C'est ce que je veux t'expliquer.

– Je t'écoute.

Elle l'entendit pousser un long soupir.

– Harper, il s'agit d'une chose que je préférerais t'expliquer en personne. Allez, laisse-moi t'emmener dîner ce soir pour que nous puissions discuter.

– D'accord, concéda-t-elle avec toute la froideur de la reine de glace qu'elle était capable d'affecter. Mais ne va pas t'imaginer que tu es pardonné.

– Dix-neuf heures ?
– D'accord, répéta-t-elle.
– Alors à ce soir.

Sur ce, elle raccrocha immédiatement en souriant un peu malgré elle.

~

À 18 h 30 ce soir-là, Harper ferma son ordinateur, satisfaite du travail qu'elle avait effectué durant la journée. Son livre était presque terminé. Chaque matin, il lui tardait de reprendre son manuscrit. Le plus dur était fait, le point culminant était écrit et il ne restait plus que la résolution à terminer, ce qui lui donnait l'impression d'être sur une luge sur le flanc escarpé d'une colline en train de la dévaler jusqu'à la ligne d'arrivée.

En regardant sa montre, elle constata qu'il lui restait peu de temps pour se préparer pour son dîner avec Taylor. Elle ne pouvait d'ailleurs nier que l'affront qu'il lui avait fait en ne la rappelant pas après qu'ils eurent fait l'amour la piquait encore. Ainsi avait-elle envisagé de lui téléphoner pour annuler plusieurs fois pendant l'après-midi. Qu'il attende quelques jours pour voir ce que cela faisait. Mais si elle devait être honnête avec elle-même, il lui manquait, et elle voulait le voir. Aussi espérait-elle que son attitude froide au téléphone, plus tôt dans la journée, suffirait à lui faire savoir qu'elle était mécontente de son impolitesse.

Elle se dirigea dans la salle de bain pour se laver le visage et mettre de la lotion hydratante, après quoi elle donna un coup de brosse à ses cheveux. Tout en les plaçant derrière ses oreilles, elle regarda son visage. C'était son visage habituel, si familier… mais avec quelque chose de différent. Elle avait pris un kilo ou deux depuis qu'elle était arrivée à Sea Breeze, de muscle surtout, à cause de tout son jogging et du jardinage. Son visage avait perdu sa maigreur. De plus, en se penchant davantage vers le miroir, elle pouvait voir quelques taches de son sur l'arête de son nez et ses pommettes. En dépit de son application forcenée d'écran solaire et du fait qu'elle portait un chapeau, sa peau blanche se tachetait. Et pourtant, elle préférait cette légère brillance de couleur saine à son teint d'albâtre habituel. En outre, ses cheveux roux avaient maintenant des reflets blonds que le soleil leur avait donnés, et en poussant, ils n'avaient plus cette coupe sévère et précise s'arrêtant au menton, lui tombant maintenant jusqu'aux épaules. Elle appliqua aussi un peu de brillant à lèvres puis se détourna du miroir. Elle était ainsi, pensa-t-elle, naturellement, et cela suffisait.

Il était précisément 19 h quand Taylor fit retentir la sonnette de Sea Breeze. Ils décidèrent de demeurer dans les environs et de manger des sushis au restaurant Bushido dans Isle of Palms. La lourde tension qui flottait entre eux faisait qu'ils se comportaient tous les deux avec une politesse excessive, encore davantage que lors de leur premier rendez-vous, de sorte que le malaise régnait décidément. Cependant, avant de monter dans son camion, Taylor lui prit la main pour l'arrêter.

– Pourrions-nous discuter tout de suite ? demanda-t-il, rompant ainsi le silence inconfortable.

– Si tu veux.

Harper était sèche, mais elle ne pouvait s'en empêcher. Elle était blessée, en colère et, oui, furieuse.

– Allons nous promener sur la plage, proposa Taylor.

On était presque en septembre, de sorte que Harper put remarquer de petits changements sur la plage. D'une part, le soleil se couchait plus tôt et, déjà, le ciel était passé du bleu à un mélange mystique de bleu pervenche et de lavande qui précédait le coucher du soleil. D'autre part, les crêtes blanches qui surmontaient l'océan étaient irisées tandis qu'elles reflétaient ce violet argenté.

Un brin de couleur revenait sur les dunes, les fleurs sauvages s'épanouissant grâce à la température qui se rafraîchissait. Elle aperçut ainsi les premières gerbes d'or, des Borrichia frutescents et ses préférées, des primevères jaunes. Elle aperçut encore une nuée d'oiseaux du littoral au loin, les premiers à migrer vers le sud par le corridor de l'Atlantique. Bientôt, les papillons monarques passeraient par ici, eux aussi. D'habitude, à cette date avancée dans la saison, Harper avait quitté la côte et était déjà rentrée chez elle, dans le Nord, aussi était-elle heureuse, cette année, pour la première fois, de pouvoir constater les changements subtils qu'apportait l'automne à la plage.

Ils marchaient côte à côte sans se tenir la main, près de la rive. En général, Harper joggait le matin, quand le sable avait été lissé par la marée descendante, mais maintenant, il était recouvert de traces de pas et, çà et là, de détritus abandonnés par des visiteurs sans considération.

Finalement, Taylor retira ses lunettes et les rangea dans la poche de sa chemise.

– Ça te gêne si je fume ?

– Vas-y, mais j'espère vraiment qu'un jour, tu vas arrêter. Ces trucs-là, ça va te tuer.

Les lèvres de Taylor se retroussèrent légèrement tandis qu'il portait la cigarette à sa bouche.

– Je suis heureux que ça t'importe.

Elle s'arrêta et attendit tandis que les grandes mains de l'homme protégeaient la cigarette. Il l'alluma et en prit une grande bouffée.

Maintenant qu'ils marchaient de nouveau, il tourna la tête, et la regarda droit dans les yeux.

– Je suis désolé de ne pas t'avoir téléphoné.

Mais Harper détourna le regard en pensant : *Trop juste, trop tard*.

– Moi aussi, je suis désolée.

– Me donneras-tu la possibilité de m'expliquer ?

Il avait entendu le ton de sa voix et savait qu'elle érigeait un mur entre eux. Elle le regarda. Il marchait, très droit, mais ses yeux trahissaient l'agitation dans laquelle il se trouvait.

Elle repoussa alors une mèche de cheveux de son visage déjà moite à cause de l'humidité.

– Bon, d'accord.

– Je ne t'ai pas téléphoné après ton départ parce que je me suis réfugié dans ma carapace. C'est ce que je fais quand j'ai besoin de décompresser, c'est une tactique de survie. J'appelle ça faire la tortue. Je me réfugie en moi-même pour me calmer. C'est différent de la relaxation, ajouta-t-il en prenant une nouvelle bouffée de sa cigarette. Vois-tu, ce n'est pas parce que tu n'es pas importante pour moi que je ne t'ai pas appelée, mais justement parce que tu l'es *énormément.*

Harper ne comprenait pas encore, mais elle sentait une recrudescence d'espoir.

– Avec le trouble du stress post-traumatique, il y a de nombreux symptômes. Tu connais l'anxiété, l'hypervigilance, la dépression. Dans mon cas, le pire, c'était le sommeil, dit-il avec un rire bref. Et c'est un grossier euphémisme. On a tous des problèmes d'endormissement, on est incapables de se rendormir, mais moi, je faisais des cauchemars, poursuivit-il en se frottant la mâchoire pour organiser ses pensées. Ils étaient terribles, pires même, car ils étaient sacrément réels : quand je rêvais, en effet, j'étais *sur place,* en train de revivre mon expérience. Or, quand cela arrive, tout le corps réagit, le cœur se met à battre à toute vitesse et le sang ne fait qu'un tour. J'ai été entraîné à me battre, et si on me réveillait pendant que je faisais un de ces rêves, je me mettais immédiatement en mode combat. Je saisissais mon arme et fouillais la chambre, expliqua-t-il en se passant la main dans les cheveux, visiblement ébranlé. Bon sang, je n'étais même pas réveillé. J'aurais pu tuer quelqu'un.

Harper resta silencieuse, continuant d'écouter.

– Quand je suis rentré de la guerre, je n'ai plus quitté la maison. Je restais loin des foules, des centres commerciaux, de tous les endroits où les gens se regroupaient. J'étais toujours en état d'alerte avancée. À l'époque, j'avais une copine. Nous nous étions fréquentés pendant l'université. Une fille vraiment bien qui m'écrivait quand je suis parti. Mais quand je suis revenu, elle n'a pas été capable de composer avec mon état. Elle m'a dit que j'avais changé. Elle a essayé, mais...

Il haussa les épaules.

– Nous avons rompu.

Harper évoqua alors l'image d'une jolie femme tenant la main de Taylor, dont il gardait la photographie dans son portefeuille, quelqu'un qu'il voulait peut-être épouser, et elle ne put réprimer un accès de jalousie.

– Quand tu es revenu cette fois, tu l'as vue ?

Taylor secoua la tête.

– Elle est mariée maintenant, ce ne serait pas bien. De toute manière, je suis passé à autre chose.

Aussi vite que Harper avait évoqué cette femme, elle disparut dans les cieux.

– Qu'est-ce qui t'a permis de changer les choses ?

– Thor, répondit-il en souriant.

– Thor...

– C'est plus qu'un chien, c'est mon salut. Nous étions toujours ensemble. Il dort à côté de mon lit et dès le début de mon sommeil paradoxal, si je commence à faire un cauchemar, il me réveille. Quand j'ouvre les yeux et que je le vois, je sais que tout va bien.

– Tu fais toujours des cauchemars ?

Taylor s'arrêta alors et se tourna pour lui faire face.

– Il y a longtemps que ça ne m'est pas arrivé. Comme je te disais, je me sens bien. Je sors et je laisse Thor à la maison tout le temps. Mais...

Il regarda de nouveau la mer, les lèvres serrées. Au bout d'un moment, il la regarda de nouveau et soutint son regard.

– Harper, ce qui m'inquiète, c'est que ça puisse recommencer. Ce dont j'ai peur, c'est que nous soyons en train de dormir ensemble, que je fasse un cauchemar et que je te fasse du mal, à *toi*. Ça, je ne pourrais le supporter.

Elle retint sa respiration. Maintenant, elle comprenait et elle sut que s'il ne l'avait pas appelée au cours des derniers jours, s'il avait fait la tortue, ce n'était pas parce qu'il ne pensait *pas* à elle, mais bien au contraire, parce qu'il pensait seulement à elle.

– Je suis contente que tu m'aies expliqué tout ça, admit-elle en lui prenant la main. J'aurais seulement préféré que tu m'en parles tout de suite, ajouta-t-elle avec un petit rire, ou qu'au moins, tu m'envoies un message texte.

– C'est difficile à expliquer dans un message texte, répondit-il en jouant avec ses doigts.

– Plus nous serons proches l'un de l'autre, plus nous devrons nous faire confiance.

Il regarda leurs mains réunies.

– Alors, si je comprends bien, tu acceptes de me revoir ?

– Oh que oui, affirma-t-elle tandis qu'un sourire tressaillait sur ses lèvres.

À ces mots, la tension quitta le visage de Taylor et il sourit à son tour. Il se remit ensuite en marche, mais Harper lui tira le bras pour l'arrêter.

– Taylor, n'hésite pas à me le dire quand tu as besoin d'espace. Prends tout le temps et l'espace dont tu as besoin. Mais dis-le-moi, d'accord ?

– En ce moment, je ne veux pas d'espace entre nous, déclara-t-il, les yeux étincelants, et il se pencha vers elle, passa son bras autour d'elle et l'attira plus près de lui.

~

Plus tard, comme prévu, ils dînèrent chez Bushido, un restaurant très populaire auprès des gens de la région comme des touristes, avec son atmosphère subtilement asiatique à la fois sophistiquée et accueillante. Une fois qu'ils furent assis, une serveuse vint immédiatement leur demander ce qu'ils désiraient boire.

– Pour moi, un martini à la mangue.

– Un martini à la mangue et une bière blanche, commanda Taylor en regardant la serveuse.

Elle revint rapidement avec leurs verres et demeura prête à prendre leur commande.

– Avez-vous besoin de plus de temps ?

Harper regarda alors Taylor, un sourcil haussé. À son sourire ironique, elle sut qu'il avait compris le double sens.

– Oui, s'il vous plaît, indiqua-t-il à la serveuse.

Harper prit une gorgée de son martini en appréciant son goût sucré et frais.

Taylor, de son côté, se pencha de manière à ce que son visage soit tout près de celui de Harper, incapable de réprimer un grand sourire.

– J'ai obtenu l'emploi !

Harper fut stupéfaite.

– Mon Dieu, ça s'est fait vite. Félicitations !

– Tu as en face de toi le nouveau gestionnaire de projets de Boeing. Ma formation commence dans trois semaines.

Harper battit des mains, ravie.

– Je suis tellement fière de toi.

Taylor prit alors une gorgée de bière avant de remuer la tête comme s'il était toujours incapable de croire à cette nouvelle.

– Tu sais, il y a deux ans, je ne pensais pas avoir d'avenir ; c'est l'un des symptômes du trouble de stress post-traumatique. Maintenant, je le sais, mais à l'époque, j'étais complètement dans les ténèbres, et je ne m'attendais pas à avoir un jour une carrière, un mariage, des enfants, une vie normale, quoi. Alors maintenant, le fait d'obtenir cet emploi fantastique, et de t'avoir à mes côtés…

Il remua de nouveau la tête.

— Je suis aux anges.

Il leva sa bouteille de bière.

— Au futur !

Harper leva son martini et ils choquèrent leurs verres, mais dans sa tête, elle se demandait : *Quel futur ?* Elle dégusta son martini, puis posa le verre sur la petite serviette carrée.

— Alors, demanda-t-elle en le regardant dans les yeux, tu vas rester ici, à Charleston.

— En effet.

— Mais moi, je serai à New York.

Le bras de Taylor se figea dans les airs. Il prit une gorgée de son verre puis le reposa sur la table.

— C'est certain ?

— Je n'ai pas d'autre plan.

— Tu retournes chez ta mère ? la questionna-t-il avec une voix qui reflétait son incrédulité.

— Non, se dépêcha-t-elle de répondre, mais je retourne à New York. Probablement.

— Pourquoi à New York ?

— New York est toujours le centre du monde de l'édition dans ce pays, c'est là que se trouvent les emplois. Et si ce n'est pas New York, ce sera Londres.

Les yeux de Taylor s'écarquillèrent.

— Londres, comme en Angleterre ?

— Évidemment Londres comme en Angleterre. Il y a d'importants emplois d'édition là-bas. De plus, mes grands-parents n'habitent pas loin de la ville. C'est logique.

— Et ici, tu ne pourrais pas te trouver un emploi ?

— Peut-être, mais il y a beaucoup moins de possibilités, et ce sont de plus petites sociétés. De toute manière, pourquoi voudrais-je faire une chose pareille ?

Taylor se renfonça sur sa chaise et posa les mains sur la table.

— J'aurais cru que c'était évident.

Harper, de son côté, baissa la tête et ses orteils se contractèrent.

– Et tout ce que tu disais au sujet de ton amour pour la région, qu'est-ce qu'on en fait ? l'interrogea Taylor d'une voix subitement terne. Et le fait qu'ici, tu te sens chez toi ?

– C'est bien beau de se sentir chez soi ici, mais malheureusement, l'endroit que j'appelle mon foyer est à vendre et il y a aussi cette question de me trouver un emploi et un endroit où habiter. Mais tu pourrais venir à New York avec moi, proposa-t-elle doucement.

– Quoi ? Je viens juste d'obtenir cet emploi, et c'est exactement ce que je cherchais !

– Alors, c'est à moi de m'installer ailleurs.

À ces mots, il eut l'air pris de court.

– Oh là, nous sommes vraiment en train d'avoir une telle conversation ? Déjà ?

Harper laissa ses doigts glisser le long du pied de son verre en essayant de se taire. Taylor avait pris sa décision, avait trouvé un emploi, et sa voie était toute tracée. Ensuite, il supposait qu'elle allait simplement l'imiter, sauf qu'il n'avait pas tenu compte de la possibilité qu'elle pose sa candidature ailleurs qu'à Charleston.

Mais ne se montrait-elle pas tout aussi autoritaire avec lui ? Elle avait gaiement tenu pour acquis qu'il envisagerait d'aller s'établir à New York avec elle. Or, il s'était montré ambitieux et il l'avait coiffée au poteau en obtenant un emploi fantastique à Charleston. Pendant ce temps, alors que c'était déjà la fin du mois d'août, elle n'avait pas encore levé le petit doigt pour préparer l'automne.

– Oui, nous sommes en train de l'avoir, confirma-t-elle d'un ton posé, si tu veux avoir quelque chose à dire dans le fait que je parte ou que je reste.

– C'est simple : reste.

– Oh, Taylor…

Leurs regards se croisèrent, mais ils se détournèrent tous les deux.

— Nous pourrions avoir une relation à distance, suggéra-t-elle après avoir vidé son verre en rompant le silence. Je pourrais prendre l'avion les week-ends et à d'autres moments, tu pourrais venir à New York.

— Mon horaire va être complètement fou pendant ma formation : des quarts de jour, de nuit, les week-ends. Ce sera déjà assez difficile de trouver un moment pour être ensemble si tu habites ici, en ville, mais si tu viens de l'extérieur ?

Il secoua la tête.

— N'en parlons pas, ça ne marcherait pas.

— Je vois. Alors que moi, je vienne m'installer ici ou que je prenne constamment l'avion de New York à ici, ça va, mais toi, non ?

— Ce n'est pas ce que j'ai dit.

Harper sentait toujours le goût de la mangue sur sa langue tandis qu'elle considérait les paroles de Taylor. Il campait sur sa position. Elle savait que si elle avait été davantage comme sa mère, elle aurait terminé son verre, lui aurait souri et l'aurait remercié poliment pour ce dîner, et elle aurait quitté le restaurant tout comme sa vie. Rien ni personne ne se mettait en travers de la route de Georgiana James.

Mais elle n'était pas comme sa mère, pas plus qu'elle n'était comme son père, incapable de s'engager. Elle n'avait aucun modèle à suivre en prenant cette décision. Elle devait en décider seule.

La serveuse revint prendre leur commande. Harper prit le menu et le parcourut du regard, mais elle n'avait plus faim. Par politesse, elle commanda des sushis et un autre martini, et Taylor, lui, le *nigiri* et une autre bière.

La serveuse prit les menus et les laissa dans un silence tendu.

Taylor, en fronçant les sourcils, examina le visage de Harper avant de lui prendre la main.

– Je ne veux pas que nous nous disputions. Remettons cette conversation à plus tard, quand tu auras trouvé un emploi, quelque chose que tu aimeras et qui t'enthousiasmera. C'est injuste de ma part de te mettre quelque pression que ce soit.

À ces mots, elle sentit un accès de soulagement.

– Il y a tant de choses que je suis en train de régler en ce moment. Je dois être réaliste et les accepter telles qu'elles sont plutôt que comme je souhaiterais qu'elles soient.

– Je sais.

Elle prit une grande respiration en essayant de ne pas s'effondrer et se mettre à pleurer.

– Je ne sais pas si je peux rester ici.

– Je sais, concéda-t-il en hochant gravement la tête.

CHAPITRE 14

Le lendemain, Taylor commença à repeindre le cottage et Harper se lança sérieusement dans la recherche d'un emploi. Elle n'était d'ailleurs guère désolée d'avoir une raison de ne pas être près de lui en ce moment. Ils avaient fini de dîner la veille dans un silence tendu et triste la plus grande partie du temps, tous les deux conscients de l'horloge suspendue au-dessus d'eux. Ils avaient terminé la soirée par un tendre baiser sur la véranda avant de Sea Breeze, mais Harper savait qu'ils avaient tous les deux besoin d'espace pour régler ces questions.

Pendant ce temps, Dora s'en sortait avec son nouveau poste chez le marchand de robes et Nate s'était adapté à sa nouvelle école. Mamaw avait enfin commencé à faire le tri de ses biens, à commencer par ses vêtements, et des sacs noirs pleins avaient commencé à s'empiler dans sa chambre. Seule Carson continuait à avoir le cafard derrière la porte fermée de sa chambre. Quoi qu'il en soit, un calme relatif semblait régner à Sea Breeze.

Tout au moins jusqu'à ce que Devlin téléphone et annonce qu'il avait programmé une visite de la maison.

Il s'ensuivit un débordement de nettoyage et de polissage. Harper passa le râteau et arracha les mauvaises herbes dans les jardins, le père de Taylor vint l'aider avec la peinture. Tout le monde mit la main à la pâte, travaillant dur, mettant tous de côté la douleur que cette visite impliquait. Une fois la fête du Travail arrivée, jamais Sea Breeze n'avait été aussi belle. L'après-midi de la visite, ils quittèrent tous la maison, chacun pour sa destination particulière.

Pour Harper, c'était un signe annonciateur de l'exode à venir qui laissait à réfléchir.

~

Carson, quant à elle, se dirigea vers un café. En ce moment, tout ce qu'elle attendait de la vie, c'était une bonne tasse de *chaï latte* glacé dans une salle climatisée. Dans sa voiture, elle traversa le quartier des affaires de Middle Street. Elle adorait ces quelques pâtés de maisons de restaurants et de boutiques à la fois miteux et chics regroupés ici, chacun possédant son allure bizarre. Il n'y avait rien de traditionnel ici, pas une seule chaîne de magasins à l'horizon.

Il n'était que 10 h, de sorte que la foule du midi n'était pas encore venue déjeuner. Autrefois, cette ville endormie se limitait à ses habitants, mais maintenant, elle était tellement remplie d'invités et de touristes durant l'été qu'une partie de son charme avait été emportée par les pièges à touristes.

Carson n'entrait jamais au café Medley sans penser à Blake et au premier café qu'ils y avaient pris ensemble. C'était ici qu'il lui avait pardonné d'avoir menti au sujet de Delphine. D'ailleurs, elle devait réfléchir sérieusement à propos de cet homme. Elle commanda son thé et attendit, les bras croisés, en broyant du noir.

Elle avait su dès le début que Blake Legare serait une source de problèmes. Il n'était même pas son genre. En effet, il n'était pas cool à la manière de Los Angeles ni séduisant comme une vedette du cinéma ou beau comme un mannequin. Il ne travaillait pas dans le monde du cinéma, et il n'était pas riche. Elle était plutôt tombée amoureuse d'un fonctionnaire fédéral qui travaillait de longues heures pour un salaire modeste parce qu'il aimait ce qu'il faisait. Un homme simple aux goûts simples et aux convictions profondes. Il aimait la côte, sa famille, son chien, les dauphins… et elle.

Oui, il l'aimait. Voilà ce qui l'effrayait.

— Carson ?

Elle sursauta en entendant la voix de Blake juste au moment où elle était en train de penser à lui. Elle tourna brusquement la tête et le vit en face d'elle avec une grande tasse de café fumant à la main. Il portait son short clair trop grand habituel avec un polo brun dont le col n'était pas complètement retourné. Elle esquissa un sourire en sachant qu'il ne remarquait même pas ce genre de choses.

— Que fais-tu ici ? demanda-t-elle.

Juste à ce moment, le serveur lui tendit son *chaï* et elle commença à se diriger vers une table, suivie de Blake. Elle était vaguement irritée. Elle voulait être seule pour réfléchir. Or, ces derniers temps, il semblait que chaque fois qu'elle se retournait, il était là.

Elle s'installa à une table minuscule.

— Tu ne devrais pas être au travail ?

— J'y suis. Je réponds au cas d'un dauphin qui est échoué. Nous manquons de personnel, alors j'ai pris l'appel. Et je suis content de l'avoir fait, souligna-t-il, les yeux brillants tandis qu'il tirait une chaise.

Ils s'assirent donc l'un en face de l'autre à la petite table bistro et Blake se pencha vers elle, son regard examinant son visage.

— Comment vas-tu ?

Carson regarda sa tasse, déprimée.

— Je vais bien.

— Qu'est-ce qui ne va pas ?

– Blake, tout va bien. Arrête de me poser cette question.

– Je m'inquiète seulement à ton sujet.

– Arrête de me suivre partout!

Il s'adossa à sa chaise avec un air blessé.

– Je ne te suis pas partout. Je suis seulement entré ici pour une tasse de café, et te voilà.

– Si, tu me suis partout. Tu passes à la maison à toute heure du jour et de la nuit, toujours à vérifier comment je me porte, toujours à me demander comment je vais.

À ces mots, il eut l'air dévasté.

– Tu as perdu le bébé. Notre bébé. C'est important pour moi! ajouta-t-il avec animation. N'est-ce pas ce qu'un copain est censé faire?

Elle ne répondit pas.

Après une longue pause pleine de tristesse, le visage de Blake se décomposa.

– Ah, je vois. Nous y revoilà : tu ne veux pas de copain.

Elle regarda ses mains qui agrippaient le verre givré.

Blake émit un petit grognement avant de se redresser pour s'éloigner d'elle autant que possible puis il inclina sa chaise sur ses pieds arrière. Il tourna ensuite la tête et regarda par la fenêtre, le visage dur.

Carson souffrait pour lui; la part en elle qui l'aimait, tout au moins.

Blake posa les mains sur la table et la regarda de nouveau.

– Je ne veux pas en discuter maintenant, déclara-t-il froidement.

– Moi non plus, concéda-t-elle en regardant sa tasse, mais il le faut.

Elle leva rapidement les yeux et vit son visage. Il avait la tête baissée et il fixait sa tasse avec intensité.

– Blake, je ne veux pas être le genre de femme qui te fait toujours du mal, admit-elle, tout en essayant désespérément de trouver les mots pour le convaincre que la dernière chose qu'elle voulait, c'était le blesser. Je ne suis pas comme ça, mais c'est ce qui n'arrête pas d'arriver, encore et encore.

Blake, lui, fixait toujours son café.

– En effet.

– Tu es important pour moi, et peut-être même que je t'aime.

Il leva alors le regard sur elle, et ses yeux noirs étaient étincelants.

– Tu es en train de vivre beaucoup de choses en ce moment, souligna-t-il en parlant rapidement comme pour la convaincre. Mais tu n'as pas besoin de me repousser continuellement. Tu n'arrêtes pas de le faire puis de revenir à moi. Tu n'as pas besoin de traverser cette épreuve seule.

– Justement, *si*, protesta-t-elle en le regardant, ses yeux le suppliant de comprendre.

Pendant une courte pause, elle organisa ensuite ses pensées. Puis, tout en regardant par la fenêtre, elle reprit la parole.

– Avoir un bébé avait toujours été une chose que je ferais un jour, dans le futur, puis je suis tombée enceinte et toutes ces hormones se sont mises en ébullition dans mon corps. Subitement, il y avait en moi tous ces nouveaux sentiments qui faisaient jour du plus profond de moi, des sentiments que je n'avais jamais éprouvés. J'étais un océan d'instincts maternels. Ce bébé, je le *voulais*.

Elle s'arrêta de nouveau et le regarda.

– Mais ensuite, voilà qu'il n'y a plus eu de bébé.

Carson dut prendre une respiration pour calmer sa voix tremblante, car il était difficile d'aborder ce sujet sans pleurer.

– Le problème, c'est que ces hormones font toujours rage. Je suis émotive, pleurnicheuse, triste, en colère… et parfois, presque soulagée.

Comme elle s'essuyait les yeux avec ses doigts, Blake lui tendit une serviette en papier qu'elle utilisa immédiatement pour se moucher. Quand elle reprit la parole, sa voix était grave et posée.

– Quelque part dans tout ce bourbier se trouve celle que j'étais autrefois. Une personne qui est forte, qui a confiance en elle, une personne que j'aimais bien, une personne qui n'est pas comme *elle*, finit-elle en passant la main le long de son corps.

– Tu es toujours la même.

– Non, *justement*, rétorqua-t-elle avec animation.

Blake devint silencieux.

– Il faut que je retrouve cette personne, et ça, je dois le faire seule.

– Mais pourquoi seule ? Tu as toujours procédé comme ça quand les choses devenaient difficiles. Tu abandonnes tout et tu prends les jambes à ton cou. Ne fais pas ça, Carson, et pas seulement à moi, mais à toi, aussi.

– J'ai eu cette expérience, reprit Carson après avoir repoussé sa tasse, sous anesthésie. C'était comme un rêve et, plus tard, j'ai continué de le faire encore et encore, j'en perdais la tête. J'en ai parlé à Harper et elle m'a demandé si j'avais entendu parler des totems spirituels, expliqua-t-elle avec un petit sourire ironique en haussant une épaule avec peu d'enthousiasme. Moi ? Tu parles. Mais ensuite, elle m'a montré quelque chose sur Internet au sujet des totems animaux, et nous avons cherché les requins, poursuivit-elle avant de pousser un soupir. C'était tellement bizarre. Soudainement, tout prenait un sens.

– Qu'est-ce qui prenait un sens ?

– Selon ce livre, quand on reçoit un message d'un requin, ça représente la survie, car le requin est un champion de la survie. Ainsi, ceux qui reçoivent un totem de requin vivent leur vie en accord avec leurs instincts primordiaux. C'est là que j'ai tout compris, continua-t-elle avant de se pencher vers Blake. La nuit précédant la mort de Lucille, elle m'a dit de me fier à mon instinct. Elle me connaissait mieux que quiconque et elle m'a dit la même chose ! Après sa mort, j'ai donc suivi mon instinct au sujet du bébé, soit de protéger cette vie, poursuivit-elle d'une voix tremblante, et elle vit les yeux de Blake se remplir de larmes. C'est pourquoi j'ai décidé d'avoir ce bébé. Je suivais mon instinct.

Il hocha la tête, les lèvres serrées, incapable de parler, puis il lui prit la main sur la table. Durant cet instant, ils partagèrent la tristesse de l'enfant qu'ils avaient perdu.

Elle dégagea sa main de la sienne en la lui tapotant doucement avant de s'adosser à sa chaise et de faire le point. Elle avait les idées claires, mais le cœur lourd.

– Ensuite, toujours selon le livre, ceux qui possèdent un totem de requin vont toujours de l'avant, car être immobile, c'est couler, c'est mourir. J'y ai beaucoup pensé depuis ma fausse couche. Nous savons tous les deux que je flotte, que je fais du sur place depuis longtemps sans aller de l'avant. Je pense donc que c'était le message du requin. Je dois aller de l'avant de nouveau, me remettre à nager. Sinon, je vais sombrer.

– Je ne te laisserai pas sombrer, je suis là pour toi.

Carson ferma les yeux, peinée par ses tentatives constantes de la sauver. Elle savait que jamais il ne la laisserait nager seule, qu'il serait toujours là pour la retenir. Et si elle le laissait faire, elle serait incapable d'aller de l'avant.

– Blake, je suis en train de te demander de rester à l'écart quelque temps.

Il respira bruyamment, frustré.

– Seulement pour quelque temps. J'ai besoin de me retrouver, de me remettre à l'eau, et ça, je dois le faire seule.

– Alors tu romps avec moi. Encore une fois.

– Non, je ne romps pas avec toi, je fais une pause.

Blake poussa alors sa chaise pour se lever et elle fit un son bruyant en traînant par terre et se renversant presque.

Son visage était stoïque, mais dur, et son regard reflétait à quel point il avait été blessé.

— Ouais, d'accord. Aucun problème, cracha-t-il avant de lever les mains de cette manière universelle qui signifie : *pour moi, c'est terminé.*

Il se tourna pour partir, fit quelques pas avant de se retourner et de revenir vers la table. Carson se recroquevilla sur sa chaise, en sachant qu'elle était sur le point de souffrir.

Blake se pencha sur elle et lui parla d'une voix basse pleine d'émotions.

— Mais tu sais quoi ? Tu n'es pas la seule qui a souffert. Moi aussi, j'ai perdu un bébé.

Leurs regards se croisèrent, chacun peiné, mais inflexible. Puis, il se tourna et quitta le café sans se retourner.

~

Mamaw était assise à l'ombre sur la véranda arrière, chez Girard. D'où elle était assise, elle avait une vue charmante du quai de Sea Breeze, et derrière les lourdes feuilles des palmiers, la maison se montrait. Elle poussa un long soupir.

Girard posa alors la main sur son genou.

— À quoi penses-tu ?

— Je crains bien de manquer d'argent, répondit-elle avec un sourire las, avant de regarder son visage, si beau et si bon, et de sourire de nouveau, cette fois de manière rassurante. Tout va bien. J'étais seulement en train de penser que ma chère Sea Breeze est juste là-bas, hors de ma portée. C'est plutôt poignant, dans les circonstances.

— Mais Marietta, tu savais que ce jour viendrait. Tu as planifié en conséquence.

— Justement, non, je n'ai pas planifié. Voilà où j'ai échoué. J'aurais dû être plus attentive quand j'étais plus jeune. Nous aurions dû l'être, Edward et moi. Mais l'argent me glissait entre les doigts sans une pensée pour l'avenir. Je suppose que j'ai toujours pensé qu'Edward subviendrait à mes besoins, ce qu'il a d'ailleurs fait, et généreusement, se dépêcha-t-elle d'ajouter, car elle ne voulait pas faire porter le blâme à son cher mari défunt. Mais j'ai beaucoup trop donné d'argent à mon fils, Parker, pendant bien trop longtemps. De plus, je crains qu'Edward et moi, nous n'ayons pas anticipé la hausse des coûts d'entretien de Sea Breeze.

– Pour ça, tu ne peux pas te blâmer, personne n'avait prévu la hausse des assurances et des taxes. Tu n'es d'ailleurs pas la seule qui vend.

– Je sais, je sais, murmura-t-elle, mais elle avait toujours le cœur lourd. J'ai décliné toutes ces rationalisations, mais j'ai tout de même l'impression d'avoir échoué.

– Il n'y a rien de bon dans le fait de chercher à blâmer quelqu'un ou quelque chose. La vie n'est pas si simple.

– Mes parents m'ont laissé une coquette somme, tout comme l'ont fait les parents d'Edward. Et ils nous ont donné Sea Breeze. Mais moi, qu'est-ce que je laisse à mes filles ? Rien. Rien pour les aider à débuter dans la vie, reprit-elle d'une voix tremblante. Mes filles de l'été. Voilà l'hiver qui s'en vient, et je les ai laissées tomber.

– Tu dois être moins dure avec toi-même, la consola-t-il. Toi et moi, nous avons atteint ce qu'on appelle l'âge d'or.

À ces mots, Mamaw soupira avec exaspération.

– Mon or semble bien terni.

– Ridicule. Malgré ton inquiétude, tu es bien préparée pour la prochaine étape. Tu as fait certains arrangements, tu vends ta maison, tu n'es pas un fardeau pour tes petites-filles. Tu devrais en être fière.

Mamaw ne répondit pas.

– C'est qu'à notre âge, il n'est pas sage de vivre seul. Marietta, c'est l'époque de nos existences où nous devons faire le bilan de nos forces et accepter nos limites.

– Mais toi, tu ne vends pas.

– Pas encore, même si je dois reconnaître être confronté au même problème que toi, admit-il avant de parcourir sa propriété du regard. Que ferai-je donc de cette maison ? Elle requiert tant d'entretien, et il est rare aujourd'hui que mes enfants y viennent. De plus, je dois te confesser que ces derniers temps, je me suis senti seul, ajouta-t-il avant de lui tapoter la main. Il est fort possible que je me joigne à toi dans cette communauté de retraités.

À ces mots, Marietta se redressa.

– Vraiment ?

Il sourit avant de pousser du genou celui de Mamaw.

– Nous pourrions former un sacré couple.

Elle rit tout en lui donnant coquettement une tape sur la main.

~

Plus tard cet après-midi-là, les dames, dispersées à Sea Breeze, étaient agitées tandis qu'elles attendaient les résultats de la visite dans un suspens atroce.

Mais elles n'eurent pas longtemps à attendre.

Une longue BMW noire arriva à Sea Breeze et fit le tour du grand chêne avant de s'arrêter.

– C'est Devlin, annonça Harper à Mamaw en regardant par la fenêtre.

Harper observa ensuite anxieusement Mamaw mettre sa tapisserie sur canevas de côté avec un calme étudié et se lever lentement de sa chaise tapissée. Elle lissa ensuite sa tunique corail et porta les mains à ses cheveux pour ajuster quelques mèches folles.

Elle ouvrit la porte et Devlin entra. Il avait l'air élégant dans ses vêtements de travail : un pantalon clair repassé et un polo jaune qui était presque de la même couleur que ses cheveux. Il avait à la main une petite serviette en cuir.

— Bonjour, Madame Muir, la salua-t-il en lui faisant un sourire resplendissant qui faisait briller ses yeux bleus en contraste à son bronzage foncé.

Harper inclina la tête. D'habitude, Devlin appelait Mamaw *Mademoiselle Marietta,* maintenant que sa relation avec Dora était du solide, pas encore *Mamaw,* mais certainement plus *Madame Muir.* Le fait qu'il l'appelle par son nom officiel indiquait que ce n'était pas une visite personnelle.

— Harper, ajouta-t-il en prenant acte de sa présence. Heureux de te voir.

— Voulez-vous que je vous laisse ?

— Non, reste, insista Mamaw. Je n'ai pas de secret. Devlin, je t'en prie, assieds-toi.

— Merci.

Devlin suivit Mamaw dans le salon et s'assit sur la chaise qu'on lui désignait tandis que Mamaw reprenait la sienne. Il plaça la serviette sur la petite table qu'il y avait entre eux, posa la main sur elle puis se pencha vers Mamaw.

— J'ai de bonnes nouvelles.

— Ah ?

Il y avait plus d'inquiétude que de joie dans la voix de Mamaw.

— J'ai une offre pour la maison.

— Déjà ? s'exclama Harper.

— Je vous avais dit que ça irait vite, souligna Devlin en ouvrant sa serviette et en en tirant un épais dossier.

Puis, il donna le contrat à Mamaw.

Celle-ci prit ses lunettes de lecture et, après les avoir mises, prit le contrat et se mit à le lire avant de lever la tête.

— Cette offre n'est pas à plein prix.

— Il fallait s'y attendre, répliqua Devlin calmement. Mais c'est une offre raisonnable, et ils s'attendent pleinement à ce qu'il y ait une contre-offre. Cependant, ce qui la rend intéressante, c'est qu'elle est complètement en argent comptant. Ils ont pris l'avion pour venir ici ce week-end rien que pour voir la maison et ont fait une offre le jour même. Ce sont des acheteurs vraiment sérieux.

Mamaw se remit à consulter les documents.

– Et mes autres demandes ?

– Ils les ont toutes acceptées. Vous pouvez déterminer la date de prise de possession.

Mamaw s'adossa à sa chaise puis retira ses lunettes et regarda Harper à la recherche d'un peu de soutien. Cependant, celle-ci remua la tête et brandit les mains dans un geste d'impuissance, car elle était bien incapable de lui en offrir. En effet, elle était sur des charbons ardents.

Alors, Mamaw regarda de nouveau Devlin.

– Que me conseilles-tu ?

– Comme agent immobilier ou comme ami ?

– Les deux.

– Comme agent immobilier, je vous dirais de faire une contre-offre. Ce couple désire cette maison. Il cherche une demeure historique de ce genre depuis des années. On pourrait s'échanger les offres et conclure rapidement.

À ces mots, Harper serra les lèvres et son cœur s'arrêta de battre.

– Comme ami cependant, je vous dirais d'attendre une offre à plein prix. Je n'ai pas encore eu de nouvelles des autres parties que j'ai contactées. Mademoiselle Marietta, il n'y a pas une autre propriété comme la vôtre sur le marché. Les maisons si bien situées avec tout ce charme et l'histoire de Sea Breeze sont aussi rares que les semaines des quatre jeudis. Je vous jure que c'est ma maison préférée dans l'île. En plus, vous n'êtes pas pressée, remarqua-t-il en s'appuyant sur sa chaise et en se balançant. Vous avez trois jours pour répondre à cette offre. Utilisez-les. Cela vous fera gagner du temps.

Harper s'excusa tandis que Devlin se mettait à discuter de stratégie. Elle sortit du salon d'un pas mesuré, mais une fois qu'elle eut refermé la porte derrière elle, elle se mit à appeler ses sœurs d'une voix forte et paniquée. Nate sortit de la cuisine avec un sandwich au beurre de cacahuètes à la main.

– Que se passe-t-il ? demanda-t-il, les yeux écarquillés.

– Rien, mon petit, se dépêcha-t-elle de le rassurer. Où est ta maman ?

– Sur le quai, avec tante Carson.

Alors, à toutes jambes, Harper traversa la cuisine, franchit la porte et la véranda, dépassa la piscine et le mât sur lequel flottaient des drapeaux jusqu'au quai. Derrière des nuages qui se dirigeaient à toute vitesse vers la mer, le soleil de fin d'après-midi se montrait. Les pieds de Harper frappaient brutalement le quai en bois tandis qu'elle courait jusqu'à son extrémité. Elle trouva ses sœurs assises à l'ombre sur la partie recouverte, les jambes allongées sur des bancs en bois en train de boire du thé glacé. Carson portait son bikini passe-partout et Dora, un une-pièce et un couvre-maillot plus pudiques. Elles s'étaient arrêtées de parler et regardaient Harper courir vers elles avec des expressions pleines d'attente.

– Il y a le feu ? cria Dora tandis qu'elle se rapprochait.

Harper pouvait sentir son visage en train de chauffer à cause de sa course. Elle porta la main à son cœur tandis qu'elle reprenait son souffle.

– Bois une gorgée, chérie, avant de rendre l'âme, offrit Dora en lui donnant un verre.

Harper but avec soif et s'essuya la bouche d'une manière qui ne seyait guère à une dame avant de lui rendre le verre.

– Mamaw vend Sea Breeze, leur cracha-t-elle alors.

– C'est tout ? s'étonna Carson en s'appuyant contre le mur du quai. Nous le savions.

– Non, je veux dire en ce moment. Devlin est là. Il a apporté une offre.

À ses mots, Carson se redressa brusquement.

– Zut. Déjà ?

– Devlin est ici ? renchérit Dora. Où ?

– Il est assis dans le salon avec Mamaw. Je savais qu'il se passait quelque chose quand je l'ai vu arriver une serviette à la main en roulant des mécaniques avec l'élégance d'un paon.

– Ce n'est pas gentil, ça, protesta Dora, que cette description méchante irrita. Devlin n'est pas notre ennemi. Mamaw l'a engagé pour vendre la maison. Il fait simplement son travail, poursuivit-elle avant de renifler et d'ajouter avec hauteur : en plus, moi, je trouve qu'il est très beau quand il s'habille.

– Excuse-moi. Je l'aime bien, Dev, tu le sais, s'excusa Harper, un peu calmée. Je m'en prends au messager.

– Mamaw va-t-elle accepter cette offre ? questionna Carson.

– Je ne pense pas, ce n'est pas une offre à plein prix, Dieu merci. Devlin lui a conseillé de temporiser.

– C'est un soulagement, reconnut Carson.

– Pas vraiment, intervint Dora. Ils feront une contre-offre, ou une autre offre, meilleure cette fois, sera faite, une offre qu'elle ne pourra refuser.

– Elle a raison, reprit Harper. Ce couple est venu en avion pour voir la maison. Selon Devlin, ils attendaient que la propriété idéale se présente et ils désirent vraiment Sea Breeze, ajouta-t-elle en se laissant tomber sur le banc à côté de Carson tout en portant ses mains à ses joues, se sentant soudainement faible. Je pense que ce n'est vraiment pas loin de se concrétiser. Sea Breeze est sur le point d'être vendue.

Elle regarda alors Dora et Carson dans les yeux et y vit la même stupeur, la même tristesse et le même tourbillon de regret qu'elle ressentait dans son propre corps. Pendant plusieurs minutes, aucune d'elles ne put dire mot, chacune perdue dans ses propres pensées. Elles savaient toutes que ce jour viendrait, mais comme une tempête qui gronde au loin, c'était toujours une chose qu'elles avaient mise de côté en se disant qu'elles s'en occuperaient une fois le moment venu.

Or, ce moment était maintenant arrivé.

— Sea Breeze… vendue ? prononça Carson lentement, chaque mot faisant l'effet d'une pierre en train de choir. Je ne peux pas y croire. C'est la seule maison que j'aie jamais vraiment aimée, la seule constante dans ma vie. Peu importe où je pouvais me rendre, peu importe combien de temps j'étais partie, je savais que Sea Breeze m'attendait ici. C'était mon havre de paix. Je n'arrive pas à croire qu'elle ne sera plus là.

— Moi, durant mon divorce, ç'a été ma pierre de touche, émit Dora.

— En fait, Sea Breeze ne disparaîtra pas, remarqua Harper, elle sera toujours là, mais pour une autre famille, pas pour nous.

Cependant, il n'y avait aucun réconfort dans ses paroles. Elle regarda de nouveau en direction de la maison en essayant d'imaginer qui que ce soit d'autre que les Muir y habiter.

— J'ai toujours été fière que cette maison soit à nous, admit Dora. Pour les maisons, je suis assez snob pour le reconnaître. C'est que Sea Breeze, c'est plus qu'une maison. C'est une véritable relique du passé de Sullivan's Island.

— Cette maison a été notre bateau de sauvetage, poursuivit Carson. Toutes les trois, nous avons pataugé tout l'été. Qu'aurions-nous fait si nous n'étions pas venues ici ?

Elle posa ses longues jambes sur le banc pour les rapprocher d'elle et les entourer de ses bras, un geste que Harper reconnut et que Carson faisait depuis qu'elle était petite chaque fois qu'elle avait peur ou qu'elle se sentait vulnérable.

— Et maintenant, que sommes-nous censées faire ?

— Pensez-vous que Mamaw ait assez d'argent pour conserver la maison pour que nous la louions ? questionna Carson. Il y a longtemps qu'elle en est propriétaire et même si je ne sais pas à combien s'élèvent ses dépenses mensuelles, elles doivent être moins élevées que si elle l'avait achetée aujourd'hui.

Pensez à quel point sa valeur a augmenté. Nous pourrons mettre tout notre argent ensemble et payer un loyer ?

— Chérie, la maison a été hypothéquée au max, lui rappela Dora. Mamaw avait besoin de l'argent pour papa, sinon, elle aurait essayé de trouver quelque chose. De toute manière, Carson, tu n'as pas d'économies, et même si je mettais tout ce que je recevrai pour ma partie de la maison, si elle se vend un jour, ce n'est qu'une goutte d'eau dans l'océan. En outre, même si nous avions les moyens de la louer, nous n'aurions pas les moyens de payer les taxes.

— Mamaw a toujours dit qu'acheter le chien, c'était la partie la moins coûteuse de la transaction, souligna Carson. Nous devrions tout de même faire les calculs. Mamaw nous aiderait de n'importe quelle manière qu'elle pourrait. Tu sais que c'est le cas.

— Je ne sais pas si je devrais vous en parler, dit Dora avec hésitation. J'ai failli ne pas pouvoir envoyer Nate à cette école, car Cal disait qu'il n'avait pas l'argent pour le dépôt, et moi, je n'avais pas d'économies. Comme Mamaw n'avait pas l'argent comptant, elle a vendu ses boucles d'oreilles en diamant, les pendants. Elle les a vendues pour pouvoir payer le dépôt pour Nate, poursuivit-elle en voyant la stupeur sur le visage de ses sœurs. J'ai détesté devoir lui demander une chose pareille, se dépêcha-t-elle d'ajouter. C'est grand-papa Edward qui les lui avait données, mais je ne sais pas ce que j'aurais fait si elle ne les avait pas vendues. Je devais vous le dire pour que vous sachiez qu'elle n'a plus beaucoup d'argent et qu'il ne lui reste pas grand-chose avec quoi nous aider.

— Elle nous l'a dit quand elle nous a appris qu'elle devait vendre la maison, se souvint Carson, mais je n'avais pas compris à quel point c'était grave.

— Il ne faut plus que nous lui demandions de nous aider, plus jamais, lança Harper en regardant Dora et Carson avec insistance.

– Je vais la rembourser quand ma maison sera vendue, proposa Dora.

Carson, quant à elle, regarda de nouveau Sea Breeze avec tristesse.

– Je ne sais pas où j'avais la tête. Jamais nous n'aurions les moyens de louer cette maison.

Harper s'adossa au garde-fou du quai et réfléchit à ce que la vente de Sea Breeze signifierait pour ses sœurs. Pour elles, cette maison représentait la solidarité et la sécurité physique et financière. Financièrement, Carson et Dora étaient sur un terrain glissant. Dora, elle, tout au moins, était installée au cottage et avait un emploi, et elles savaient toutes qu'elle et Devlin se marieraient un jour. Mais pour Carson, il y avait plus d'incertitude. Pas d'emploi, pas d'appartement, ni d'économies. Des trois femmes, c'était elle qui était dans la situation la plus précaire.

Harper regarda vers la crique comme elle l'avait fait tant de fois cet été. Son regard se promena sur la baie sinueuse avec son courant puissant, les herbes des marécages d'un vert brillant qui grouillaient de vie et de mystère. Elle prit une grande respiration, goûta l'air salé et sentit la brise parfumée de l'océan jouer avec ses cheveux. Au loin, elle entendit s'élever un chœur d'insectes. Avec le mois d'août commençaient la saison migratoire et le va-et-vient important sur la côte. Quant au mois de septembre, c'était une époque de transition et de changements. Quiconque prétendait qu'il n'y avait pas de changement de saison dans la région ne savait pas ouvrir les yeux et observer la myriade de miracles qui se produisaient chaque saison le long de la côte.

Elle avait rôdé sur chaque mètre carré de l'île à la fois seule et dans des chasses au trésor en compagnie de Carson. Les plages, les forts historiques et les monuments, les mystérieux marécages, les coups de vent qui faisaient onduler l'eau. Soudain, Harper prit une grande respiration.

En vérité, Harper se sentait plus chez elle à Sea Breeze que dans n'importe laquelle des autres maisons où elle avait habité et grandi. Cette maison s'était profondément enracinée dans son cœur et son biorythme était lié à celui des marées. Pour elle, Sea Breeze n'était pas une gare quelconque, un endroit où se reposer et faire le plein avant de repartir.

Oui, Carson avait habité ici quand elle était petite. Oui, Dora avait grandi dans le Sud, mais le sang des Muir circulait aussi dans les veines de Harper. Elle était autant à sa place ici que ses sœurs. Par les eaux de la crique, elle avait été baptisée fille de la côte.

Et elle était amoureuse d'un garçon de la côte.

Carson avait raison, comprit-elle avec un petit rire sec. Jamais elle ne réussirait à convaincre Taylor de faire ses bagages et partir pour New York. Il s'était livré à trop d'introspection pour quitter de nouveau la côte, tout comme elle, se rendit-elle compte.

Harper sentit alors ses épaules s'abaisser et un petit sourire entendu s'esquisser sur son visage tandis que tout se mettait en place. Elle avait passé l'été à être attentive à toute chose, grande et petite, à rechercher la solitude pour réfléchir, à se préparer pour le changement qu'elle sentait venir. Pendant des mois, elle n'avait su ce qu'elle attendait, mais elle avait persévéré avec patience et foi. Ensuite, quand elle avait fait la rencontre de Taylor, elle avait cru que c'était la réponse, et il l'était, en partie, mais seulement en partie, et encore, une toute petite partie.

Taylor avait dit que ce qui faisait un foyer, ce n'était pas une maison, mais les gens. Il avait raison. Dora et Carson et, bien sûr, Mamaw étaient les fondations qui faisaient de Sea Breeze le foyer qu'elle recherchait.

Et pourtant, même ses sœurs n'étaient pas la clé de sa réponse.

C'était d'une simplicité tellement trompeuse qu'elle dut rire toute seule d'avoir pris tant de temps à y penser. En effet, comme Dorothy, elle avait été en possession de la réponse tout le temps, et la magie des souliers de rubis était en elle. Elle avait découvert ses propres forces et ses talents. Elle avait embrassé le fait qu'elle était écrivaine, qu'elle vende un livre un jour ou non.

Et pendant tout ce processus, Sea Breeze avait été son sanctuaire. Cette région, avec ses odeurs, ses goûts, son climat, sa faune et sa flore, voilà où elle était à sa place. À Sea Breeze, elle était chez elle.

Harper sentit un accès d'excitation en prenant les mains de Dora et de Carson et en les pressant. Elles la regardèrent, les yeux écarquillés à cause de ce geste impulsif, pouvant sentir qu'il se passait quelque chose, de la manière que les gens le sentent quand quelque décision importante a été prise.

— Je sais quoi faire, annonça Harper en se tournant d'abord vers Carson pour la regarder dans les yeux avant de faire de même avec Dora et en leur pressant de nouveau la main. Je vais acheter Sea Breeze.

CHAPITRE 15

Harper s'arrêta à l'entrée de la chambre de Mamaw et y jeta un coup d'œil.

Sa grand-mère était assise sur un énorme fauteuil en chintz, les pieds sur un pouf assorti, la tête baissée sur un livre, captivée par son histoire.

Harper se tourna alors vers ses sœurs, dont le visage était rouge d'excitation.

– Attendez ici. Je veux d'abord parler à Mamaw seule à seule.

Dora et Carson grommelèrent, mais obtempérèrent.

– Je te dérange ? s'enquit-elle après avoir frappé doucement à la porte.

– Mon Dieu, non, répondit Mamaw en levant la tête de son livre. Entre, Harper, l'accueillit-elle en tendant le bras en signe de bienvenue. J'ai dû me retirer de la véranda, car la chaleur est insupportable aujourd'hui. Mais remarque, je ne me plains pas. L'Atlantique est calme, sans le moindre signe d'ouragan et, comme tout le monde sur la côte, je suis reconnaissante pour ces petits bienfaits, ajouta-t-elle avant de déplacer les pieds pour faire de la place à Harper et de fermer son livre.

Harper ferma la porte derrière elle avant de traverser le tapis moelleux pour aller s'asseoir sur le pouf à côté des jambes de sa grand-mère.

– Comment puis-je t'être utile, ma chérie ? Tu as l'air troublée.

– Je vais te demander quelque chose, commença Harper en se penchant devant elle, et, s'il te plaît, je veux que tu sois parfaitement honnête avec moi.

– Oh, mon Dieu, cela semble sérieux ! s'exclama Mamaw en plaisantant.

– Oui, c'est sérieux.

Mamaw sentit alors l'humeur de Harper et toute sa jovialité l'abandonna et ses yeux bleus brillèrent, en alerte.

– Très bien, ma chérie. Je suis tout ouïe.

– Mamaw… commença-t-elle, seulement pour s'apercevoir que sa bouche était sèche.

Elle se passa la langue sur les lèvres puis reprit pour de bon.

– J'aimerais acheter Sea Breeze. Est-il trop tard ?

La bouche de Mamaw s'ouvrit, hébétée. Pendant un instant, elle ne sut que répondre puis elle prit la main de Harper.

– Merci, mon Dieu !

~

Mamaw, Carson et Dora étaient folles de joie à l'idée que Harper garde Sea Breeze dans la famille. Mamaw tapota la main de Harper et l'assura qu'elle taillerait son crayon et lui donnerait le « rabais de la famille ». Cela les fit toutes rire en sachant que leur grand-mère téléphonerait à son banquier et à son avocat pour des conditions plus réalistes. Cependant, Harper insista pour que le prix de vente prenne en considération ce dont Mamaw aurait besoin pour rembourser les hypothèques et les factures tout en lui laissant assez pour vivre confortablement.

Pendant que la famille parlait, Harper se retira afin de faire une sérieuse planification. En effet, elle avait beaucoup à comprendre et à entreprendre afin que cette acquisition se concrétise. Après s'être reposée tout l'été, elle sentait son ancien élan d'énergie revenir et son cerveau tourner à plein régime. Toutefois, elle avait honte de comprendre si peu de choses au sujet de son fonds fiduciaire et encore moins sur la manière d'en obtenir l'argent. Elle avait été négligente quant aux détails relatifs à sa fortune, encaissant les chèques qu'elle recevait avec insouciance et sans se poser de question. *Paresseuse* était un mot plus juste. *Il est temps de se comporter en adulte*, se dit-elle. Mais sa première tâche était la plus effrayante : affronter sa mère. En effet, Georgiana était la gardienne de l'héritage de Harper.

Harper s'assit à son bureau et effectua quelques recherches sur les fonds fiduciaires en général, avant de rassembler ses chèques pour tenter de déterminer les sommes. Quand elle eut terminé, elle se rendit compte à quel point elle avait été négligente. Pendant tout l'été, elle avait dépensé sans compter, sans jamais considérer sérieusement ce qui arriverait quand son compte bancaire serait à sec. Il ne lui restait plus qu'à affronter ses responsabilités. Elle s'assit donc sur le bord de son lit en essayant de se sentir comme la fille de sa mère, et non son assistante, puis elle composa son numéro.

– Georgiana James.

– Bonjour, mère, c'est moi, Harper.

– Oui ?

Son ton était sec, ce qui indiquait qu'elle était fâchée contre Harper soit parce qu'elle avait pris tant de temps pour répondre à son offre, soit parce qu'elle n'était pas retournée plus tôt à New York, ou les deux.

– Comment vas-tu ?

– Plutôt bien. Je viens tout juste de rentrer des Hamptons et la circulation était abominable, déclara-t-elle avant de s'interrompre. D'ailleurs, je m'attendais à te trouver ici en rentrant.

– Oui, bien… Je crains d'avoir d'autres plans.

– Mon Dieu, Harper, nous n'allons pas nous disputer de nouveau à ce sujet, n'est-ce pas ?

– Non, mère, il n'y a rien à propos de quoi se disputer.

– C'est bien, car j'ai une bonne nouvelle. Un poste éditorial s'est libéré. Ce n'est pas en littérature, mais c'est tout de même dans les acquisitions, et ce n'est qu'une question de temps avant qu'on te transfère à la section littérature.

– Je te suis reconnaissante pour cette offre, mais je crains de ne pouvoir l'accepter. J'ai décidé de chercher un poste ici, à Charleston.

La ligne resta silencieuse un instant.

– Tu ne peux *sûrement* pas vouloir dire que tu as l'intention de rester là-bas ? De façon permanente ?

– Je suis très heureuse ici, et j'ai rencontré quelqu'un.

Elle fit une pause.

– Maman, je suis amoureuse.

– Tu es amoureuse ?

Harper entendit alors sa mère rire, et guère gentiment.

– Et de qui, peut-on savoir ?

Harper n'avait pas l'intention de lui permettre de faire de sa relation avec Taylor quelque chose de trivial, de sorte qu'elle lui répondit sérieusement.

– Il s'appelle Taylor McClellan. Je l'ai rencontré cet été. Il est merveilleux. J'espère qu'il te plaira, car je l'aime.

– Je vois. Et que fait-il ?

– Il est gestionnaire de projets. Chez Boeing, la société d'aéronautique.

– Et ses parents, qui sont-ils ?

– Les McClellan sont une famille ancienne, de McClellanville.

Harper mentionna délibérément ce lien avec une famille ancienne qui avait un village portant son nom, car ce détail, elle le savait, impressionnerait sa mère.

— Alors il vient du Sud ? reprit-elle, et sa répugnance était évidente.

— Oui. Mère, tu ne sais rien du Sud.

— J'ai épousé un homme du Sud.

À ces mots, Harper se sentit bouillonner.

— Parle-moi de sa famille.

— Ce sont des gens bien.

— Oui, mais que font-ils ?

— Ils sont dans la crevette.

— Qu'est-ce que ça veut dire, « ils sont dans la crevette » ?

— Son père a un chalutier et il pêche des crevettes pour le marché.

— Ils ont une flotte ?

— Oh, pour l'amour de Dieu, mère, non, ils n'ont pas de flotte. Ils ont un bateau, le *Miss Jenny*, nommé ainsi en l'honneur de sa mère, qui est maîtresse d'école. Il a un frère, mais il est toujours au secondaire. Laissons-lui quelques années pour voir ce qu'il fera avec sa vie, ajouta-t-elle sarcastiquement. Vraiment, mère, quelle importance ? J'aime Taylor et il m'aime. Tu n'es donc pas heureuse pour moi ?

— Je serai heureuse une fois que je t'aurai entendue me dire ce que tu fais pour toi-même. Je ne t'ai pas élevée pour que tu deviennes femme au foyer. J'ai dépensé une fortune pour te donner une éducation de première qualité et tu es sur le point de devenir une importante éditrice. Si vous vous aimez, il comprendra cela et attendra un peu pendant que ta carrière se retrouve la bonne voie. Peut-être pourrait-il te suivre à New York, à un moment donné, dans le futur, s'il le souhaite.

— Nous en avons discuté, rétorqua Harper, et nous avons décidé que ce n'était pas ce que nous recherchions. Tu vois, avec reconnaissance pour ton offre, je ne veux pas retourner à New York. En fait…

Harper prit une respiration.

– Il y a quelque chose d'important dont je voudrais te parler. J'ai besoin de tes conseils.

– … Je t'écoute.

– Il s'agit de mon fonds fiduciaire. Je ne me suis jamais renseignée auparavant, mais y a-t-il une manière quelconque par laquelle je pourrais avoir tout l'argent qui s'y trouve d'un coup ?

– Absolument pas, répondit Georgiana avant de lui demander avec suspicion : pourquoi me poses-tu cette question ? Quelle est l'urgence ?

– Je voudrais acheter une propriété.

– Une propriété ?

Georgiana sembla renversée.

– Où ? Pas en Caroline du Sud ?

– Si, bien sûr en Caroline du Sud. À Sullivan's Island.

Harper chargea son canon mental et fit feu.

– Je veux acheter Sea Breeze.

Il y eut un long silence au téléphone.

– Allô ? demanda finalement Harper dans le calme.

– C'est Marietta qui t'a mis cette idée en tête ? cracha Georgiana d'une voix basse et prête à tuer.

– Quoi ? Mais non, bien sûr que non. Je t'ai dit qu'elle vendait la maison en mai dernier, c'est la raison pour laquelle elle voulait que nous venions toutes y passer l'été ensemble avant qu'elle soit vendue.

– Je vois bien ce qui est en train de se passer. Mon Dieu, cette femme est insondable ! Marietta Muir sourit avec tant de gentillesse et se comporte si amicalement avec son charme de belle du Sud, mais ne te fie pas à elle. C'est une araignée en train de tisser sa toile. Elle a utilisé sa ruse pour manipuler ton père et maintenant, elle fait la même chose avec toi.

C'est tellement évident que c'en est risible. Tu dois bien voir que c'est pour cette raison qu'elle t'a invitée à Sea Breeze. Elle voulait que tu l'achètes ! Pour la sauver de la ruine.

— Mais non…

— Elle t'a raconté que les Muir sont les descendants de pirates ? Tu peux la croire. Si tu les laisses faire, ils te voleront impunément.

— Tu oublies que j'ai le sang des Muir, moi aussi.

— Et il se manifeste dans toute sa laideur en ce moment.

— Mais écoute-toi donc parler ! Quel livre du XIXe siècle as-tu donc lu sur le Sud ? Non, mais vraiment ! Des pirates et des belles du Sud ? Te rends-tu seulement compte à quel point ce que tu dis est absurde ?

Harper se leva pour se rendre à la fenêtre dont elle ouvrit le volet pour regarder la crique. Cette scène bucolique, le quai, les palmistes et l'eau au fort courant annulèrent tout dans son esprit et elle sentit toute la colère quitter son corps aussi facilement qu'elle y était venue.

— Mère, écoute-moi, reprit Harper plus calmement. Mamaw a prévu de s'installer dans une maison de retraite et Sea Breeze est à vendre. En fait, il y a déjà une offre, de sorte que Mamaw n'a pas besoin que je lui achète sa maison. C'est *moi* qui veux l'acheter, et si je ne procède pas rapidement, je raterai cette occasion. Mère, tu ne peux donc pas comprendre ? J'adore cet endroit. J'adore cette maison, l'île, la côte. C'était mon idée d'acheter Sea Breeze. C'est la maison de la famille et j'en fais partie. Pourquoi ne devrais-je pas l'acquérir ?

— Parce que je te l'interdis. Je ne te laisserai pas gaspiller ton héritage sans intervenir. Ni ta vie.

— C'est ma vie, mère, et mon héritage.

— C'est toujours comme ça quand tu passes du temps à Sea Breeze, même quand tu étais petite. Tu te mettais ces folles idées en tête et quand tu rentrais, tu étais intolérablement impolie et égoïste.

– Ce n'était guère de l'impolitesse, mère, mais plutôt la capacité de dire ce que je pensais. Quand je suis à Sea Breeze, j'ai la liberté de prendre mes propres décisions et personne ne les prend pour moi. Si je ne disais pas ce que je pensais ou si je ne te tenais pas tête, comme tu dis, quand j'habitais à New York, ce n'était pas parce que j'étais heureuse ou satisfaite, mais parce que je *te* cédais toujours !

– Je vois, répondit Georgiana d'un ton glacé.

– Je ne suis plus la petite fille d'autrefois. Maintenant, je prends mes propres décisions.

– Vraiment ? Tu n'as aucune idée des plans machiavéliques dont Marietta Muir est capable. Et son fils était sorti du même moule.

– Son fils était mon père, lança-t-elle d'une voix pleine de colère, et il a un nom, mère. Parker.

– Ah, te voilà maintenant sur la défensive, n'est-ce pas ? Eh bien, *Parker* m'a séduite et épousée parce qu'il voulait que je publie son roman, mais il a choisi la mauvaise victime. Je l'ai rejeté plus vite que l'encre n'a séché sur notre certificat de mariage. Et après ta naissance, je n'ai jamais reçu un sou de lui. Il m'a laissée sans *rien*.

– Merci, répondit Harper, profondément blessée.

– Harper, tu sais que ce n'est pas ce que je voulais dire, se reprit Georgiana, qui sembla instantanément contrite. Tu es ma fille, et je tiens à toi. C'est pour cette raison que quand je t'entends parler de gaspiller ta vie, je deviens hystérique.

– Mais c'est ma vie. J'ai 28 ans. Je t'ai téléphoné pour te demander ton aide, pas ta permission.

Après un autre long silence ponctué de plusieurs bouffées de cigarette, Georgiana reprit la parole, calmement cette fois.

– Tu as 28 ans, en effet, et c'est le point saillant.

Harper se raidit de nouveau. La voix calme de sa mère était la plus dangereuse.

– Que veux-tu dire ?

— Tu prétends que tu n'es pas une enfant ? lâcha sa mère en riant amèrement. Tu touches le revenu de ton fonds fiduciaire avec insouciance depuis toutes ces années comme s'il tombait du ciel. Si tu t'étais donné la peine de te renseigner, tu saurais qu'il a été établi avec des clauses blindées. Tu ne peux toucher au capital avant d'avoir 30 ans. Et même si je voulais, il n'y a absolument rien que je puisse faire pour que tu reçoives ton argent plus tôt. Tu dois donc attendre d'avoir 30 ans.

Harper se laissa retomber sur le lit. Elle ne pouvait avoir accès à son argent avant deux autres années. Ses espoirs d'acheter Sea Breeze s'envolaient en fumée.

— Et ton jeune homme, attendra-t-il que tu aies 30 ans ?

— L'argent ne lui importe pas, indiqua Harper d'une voix éteinte. Il n'est même pas au courant.

— Mais ta grand-mère Muir, si.

Harper ne répondit pas.

— Ma chérie, je suis de ton côté. Je sais qu'elles t'ont mis la pression. Tu as bon cœur et on t'a fait sentir que c'était ta responsabilité de sauver la maison de la famille. Mais ce n'est absolument pas le cas.

— Et Greenfields Park ? C'est ma responsabilité ?

— Tu vas en hériter, personne ne te demande de le sauver.

— Ce n'est pas ce que tu me demandes ?

— Ne sois pas ridicule, déclara Georgiana sur un ton différent, plus distrait. Ma voiture est arrivée, je n'ai pas le temps de m'éterniser sur ce sujet. Je suis déjà en retard pour une réunion.

— Nous devons en finir.

— Nous en avons fini. Ton nouvel emploi t'attend, mais il ne t'attendra pas longtemps. Tu sais à quel point c'est animé ici l'automne. Les chevaux sont à la barrière.

Georgiana attendit une réponse et comme elle n'en recevait pas, elle demanda brusquement :

— Tu es toujours là ?

– Je suis là.

– Tu te sentiras mieux quand tu seras à New York. Ça te libérera l'esprit des miasmes du Sud. Tu sais que j'ai raison.

– Non, je ne le sais pas.

– Assez. Je n'ai plus le temps de discuter de tout ça. Si tu ne rentres pas immédiatement, non seulement tu ne toucheras pas le capital de ton fonds fiduciaire, mais je vais m'assurer que tu ne reçoives plus le revenu qu'il produit. Me comprends-tu ?

Harper ne répondit pas.

– Laisse-moi reformuler ça de manière que même un enfant puisse comprendre. Tu rentres à New York immédiatement ou je te coupe les vivres, tous les vivres. Aimes-tu assez ce garçon pour abandonner tout cela ?

Harper, toujours assise, était renversée. Elle savait que sa mère était l'exécutrice de son fonds fiduciaire, mais elle ne savait pas que Georgiana possédait un tel pouvoir. Une fois de plus, sa mère avait renversé la situation. Elle exigeait que Harper soit une bonne petite fille, une fille obéissante, et qu'elle fasse ce qu'on lui disait. Cependant, cela signifierait non seulement abandonner le rêve d'acheter Sea Breeze, mais aussi renoncer à la possibilité de s'installer sur la côte. Elle perdrait Taylor.

– M'entends-tu ? demanda Georgiana durement.

– Parfaitement.

– Très bien. Appelle-moi pour me donner l'heure d'arrivée de ton vol et j'enverrai une voiture te prendre. Reviens à New York, Harper. Ta place est ici.

Harper se leva doucement en ressentant un calme étrange. Elle ne ressentait pas la colère ou les remords craintifs qu'elle avait éprouvés dans le passé après une tirade de sa mère. Elle éprouvait plutôt ce que l'on ressent quand quelque chose s'est passé exactement de la manière qu'on avait prévu.

Elle balaya alors sa chambre du regard, celle que Mamaw avait créée seulement pour qu'elle ait l'impression d'avoir son propre espace à Sea Breeze, pour qu'elle se sente spéciale… pour qu'elle se sente aimée. Toute la décoration (des couleurs aux tons neutres au pupitre d'école qu'elle avait utilisé étant enfant et aux livres), tout avait été choisi spécialement pour elle. Ensuite, elle laissa son regard se diriger au-delà des volets en direction de la crique. L'eau y circulait, avec puissance et régularité. C'était son talisman contre le mal.

– Tu es là ?

Elle entendit la voix sèche et impatiente de sa mère et sut que jamais Georgiana ne changerait. Il y aurait toujours un problème, un rendez-vous, un livre, un amant, quelque chose qui passerait avant elle. Elle savait donc que si sa vie devait changer, cela devait commencer par elle-même.

– Oui, je suis là, je suis exactement là où est ma place. Je suis désolée de te décevoir, mère, mais comme je te disais, je ne rentrerai pas à New York. Et maintenant, je dois y aller. Merci !

D'une pression du pouce, d'un milligramme à peine, Harper raccrocha.

– Assez, dit-elle en répétant les paroles de sa mère.

~

Alors qu'elle s'engageait dans le couloir, Harper entendit des sons de voix et des bruits de vaisselle dans la cuisine. Ayant besoin de ses sœurs, elle suivit ce son, mais hésita à la porte quand elle entendit qu'on prononçait son nom. Elle jeta un coup d'œil et les vit à l'évier en train de faire la vaisselle. Elle recula rapidement et les écouta.

Elle entendit d'abord la voix de Carson.

– Bien sûr que je suis contente qu'elle achète Sea Breeze, évidemment. Sauf que… Regardons les choses en face. Revenir ici en tant qu'invitées, ce ne sera pas la même chose.

– La même chose que quoi ? demanda Dora, dont la voix couvrit le bruit de l'eau qui coulait dans l'évier. Tu es une invitée en ce moment.

– Oui et non. C'est la maison de Mamaw et nous sommes toutes sur un pied d'égalité. Mais qu'arrivera-t-il quand Harper l'achètera ?

– Ça sera sa maison.

– Exactement.

– Ne me dis pas que tu es fâchée contre Harper parce qu'elle l'achète !

– Pas fâchée, mais jalouse, confessa Carson.

– Moi aussi, je suis jalouse. J'aimerais pouvoir l'acheter. Qui ne voudrait pas vivre ici ? Mais c'est comme ça.

– Si seulement j'avais l'argent des James pour me financer.

– Hé, Devlin me finance ! s'écria Dora en riant. Où veux-tu en venir ?

– Il ne te finance pas… Tu payes un loyer pour le cottage.

– Pas assez… Tu coupes les cheveux en quatre. Écoute, c'est une question de chance à la naissance, pile ou face.

– Face pour Harper et une pile d'ennuis pour moi.

– Elle est bonne, reconnut Dora en riant.

– Je ne plaisantais pas.

– Allez, ne sois pas de si mauvaise humeur. Nous avons eu beaucoup de chance de pouvoir venir ici pendant toutes ces années, c'est plus que ce que reçoivent la plupart des gens. Nous devons apprécier notre bonne fortune. Fie-toi à moi. Cet été, j'ai appris que la vie est bien plus agréable si on voit le verre à moitié plein.

– Si seulement Mamaw avait pu nous laisser la maison à nous trois, pour que les choses restent comme elles l'ont toujours été.

– Mais elle ne le peut pas, nous le savons depuis le début de l'été. Or, as-tu trouvé l'argent pour acheter Sea Breeze ?

Non. Et moi ? Non plus. C'est Harper qui l'a trouvé. Et nous avons de la chance ! Au moins, nous pourrons toujours venir.

— Le pourrons-nous vraiment ? Elle va habiter ici en permanence et un jour, elle va se marier, elle aura un mari et des enfants ici. Elle ne voudra pas que nous débarquions à tout bout de champ.

— Chérie, avec Harper, nous serons toujours les bienvenues. Mais Carson, sois réaliste, ajouta Dora avec une touche de frustration. Bien sûr que nous ne pourrons plus arriver sans prévenir et rester ici pendant quelques mois comme tu le faisais avec Mamaw. Désolée ma jolie, mais cette époque est révolue.

— Ferme-la.

Harper entendit ensuite qu'on se déplaçait, le bruit des portes des placards qu'on ouvrait et refermait. Elle jeta de nouveau un coup d'œil et vit Carson en train de ranger la vaisselle sèche pendant que Dora récurait une des nouvelles casseroles en acier inoxydable que Harper venait tout juste d'acheter. Quand Carson se retourna, Harper se cacha de nouveau derrière la porte.

— Maintenant, je comprends pourquoi elle a acheté toutes ces casseroles et ces poêles, cracha Carson avec mauvaise foi.

— Arrête, la gronda Dora.

Harper entendit ensuite qu'on fermait l'eau.

— Nous savons toutes que tu as toujours éprouvé un sentiment de propriété particulier vis-à-vis de cette maison. Réfléchis un instant. Tu as habité ici avec Mamaw quand tu étais petite et tu y venais tout le temps, tandis que Harper et moi, nous ne venions que pendant l'été. C'est toi qui as la plus grande chambre et tu sais que ça me rendait jalouse.

Harper entendit le petit rire de Carson.

— Naturellement, poursuivit Dora, je pensais que parce que j'étais l'aînée, c'était à moi d'avoir la meilleure chambre, mais ce n'était pas le cas. À l'époque, Mamaw m'a fait asseoir et m'a carrément dit que c'était ta chambre et que je devais simplement faire avec. Et c'est ce que j'ai fait, tout comme Harper, souligna Dora, dont la voix se fit suppliante. Et maintenant, Carson, c'est *toi* qui dois accepter le fait que Harper va acheter Sea Breeze et aura donc nécessairement une plus grande chambre. Mais fais-moi confiance, tu éprouveras toujours un sentiment de propriété sur la maison parce que tes souvenirs s'enracinent ici. Ça, rien ne peut le changer. Et ne crois-tu pas que je saute de joie en pensant que Nate va continuer à venir ici ? De plus, un jour, tu pourras amener tes enfants ici.

À ces mots, Harper entendit une casserole tomber dans l'évier.

– Oh, Carson, excuse-moi, laissa échapper Dora. Je n'ai pas réfléchi.

– Ça va, la rassura Carson, mais on aurait dit qu'elle était en train de fondre en larmes. C'est seulement que… Pour moi, cette maison, c'était mon foyer. Et le problème, c'est que c'est toujours le cas, ajouta-t-elle avant de renifler. Or, d'une manière ou d'une autre, être invitée à y revenir ne suffit pas quand on n'a pas son propre foyer.

– Oh, chérie.

De nouveau, Harper entendit des mouvements et supposa que ses sœurs étaient dans les bras l'une de l'autre.

– Je sais comment tu te sens. C'est nul de ne pas avoir de chez-soi.

Carson émit alors un son qui était un mélange de pleur étouffé et de rire.

– C'était justement ce dont Harper, elle, avait besoin. Une maison *de plus*.

– Ouais, répondit Dora, que la remarque fit rire.

Mais à ces mots, Harper explosa, car leurs pointes sonnaient juste. C'était une chose de se faire insulter par sa mère parce qu'elle voulait acheter Sea Breeze et une autre d'être attaquée par sa sœur parce qu'elle essayait de sauver cette maison. En plus de l'appel téléphonique, cette blessure semblait tellement injuste ! Ainsi, comme elle était déjà contrariée, ce fut tout ce dont elle eut besoin pour s'emporter. Harper fit irruption dans la cuisine et s'arrêta devant ses sœurs, les mains sur les hanches et les yeux étincelants de colère. Dora et Carson la regardaient, les yeux écarquillés de surprise d'avoir été prises sur le fait.

– J'ai quelque chose à t'apprendre, Carson ! hurla Harper en pointant un doigt vers sa sœur. Tu n'as pas à t'inquiéter que j'aie une maison *de plus*, ou quelque maison que ce soit, d'ailleurs. Je viens juste d'en finir avec ma mère, la reine de glace. J'ai essayé d'avoir l'argent de mon héritage afin de pouvoir acheter Sea Breeze, une chose que je faisais pour *nous*. Non seulement je n'ai pas obtenu l'argent, mais en plus, je suis déshéritée si je ne rentre pas illico. Alors devine quoi ? Tu as ce que tu souhaitais. Je m'en vais ! Exactement comme toi.

Harper pouvait sentir son visage s'échauffer et était certaine qu'il était aussi rouge que ses cheveux. Mais elle poursuivit, laissant toute sa frustration contenue exploser comme un volcan.

– Je n'achète donc *pas* Sea Breeze. Elle sera vendue à des inconnus. Tu es contente maintenant ? cracha-t-elle avant de se tourner et de quitter la cuisine comme une folle en croisant Mamaw, qui se trouvait dans l'embrasure de la porte, une main sur le cadre, le visage blême.

Harper fit claquer la porte de la maison en s'en allant. Ses pieds frappaient lourdement les marches de bois tandis qu'elle les descendait à toute vitesse avant de traverser l'allée de gravier jusqu'à la rue. Pourquoi pensaient-elles toujours qu'elle était celle qui avait de la chance ? À cause de l'argent ? Ne savaient-elles donc pas qu'elle était tout autant à la dérive et vulnérable qu'elles ?

Sa blessure lui donnait l'impression que son cœur était en train de se consumer et des larmes ruisselaient le long de son visage, la faisant haleter tandis qu'elle brandissait les poings de plus en plus vite en s'éloignant de Sea Breeze. Pourtant, peu importe la distance qu'elle parcourrait ou la vitesse à laquelle elle marchait, elle savait qu'elle ne pourrait distancer la douleur, le regret et, aussi, la peur qui étaient à ses trousses.

~

Mamaw était à l'entrée de la cuisine et regardait les visages stupéfaits de Carson et Dora, qui demeuraient silencieuses, contrites.

Bien que Mamaw n'ait pas entendu tout ce qu'elles avaient dit, elle en avait entendu assez. Elle regarda Carson dans les yeux.

– Tu devrais avoir honte.

Puis, elle se tourna lentement et quitta la cuisine.

CHAPITRE 16

Harper brandissait les poings en courant à plein régime le long de la plage. La marée se retirait et ses talons creusaient de profondes traces dans le sable. Elle courut jusqu'à ce qu'elle ne puisse aller plus loin, presque passé Breach Inlet. Essoufflée, elle monta les dunes et s'étira les jambes devant elle sur le sable chaud.

Elle avait couru avec intensité, mettant de la distance entre elle et la douleur qu'elle avait ressentie à cause des commentaires désobligeants de Carson. Ils étaient méchants et injustes et avaient blessé ses sentiments déjà si fragiles. Mais courir avait éteint la brûlure de ces paroles et assise là, essoufflée et au bout de sa fureur, Harper s'était suffisamment calmée pour prendre le venin de Carson pour ce qu'il était : de la souffrance, de la jalousie et de la peur. Toutes ces émotions, elle les comprenait.

Pressant les doigts dans le sable chaud, elle se demanda si ces paroles l'avaient blessée davantage parce qu'elles venaient de Carson. D'habitude, celle-ci était optimiste et authentique, elle se souciait des autres, et Harper l'avait toujours admirée, prise en exemple, dès qu'elles avaient fait connaissance.

Elle se souvint alors de la première fois qu'elle avait vu Carson en arrivant à Sea Breeze. Elle avait six ans, elle était comme une minuscule poupée, petite et délicate, vêtue avec raffinement d'une robe à smocks et de socquettes à garniture de dentelle avec, dans ses cheveux roux et blonds, un grand nœud. Carson, en revanche, portait un maillot de bain incrusté de sable et un short, un jean déchiré dont les jambes avaient été coupées. Elle était aussi brune qu'une baie et ses cheveux noirs complètement décoiffés étaient pleins de sel séché qui les faisait se dresser en angle.

Harper avait immédiatement aimé Carson. Elle avait l'air sauvage et pleine de confiance, tout ce qu'elle voulait être, ce dont ses héroïnes avaient l'air dans son imagination. Carson lui avait pris la main d'une manière protectrice et l'avait conduite à la bibliothèque, où Mamaw avait créé une chambre pour elle. À l'instant où Harper avait pénétré dans la pièce et vu tous les livres, elle avait esquissé son premier sourire.

Durant cet été, leur amitié s'était lentement épanouie. Avec le recul, Harper vit que c'était le destin qui avait fait en sorte qu'elle arrive justement l'été où Dora laissait aller la main de Carson. Ce faisant, Dora laissait son enfance derrière elle (les jeux et les illusions) et accueillait le drame associé à l'adolescence. Ainsi Harper était-elle arrivée juste à temps pour remplir le vide laissé par Dora.

En fait, grâce à tous les livres d'aventure qu'elle avait lus, dans leurs jeux d'imagination, Harper était supérieure même à Dora. Oh, les jeux auxquels elles avaient joué ! Tom Sawyer et Huck Finn les faisaient flotter le long de la crique à la recherche de Joe l'Indien. *L'Île au trésor* et les histoires de Mamaw au sujet de leur illustre ancêtre, le gentilhomme pirate, les faisaient se lancer à la recherche d'un trésor enfoui année après année. *La Source enchantée* les avait convaincues qu'elles trouveraient la source de l'immortalité. Quant à *Peter Pan*, c'était la meilleure aventure pour des petites filles qui aimaient les pirates, les sirènes et les fées, et qui habitaient une île.

Toujours avec le recul, Harper pouvait voir comment Carson l'avait aidée à s'épanouir à Sea Breeze. Chaque été, Harper arrivait à Sullivan's Island en ayant l'air d'une écolière guindée pendant une sortie, mais quelques jours après, c'était comme si elle avait retiré, en même temps que ses vêtements sophistiqués, sa personnalité craintive et soumise pour se permettre d'être la petite fille intelligente, curieuse et aventureuse qui se cachait en elle. Elles étaient inséparables toutes les deux et leurs cœurs battaient au rythme des marées.

Puis, l'inévitable s'était produit. Carson avait grandi elle aussi et mis de côté les jeux enfantins. Le dernier été qu'elles avaient passé ensemble s'était écoulé en grande partie sur la plage. À 16 ans, Carson était passionnée de surf et Harper, qui en avait 11, la suivait pour s'asseoir sous un parasol et lire. L'année suivante, Mamaw lui avait écrit que Carson ne viendrait pas à Sea Breeze. En effet, elle avait décidé de rester à Los Angeles et de se trouver un emploi d'été. Même si Harper était toujours invitée, elle ne voulait pas passer l'été seule. Comme sa mère venait tout juste de faire l'acquisition de la maison des Hamptons, Harper avait plutôt choisi d'y passer l'été. Et ce fut tout.

Harper n'avait pas revu Carson pendant des années jusqu'au mariage de Dora. Toutes deux avaient grogné en privé de devoir porter ces robes à frou-frou rose, mais elles avaient fait leur devoir consciencieusement. Elles ne se revirent ensuite qu'un an plus tard dans de plus tristes circonstances, et Carson avait été trop désemparée par les funérailles de leur père pour partager grand-chose avec ses sœurs. Bien vite, quelque temps plus tard, elles s'étaient réunies de nouveau pour les funérailles de grand-papa Edward. Toute la joie de Sea Breeze semblait avoir été enveloppée dans un suaire de tristesse.

Ç'avait été la dernière fois que les trois sœurs avaient été ensemble à Sea Breeze jusqu'à cet été. Pourtant, la saison estivale avait prouvé que le temps et la distance ne pouvaient rompre les liens qu'elles partageaient. Harper pouvait bien se fâcher contre ses sœurs, être en désaccord avec leurs choix, prendre ses distances par rapport à elles, mais elles étaient toujours avec elle. Elles étaient son sang, sa famille.

Et maintenant, il était temps de faire front commun.

Harper se leva et, d'une claque, secoua le sable de ses jambes moites. Elle s'étira lentement tout en regardant la mer sereine. Elle prit conscience qu'il ne restait pas beaucoup de temps à Sea Breeze pour elles, avec cette offre suspendue au-dessus de leurs têtes. Elle ne voulait pas passer ses dernières journées ici à se disputer. Elles étaient toutes sur un terrain glissant maintenant, colériques et cassantes. Elle ne voulait plus un instant de colère entre elles.

Harper savait ce qu'il lui restait à faire. Se tournant vers Sea Breeze, elle partit en courant.

~

Carson était assise sur le quai les pieds dans l'eau et regardait machinalement le courant puissant. Elle se sentait comme un morceau de bois à la dérive qui flotte sans but, sans valeur aucune. De la main gauche, elle serra une petite bouteille de téquila qu'elle avait caché quand les sœurs et Mamaw avaient toutes fait le pacte de bannir l'alcool de Sea Breeze au début de l'été.

Les paroles de Mamaw l'avaient piquée au vif. *Tu devrais avoir honte.* Carson les ressentait profondément parce qu'elle savait qu'elle les méritait. En effet, elle *avait* honte.

Dans son cœur, Carson savait que les raisons pour lesquelles Harper voulait acheter Sea Breeze étaient authentiques et désintéressées, comme Harper elle-même l'était. Elle était d'une générosité étonnante, plus que quiconque, et ce n'était pas parce qu'elle avait de l'argent. Carson connaissait bien des gens qui étaient pleins aux as, mais qui s'accrochaient mesquinement à leur argent en suspectant toujours que quelqu'un pourrait tenter de tirer profit d'eux ou les voler. Ce n'était guère agréable d'être en leur compagnie. Harper, elle, était ce type rare qui se comportait comme si elle n'avait ni argent ni prestige. Si elle avait quelque peur ou suspicion que ce soit, c'était que les gens ne l'aiment qu'à cause de son argent, et non pas pour elle-même.

Carson porta ses mains à son visage. Elle était d'autant plus honteuse qu'elle savait que c'était là le côté le plus vulnérable de sa sœur, son ventre mou, et qu'elle avait visé de ses pointes.

Elle était douée pour faire mal aux gens. Après le départ de Blake du café, elle avait erré seule pendant quelques heures dans un hébétement dépressif. Les paroles d'adieu de Blake résonnaient dans son esprit. *Tu n'es pas la seule à avoir perdu un bébé.* À cette pensée, Carson pressa les mains sur ses yeux avec intensité.

Pourquoi avait-elle toujours l'impression que tout était sa faute ? se demanda-t-elle. Pourquoi Blake ne pouvait-il comprendre qu'elle n'était pas prête à le laisser, lui ou qui que ce soit d'autre, se rapprocher d'elle ? Elle avait mené une vie dans laquelle elle prenait soin d'elle-même et de son père, en se fiant à son instinct.

Mais qu'était-elle donc en train de se raconter ? pensa-t-elle lamentablement. Et si son instinct n'était pas bon ? Il n'y avait qu'à regarder où il l'avait menée jusqu'à maintenant. Elle avait raté absolument tout ce qu'elle avait entrepris. Les emplois, les sports, les relations… Même Delphine. La seule créature avec laquelle elle s'était véritablement liée, qu'elle ait véritablement aimée, en qui elle avait eu confiance. Or, voilà ce qui lui était arrivé, et seulement parce que le dauphin avait commis l'erreur de l'aimer. Qu'est-ce qui n'allait pas avec elle ? se tourmenta Carson. Les autres poursuivaient leur carrière, étaient mariés, avaient même des bébés. Ses sœurs… ses sœurs en particulier. Dora était tombée amoureuse, s'était découvert un nouveau talent, emménageait dans une nouvelle maison. Harper et Taylor se construisaient un futur. Une fois de plus, elle était l'exception. C'était plaisant quand elle avait du travail et prenait l'avion pour des lieux de tournage exotiques. Même si elle n'avait eu personne dans sa vie, elle avait eu sa carrière, quelque chose qu'elle considérait comme étant à elle.

Et maintenant, que lui restait-il ? Elle fit la grimace et porta les mains à son visage. Rien. Blake méritait mieux. Elle ne pouvait être avec qui que ce soit en ce moment. Elle voulait seulement être seule. Pour réfléchir.

Et pour boire.

Que Dieu lui vienne en aide. Son envie d'alcool était si violente que son corps lui faisait mal et que sa gorge en brûlait. Elle tourna la tête et regarda la bouteille de téquila au fond du sac en papier, et pensa à tout ce qu'il lui promettait : l'oubli, l'engourdissement, l'immunité. Carson fit claquer ses lèvres sèches. Elle en avait presque le goût dans la bouche.

Elle n'était pas alcoolique, lui criait son esprit. Il y avait des mois qu'elle n'avait pas bu. Le pari originel avec ses sœurs était de ne pas boire pendant une semaine. Elle avait donc prouvé qu'elle n'était pas alcoolique, non? Alors, de quoi avait-elle si peur ? Tout ce qu'elle avait à faire, c'était ouvrir le sac, en sortir la bouteille, dévisser la capsule et prendre une gorgée, une gorgée seulement, pour prouver qu'elle pouvait revisser la capsule.

Même dans son état de volonté affaiblie, Carson pouvait entendre le raisonnement d'une toxicomane.

Ce fut alors qu'un bruit de course sur l'étroit quai en bois lui fit sortir le visage des mains. Carson s'essuya les yeux et regarda par-dessus son épaule. Elle vit Harper en train de courir vers elle, un éclat de transpiration sur le front.

En se levant pour aller à la rencontre de sa sœur sur la partie supérieure du quai, Carson ressentit un accès d'amour. Elles se serrèrent alors intensément dans les bras l'une de l'autre, et

Carson sentit la moiteur du corps de Harper et l'odeur aigre de sa transpiration.

– J'ai tellement honte, admit-elle en pleurant dans les bras de sa sœur. Je suis vraiment désolée.

– Non, non, ça va. J'ai réagi trop violemment, la rassura Harper, qui pleurait aussi.

– Je ne pensais pas les choses que j'ai dites. Elles étaient horribles et ignobles.

– Ouais, hoqueta Harper.

Carson éclata de rire et s'écarta.

– Tu n'as pas besoin d'être d'accord avec moi.

Ce fut alors que Harper vit les yeux rouges de sa sœur.

– C'était seulement pour dire…

– Tu es en sueur.

– Je sais, je joggais.

– Allons nous asseoir et tremper nos pieds dans l'eau, pour nous rafraîchir.

Carson la mena jusqu'à la partie inférieure du quai, un de leurs endroits favoris pour discuter, et discrètement, elle cacha le sac brun contenant la téquila.

Elles s'assirent au bord du quai et mirent les jambes dans l'eau comme elles le faisaient toujours quand elles venaient ici. Harper s'appuya vers l'arrière sur ses bras en laissant la brise rafraîchissante glisser sur elle.

– C'est vrai que je suis désolée, reprit Carson. Je me comporte tellement comme une imbécile. C'est seulement… J'ai du mal. Je me sens perdue et je suis incapable de me reprendre. Je sais que je peux être soupe au lait et méchante quand je suis déprimée, mais je suis vraiment désolée de m'être défoulée sur toi. Tu ne le méritais pas, tu essayais d'aider.

Harper se pencha alors pour laisser glisser sa main dans l'eau.

– Tu as toujours eu un problème avec l'argent de ma famille.

– Tu sais qu'en réalité, c'est seulement à cause de l'insécurité que je ressens parce que je n'en ai pas du tout.

Harper se redressa et essuya sa main sur son chemisier.

– Eh bien, moi non plus, je n'en ai plus, alors pourrais-tu arrêter ?

– Tu n'en as vraiment plus ?

– Si je reste ici, ma mère me supprime le revenu de mon fonds fiduciaire.

– Elle peut faire une chose pareille ?

– Elle est l'exécutrice.

Carson la regarda.

– De combien d'argent parle-t-on ?

Harper haussa les épaules.

– Assez pour que je n'aie pas à m'inquiéter.

– Ça doit être bien, soupira Carson.

– Carson…

– Désolée, mais de ma perspective, ça semble vraiment bien.

– Je donnerais chaque centime de mon fonds fiduciaire pour acheter Sea Breeze. L'argent ne m'importe pas.

Carson respira narquoisement du nez.

– Seuls les gens ayant beaucoup d'argent peuvent dire une chose pareille.

– Puis-je te dire quelque chose sans que tu te mettes en colère ?

Carson la regarda alors avec circonspection.

– Quoi ?

– Trouve-toi un boulot, merde. Tu es toujours en train de pleurnicher parce que tu n'as pas d'argent. Va en gagner !

– J'ai essayé ! cria Carson. Mais personne ne m'engage.

– Ici, peut-être que non. Tu es une photographe spécialisée dans les photos de films et de télé, et l'une des meilleurs. Ce n'est pas ici que tu vas te trouver ce genre de boulot. Retourne à Los Angeles et commence à chercher. Quelque chose va se présenter.

– Je ne pense pas, contra Carson en remuant la tête.

– Pourquoi pas ? demanda Harper, exaspérée.

Carson regarda ses pieds qui donnaient des coups dans l'eau.

– J'ai brûlé des ponts. J'ai été négligente et irréfléchie avec ma carrière.

– C'était quand tu buvais ? s'enquit doucement Harper.

Carson grogna et donna un coup plus violent dans l'eau.

– Ouais. Il y a une règle sur un plateau de tournage. On peut se saouler pendant son temps libre, mais pas pendant celui de la production. J'ai ruiné mon boulot, j'ai couché avec le réalisateur. Mon Dieu, ç'a été une beuverie monstre. La rumeur s'est répandue et personne ne veut m'engager.

Harper regarda alors le visage détourné de sa sœur. Carson avait l'air abattue, avec ses longs cheveux noirs noués négligemment sur le cou.

– Carson, il y a longtemps que tu n'as pas touché un verre. Ça fait trois mois.

Elle hocha la tête tout en regardant ses pieds remuer avec un bruissement dans l'eau.

– Alors... pourquoi bois-tu maintenant ?

Carson tourna brusquement la tête pour regarder sa sœur les yeux écarquillés.

– Grand-mère James n'a pas fait de moi une idiote, déclara Harper familièrement avant de souligner : pensais-tu donc que je ne verrais pas ce sac brun ? Tu es tellement prise sur le fait.

Carson avala avec difficulté, le visage peiné.

– Je n'en ai pas bu du tout.

Mais Harper prit un air incrédule.

– C'est vrai, je n'en ai pas bu, mais j'ai failli, ajouta-t-elle avant de grogner bruyamment. J'en ai tellement envie.

– Ça ne t'aidera pas, tu le sais. Si tu bois maintenant, tu te sentiras seulement plus mal.

– C'est impossible. Ça me fera sentir mieux, ou engourdie tout au moins.

Harper entendit le grognement sourd de la dépression dans la voix de sa sœur.

– Carson, comment puis-je t'aider ?

– Tu ne peux pas, personne ne peut m'aider, énonça-t-elle avant de fixer la crique pensivement.

– Et Blake ?

– J'ai rompu avec lui.

– *Encore ?* cria Harper, dont le cœur se serra. Mais tu l'aimes.

– Je sais, répondit Carson misérablement.

– Pourquoi ? gémit Harper.

– Je suis en plein désarroi en ce moment, laissa-t-elle échapper. Il n'y a plus de bébé. Je n'ai plus de carrière. Bientôt, il n'y aura plus de Sea Breeze. Tout ce que j'aime disparaît.

– Il me semble que c'est justement maintenant que tu devrais t'accrocher à Blake.

Carson retira les jambes de l'eau, les serra contre sa poitrine et passa les bras autour d'elles.

– Je suis dans un état catastrophique. Mieux vaut pour lui de ne pas être avec moi.

– Non...

– Si, c'est ce truc de totem, tu te souviens ? Le requin ?

– Je ne prendrais pas des décisions pour ma vie basée là-dessus.

– C'est justement ce que je suis censée faire. Selon le livre, et mes tripes. Vois-tu – Carson, avec intensité, se tourna pour faire face à sa sœur –, c'est comme si celle que j'étais auparavant était partie, poursuivit-elle en faisant un geste de la main vers la mer.

Quand elle reprit, sa voix se brisa.

– Et elle a emporté mon courage, mon estime de moi et mon cœur avec elle.

Harper se pencha et posa la main sur l'épaule de sa sœur pour la consoler, pour lui montrer d'une manière infime qu'elle n'était pas seule.

– Alors je dois la retrouver, poursuivit-elle d'une voix tremblante avant de renifler et de remuer les mains devant elle comme Nate le faisait quand il était nerveux. De plus, ajouta-t-elle d'une voix normale, c'est une chose que je dois faire seule, personne ne peut m'aider. Peux-tu comprendre ce que je suis en train de te dire ?

Harper pensa alors que c'était ce qu'elle avait fait pour elle-même cet été à Sea Breeze. Elle s'était isolée, s'était donné du temps et du calme pour chercher en elle-même ses forces et ses passions, pour se trouver.

– Oui, répondit-elle donc de tout son cœur. Je sais exactement de quoi tu parles, ajouta-t-elle avant de retenir sa respiration.

Elle n'avait pas prévu de partager son secret avec quelqu'un d'autre que Taylor, mais elle savait pourquoi celui-ci avait dit que l'écriture pouvait être un don.

– Cet été, j'ai fait exactement ce que tu viens de décrire. Et… commença Harper en se passant la langue sur les lèvres, je me suis mise à écrire.

Carson s'essuya les yeux avant de tourner la tête pour regarder sa sœur.

– À écrire ? demanda-t-elle, les yeux plissés de suspicion. À écrire quoi ?

– Un livre.

– Je le savais ! s'écria-t-elle. Tu avais toujours les doigts sur ton clavier. J'ai parié avec Dora que tu écrivais un livre. J'ai dit que tu y racontais tout. Dora, elle, pense que tu écris un roman historique sur le gentilhomme pirate. Alors, de quoi s'agit-il ?

– C'est toi qui gagnes, concéda Harper en souriant diaboliquement.

— Ça alors ! s'écria Carson, le souffle coupé.

— Tu ne dois en parler à personne. Tu me le promets ?

— Je te le promets. Mais pourquoi ? Tu devrais en être fière !

— Avec le passé de papa, je ne suis pas prête à en parler à qui que ce soit, et surtout pas à ma mère. C'est un grand secret, déclara-t-elle avant de faire une pause. Mais je vais te le montrer.

À ces mots, Carson devint immobile.

— Pourquoi à moi ?

— Parce que tu es mon héroïne. Tu n'as pas encore compris ça ? Carson, tu as toujours été l'héroïne dans toutes mes histoires.

Le visage de Carson se crispa tandis qu'elle se penchait vers sa sœur pour la serrer dans ses bras gauchement.

— Allez, dit Harper en se dégageant de son étreinte et en la tirant du quai. Allons le chercher. Oh, ajouta-t-elle en pointant le quai du doigt, apporte ce sac.

~

Dans la chambre de Harper, Carson se laissa tomber sur le lit en donnant des coups de pied dans les airs d'excitation.

— J'ai l'impression que c'est Noël et que je vais recevoir le plus beau cadeau.

Harper grimaça en se dirigeant vers son bureau.

— Enfin, nous verrons ce que tu en diras quand tu l'auras lu.

Elle déverrouilla ensuite le tiroir du bas et en sortit un imposant manuscrit dont les feuilles étaient écornées, mais qu'elle apporta à Carson comme si c'était un lingot d'or. Et en fait, c'était un trésor sans prix, car une partie de son âme était déposée dans ces pages. Ces mots étaient rédigés comme une confession de ses craintes les plus profondes et les plus sombres. Et maintenant, elle les exposait aux yeux d'une autre personne.

Carson se redressa pour s'asseoir, le visage plein d'appréhension tandis que Harper approchait avec le manuscrit.

– D'abord, nous devons faire un échange. La bouteille d'alcool contre le livre.

– D'accord, accepta Carson en se penchant sur le matelas pour attraper le sac brun qu'elle donna à Harper. N'hésite pas à le jeter.

– C'est ce que je vais faire.

Carson attendait impatiemment.

Les mains de Harper étaient en train de devenir moites.

– Ne le montre à personne. Tu me le promets ?

– J'ai déjà promis.

– Dis-le !

– Je le promets, dit Carson solennellement.

Harper prit alors une grande respiration puis, les bras tendus, lui remit le livre. Elle eut l'impression que Carson le lui arrachait des doigts.

Cette dernière essuya les siens sur son short avant de lisser la première page du revers de la main tout en la regardant puis elle leva la tête avec émerveillement.

– Tu l'as intitulé…

Mais Harper porta le doigt aux lèvres de sa sœur.

– Tu as promis : ne le dis à personne !

~

Il était tard, minuit passé, et Carson se glissa hors de la maison en direction du garage. Elle avait les mains qui tremblaient tandis qu'elle faisait démarrer le gros moteur du Blue Bomber. Ce qu'elle était sur le point de faire l'effrayait, mais elle savait qu'elle devait le faire.

Le livre de Harper avait été une révélation. Bien que ce soit un roman et que les personnages aient des noms fictifs, ils étaient faciles à reconnaître. Quiconque connaissait la famille saurait identifier quelle sœur était qui dans le livre.

Carson agrippa le volant avec intensité tandis que les larmes lui venaient aux yeux. *C'est vraiment comme ça que Harper me voit?* se demanda-t-elle. Callie, le personnage du livre, était forte et sans peur, dévouée à la mer et à sa famille, et en particulier à un envoûtant dauphin. Cette femme était une héroïne, peu importe les critères. Ça peut vraiment être moi?

Encore des larmes, pensa-t-elle avec irritation tandis qu'elle les essuyait sur sa joue. Quel genre d'héroïne passait la soirée à pleurer? Pourtant, c'était comme si ces larmes emportaient la pellicule de doute qui la tourmentait. Ce soir, elle était presque tombée dans un désespoir sans borne et dans l'autodestruction. Harper et son livre l'avaient sauvée du précipice. Mais personne ne pouvait la sauver, sinon elle-même.

Elle devait être l'héroïne de sa propre histoire.

Carson prit une profonde respiration pour se calmer. Elle changea de vitesse et sortit la voiture du garage à reculons avant de s'engager avec détermination vers le nord, sur Middle Street. Quelques minutes plus tard, elle se garait près du pub Dunleavy. Il y avait toujours des voitures garées aux alentours, mais elle trouva une place non loin. Dans la rue, les rires étaient plus bruyants et plus effrontés, un signe révélateur des buveurs de fin de soirée. Elle atteignit l'angle du pub d'un vert sombre, dépassa les tables de pique-nique et regarda par la fenêtre. L'heure de la fermeture approchait, mais il restait une poignée de personnes, dans la vingtaine et la trentaine pour la plupart.

En prenant une respiration, elle ouvrit la porte. Elle sentit immédiatement l'odeur du maïs fraîchement éclaté et se souvint de l'époque où c'était son travail de le préparer. Elle resta à la porte du populaire abreuvoir et fit rapidement le tour de la salle du regard. Les murs étaient décorés de canettes de bière anciennes et de plaques d'immatriculation de partout aux États-Unis, sans compter les photographies des équipes sportives de la région et celles de quelques célébrités avec leur autographe. Une rumeur douce remplissait la salle et la télévision qui surmontait le bar diffusait un match de baseball.

Ashley, une collègue serveuse de l'époque où Carson travaillait là, lui sourit en se rapprochant d'elle tout en transportant un plateau de verres sales vers l'évier.

– Hé, ma fille, il y a longtemps que je t'ai vue!

– Tu travailles le soir, maintenant.

Ashley fit non de sa tête blonde, l'air fatiguée après une longue soirée.

– Non, je remplace quelqu'un. Hé, contente de t'avoir vue, ajouta-t-elle en souriant, l'air épuisée, et en se dépêchant d'aller dans la cuisine, les bras chargés.

Le regard de Carson se dirigea ensuite vers le bar, le joyau de la couronne du pub, qui dominait le mur du fond. Derrière le comptoir, à sa place habituelle, le barman faisait face à la salle tout en essuyant un verre.

Carson se dirigea droit vers lui, s'agrippa au bois poli en se penchant, le regard directement sur Bill. Il était le propriétaire et le gérant et avait été son patron quand elle était serveuse ici. C'était un vieil ami de Mamaw, ce qui l'avait aidée à obtenir l'emploi, mais Bill l'avait aussi congédiée pour avoir volé une bouteille d'alcool.

Bill, un homme imposant, avait un long visage tombant qui indiquait clairement qu'il avait tout vu et qu'il ne supportait pas les imbéciles. Il l'avait repérée dès qu'elle avait pénétré dans la salle, car il avait l'habitude de jauger toute personne qui franchissait sa porte. Son regard avait suivi Carson tandis qu'elle se déplaçait à travers le pub et l'examinait maintenant qu'elle était devant lui.

– Carson, la salua-t-il en lui faisant un signe de tête.

Il posa le verre et la serviette et vint se placer en face d'elle.

– Comment puis-je t'être utile ?

Carson prit son courage à deux mains.

– Te souviens-tu de m'avoir dit que tu accepterais d'être mon parrain pour les AA ?

À ces mots, le visage de Bill changea.

– Je m'en souviens, en effet.

– Eh bien, je te demande d'être mon parrain.

CHAPITRE 17

Le jour suivant, Harper ne vit pas les boutiques tandis qu'elle roulait sur l'autoroute 17, ni la communauté à accès restreint, ni la longue étendue de pins des marais de la Marion National Forest. Tandis qu'elle roulait vers le nord en direction de McClellanville, son esprit tournait à plein régime, emporté par un tourbillon d'émotions et de pensées. Elle avait laissé Carson seule dans sa chambre et elle ne pouvait supporter d'y rester pendant que sa sœur lisait son livre. C'était trop personnel.

Elle pressa les mains sur le volant et pensa de nouveau au conseil qu'elle lui avait donné : *C'est justement maintenant que tu devrais t'accrocher à Blake.* Il était plus que temps qu'elle suive son propre conseil.

Le feu passa au rouge et Harper immobilisa la Jeep en changeant aisément de vitesse. Elle se souvint de sa terreur quand elle avait acheté le véhicule seulement pour s'apercevoir qu'il avait une transmission manuelle. Elle avait immédiatement paniqué. Pourquoi n'avait-elle pas cru qu'elle pourrait le conduire ?

Dès qu'elle eut posé cette question, elle en connut la réponse. À cause de la peur. La peur de l'échec. De ne pas être parfaite. La peur était à la racine de ses problèmes. La base de sa timidité.

Le feu passa au vert et Harper démarra de nouveau. Elle traversait maintenant une partie éloignée de la vaste forêt. Tandis que les kilomètres défilaient sous ses pneus vrombissants, sa colère bouillonnait. Quelle espèce de mère folle pouvait bien menacer son enfant de le déshériter ? se demanda-t-elle. Jamais Mamaw n'avait déshérité Parker, pas même quand il était à son plus bas. N'était-ce pas là l'amour inconditionnel qu'une mère était censée éprouver pour son enfant ? Mais l'amour inconditionnel existait-il ou était-ce seulement un autre conte de fées ?

Des livres sur la dynamique familiale, elle en avait lu jusqu'à l'écœurement. Elle ne pouvait même pas compter ceux qu'elle avait lus sur la relation mère-fille. Un grand nombre d'entre eux s'épanchaient sur l'amour inconditionnel d'une mère, un amour sans limites. Elle n'avait jamais oublié ce qu'Erich Fromm avait écrit, sur le fait que *l'amour d'une mère n'a pas à être acquis ni mérité.*

– Ouais, c'est ça, grommela-t-elle amèrement, n'ayant jamais ressenti cette assurance innocente et paisible dans l'amour de sa mère.

Cependant, couper le cordon ombilical entre sa mère et elle n'avait pas été aussi difficile qu'elle l'aurait cru. Elle avait toujours imaginé qu'un jour elle partirait seule, mais elle voyait bien maintenant que c'était un autre conte de fées. Pendant trop longtemps, il avait été si facile d'accepter l'argent qu'on lui donnait et de vivre dans une cage dorée, comme l'enfant que sa mère lui avait dit qu'elle était.

Enfin, elle arriva au feu clignotant qui indiquait Pinckney Street. Harper avait mis l'adresse de Taylor, qu'elle avait trouvée assez facilement après une rapide recherche sur Google, dans le GPS de son téléphone et, sans lui, elle ne se serait jamais souvenue de tourner ici. Mettant son clignotant, elle quitta l'autoroute pour se diriger vers McClellanville en se souvenant de la route feuillue en forme de tunnel menant jusqu'à la mer.

Elle traversa les quelques pâtés de maison du village avant de tourner sur Oak Street et de s'arrêter dans une allée bordée par un groupe de hauts buissons feuillus aux longues branches. Elle vérifia l'adresse. Elle était arrivée. L'allée de terre était aussi bordée d'énormes chênes débordant de mousse derrière le feuillage desquels on apercevait une charmante, quoique modeste, maison blanche en bardeaux aux volets noirs et dont le toit en pente était fait d'étain d'un rouge cerise éclatant. Harper se dit que c'était là une vision tout droit sortie d'une peinture classique du Sud. De plus, deux lucarnes à pignon ornaient le toit et une véranda embrassait la maison comme des bras aimants. Derrière, Jeremy Creek scintillait au soleil.

Elle arrêta sa Jeep dans l'allée de Taylor et aperçut Thor couché sur la véranda, qui leva la tête immédiatement. Harper coupa le contact, consciente que le gros chien observait chacun de ses mouvements. Quand elle descendit de son véhicule, Thor poussa immédiatement un aboiement sourd tout en descendant de la véranda et en traversant le jardin, ses yeux noirs rivés sur elle.

– Hé, Thor, le salua-t-elle en tendant la main vers lui.

Le chien la lui renifla avant de se frotter la tête contre sa jambe pour une caresse plus vigoureuse puis il se mit à gémir avant d'aboyer avec excitation en remuant la queue. Harper était étourdie d'être accueillie aussi chaleureusement.

– Thor, au pied, cria soudain Taylor de la véranda.

Le chien obéit immédiatement à la commande ferme et recula.

Appuyé contre la rampe, Taylor souriait avec un plaisir évident de la voir. Il se dépêcha ensuite de descendre les marches et courut vers elle.

Voyant alors dans son expression tout ce qu'elle avait besoin de savoir, Harper se mit à courir vers lui elle aussi, les bras tendus jusque dans ceux de Taylor, qui la souleva et la fit tourner dans les airs. Quand il la reposa par terre, il approcha le visage du sien et leurs haleines chaudes se mêlèrent avec ses lèvres sur les siennes.

– Te voilà, dit-il, les mains dans les cheveux de Harper, penché sur elle pour l'embrasser.

Il lui embrassa les joues, les cheveux, les yeux, les oreilles, qu'il mordilla délicatement et, finalement, la bouche.

Se libérant de son baiser, Harper le regarda, les yeux brillants.

– Me voilà chez moi.

~

Une fois de plus, Harper était à bord du *Miss Jenny*. Ils avaient passé la dernière heure sur le pont inférieur dans la cabine à faire l'amour sans se presser. Tandis que le bateau tanguait doucement, Harper se sentait précieuse dans les bras puissants de Taylor, en sécurité. Il murmurait son nom sans cesse comme une litanie et elle lui répondait de ses soupirs. Elle voulait que ça ne s'arrête jamais.

Il la tint ensuite tout contre lui et elle sentit sa barbe de deux jours contre la peau délicate de sa joue et sa respiration sur son oreille.

– Alors, de quoi voulais-tu discuter ? demanda Taylor.

Harper sentit sa poitrine se serrer. Elle ne voulait pas que l'atmosphère de paix et de séduction qui les enveloppait toujours à bord du *Miss Jenny* soit ruinée.

Taylor, qui sentit que l'humeur de Harper changeait rapidement, se déplaça pour lui faire face dans le lit étroit tout en l'examinant du regard.

– Tout va bien ?

– Non, pas vraiment.

– Que s'est-il passé ? s'enquit-il avec une soudaine vigilance.

– J'ai tant de choses à te raconter que je ne sais où commencer.

– Mon père dit toujours de commencer par le début.

– Alors, dit-elle avec un petit rire, je suppose que tout a commencé quand j'ai décidé d'acheter Sea Breeze.

Elle lui raconta tout, se libérant de l'histoire tout entière avec un épanchement de mots comme si les vannes avaient été ouvertes, ne lui faisant grâce d'aucun détail à partir du moment où Devlin avait fait son arrivée à Sea Breeze avec l'offre faite pour la maison, suivi du moment où elle avait rejoint ses sœurs sur le quai et de sa décision d'acheter la maison, de la réaction ravie de Mamaw, de celle de Georgiana, qui avait été furieuse et s'était conclue par sa menace de la déshériter si elle ne se conformait pas à ses exigences.

Taylor se coucha alors sur le dos en mettant les mains sous sa tête.

– Je suppose donc que tu n'es plus une héritière.

– Malheureusement, non. Je n'ai plus un sou.

– Eh bien, petite, déclara-t-il en lui donnant une tape sur les fesses pour la taquiner, heureux de t'avoir connue.

Elle lui lança un oreiller en pleine face, mais il le saisit puis se tourna, attrapa Harper et la plaqua contre le lit en l'immobilisant sous ses bras.

Ils éclatèrent de rire et il lui embrassa profondément la bouche avant de la ramener contre sa poitrine pour qu'elle puisse se pelotonner contre lui. Une fois qu'ils furent ainsi placés, Taylor lui prit la main et se mit à jouer avec ses doigts.

– Je suis content que tu sois venue me voir. Je veux que tu sentes que tu peux toujours le faire.

– C'est déjà le cas, et ça le demeurera.

– Tu as vraiment dit à ta mère que tu chercherais un emploi à Charleston ? questionna-t-il ensuite tandis qu'un sourire se dessinait sur sa bouche.

– Oui.

À cette réponse, elle sentit la poitrine de Taylor se soulever et s'abaisser.

– C'est bien.

– Mais je dois être réaliste. Je ne plaisante pas quand je dis que je n'ai plus un sou. J'ai dépensé mon argent sans compter pendant tout l'été et mon compte chèques est bas.

– Hé, si ce que tu m'as payé te pose des problèmes, je peux te le rendre.

– Tu n'acceptes pas d'argent des demoiselles en détresse ?

– Non, Madame.

– Mon héros, lâcha-t-elle en lui tapotant la joue pour le taquiner.

– Je ne plaisante pas. Je n'ai pas besoin de ton argent. Jamais je n'en aurai besoin.

– Ça va aller, refusa-t-elle en lui tapotant la poitrine. C'est seulement que j'ai toujours compté sur le chèque de mon fonds fiduciaire, cet argent était toujours disponible, je ne l'ai jamais remis en question, mais maintenant que ma mère me coupe les vivres, je viens de m'apercevoir que je n'ai pas de marge de manœuvre.

– Tu as moi.

En entendant ces mots, elle se sentit réconfortée.

– Oui, mais je ne veux pas recommencer à dépendre de quelqu'un qui prend soin de moi, pas que je ne te sois pas reconnaissante, se dépêcha-t-elle d'ajouter. C'est plutôt que je veux un certain degré d'indépendance. Finalement. Sauf que je n'ai même pas d'emploi.

– Pour le moment.

– Soyons sérieux. Combien de temps me faudra-t-il pour en trouver un ? Carson a passé l'été à chercher quelque chose dans son domaine et elle n'a rien trouvé. Je suis éditrice et dans mon domaine, il n'y a pas tant de postes libres que ça. Sans compter que bientôt, je devrai partir de Sea Breeze.

– Ce sont des prétextes, pas des raisons pour partir.

– Ce ne sont pas des prétextes, ce sont des faits, contra-t-elle tout en jouant avec les poils de la poitrine de Taylor. Alors j'ai réfléchi et... je devrais peut-être retourner à New York.

À ces mots, elle sentit qu'il avait cessé de respirer.

– Seulement le temps d'économiser un peu d'argent, se dépêcha-t-elle d'ajouter, et de poser ma candidature pour un emploi ici. Il faut que je gagne du temps.

– Non, protesta-t-il fermement. Si tu retournes à New York, ne serait-ce que pour un jour, ta mère te mettra le grappin dessus et te gardera là-bas. Elle ne te laissera jamais revenir.

– Elle ne fera rien du genre.

– Tu ne reviendras pas. Tu seras prise par ton travail, peut-être même rencontreras-tu quelqu'un d'autre.

– Ça ne se passera pas comme ça.

– Es-tu prête à prendre le risque ?

Pour toute réponse, elle soupira laborieusement.

– Harper, ne pars pas, l'implora-t-il en la serrant fermement contre lui, le regard suppliant, la voix rauque. Reste.

– Taylor...

Il bougea alors pour s'asseoir devant elle et la fit se redresser elle aussi, de sorte qu'elle tira rapidement le drap pour cacher sa nudité. En face d'elle, les épaules et la poitrine nues de Taylor étaient aussi larges et imposantes qu'une montagne.

– S'il te plaît, regarde-moi.

Quand son regard fut dans le sien, ils se rapprochèrent.

Ses yeux vert de mer étaient turbulents d'émotion.

– Je connais la peur, trop bien, même. J'ai affronté la mort bien des fois. Les gens affirment que ça, c'est le courage, mais c'était ce qu'il y avait de plus facile comparé à ce que j'ai dû affronter quand je suis rentré. J'ai alors appris que le véritable courage, c'est d'affronter ses craintes. Il faut du cran pour leur faire face et les vaincre, ou être vaincu par elles, souligna-t-il avant de mettre la main le long de la joue de Harper pour lui tenir la tête de manière à ce qu'elle ne puisse détourner le regard. Harper, je sais de quoi tu as peur, ce que tu as peur d'admettre. Tu veux être écrivaine, n'est-ce pas ?

Elle le regarda dans les yeux, sa réponse prenant sa source au plus profond d'elle-même, une réponse qui jusqu'à maintenant, lui avait-on fait croire, était triviale, irréaliste et, pire, autodestructrice. Une réponse qu'elle avait gardée cachée.

– Oui.

– Alors, écris.

– Mais j'écris, répondit-elle, le cœur dans la gorge. J'ai écrit tout l'été.

– Exactement, justifia-t-il en esquissant un sourire. Et je pense me rappeler que tu disais que tu n'avais jamais si bien écrit qu'ici.

– C'est vrai, répondit-elle, au bord des larmes. Je me sens en sécurité ici.

À ces mots, le regard de Taylor se raviva.

– Je te jure qu'avec moi, tu n'as rien à craindre. Tu n'auras jamais rien à craindre.

Cependant, elle s'écarta en plaçant le drap plus haut sur elle-même pour couvrir ses seins.

– Tu me demandes de mettre toute ma confiance en toi, de tout risquer, mon emploi, mon héritage, pour rester ici avec toi. Mais dis-moi, Taylor, pourquoi devrais-je faire une chose pareille ?

Deux profondes rides creusèrent alors le front de Taylor tandis qu'il la regardait droit dans les yeux.

– Parce que je t'aime.

Elle eut le souffle coupé. Il avait prononcé ces mots, il avait énoncé à haute voix la seule raison qui pouvait la retenir ici.

Il la regardait maintenant, de la vulnérabilité dans les yeux, et il attendait.

— Moi aussi, je t'aime.

Alors, le regard de Taylor s'emplit de résolution et doucement, il essuya les larmes du visage de Harper.

— Je sais que c'est rapide, fou peut-être même. Nous nous connaissons seulement depuis quelques semaines, mais j'ai l'impression de te connaître depuis toujours, admit-il avant de regarder leurs doigts entrelacés et de sourire. Tu avais raison, je le reconnais. Dès que je t'ai vue, je savais que c'était toi. Il a seulement fallu un certain temps pour que mon cœur désabusé le reconnaisse, ajouta-t-il avant de la regarder. Je ne suis pas aussi courageux que toi.

Ses paroles glissèrent sur elle comme une tempête d'été emportant ses craintes et ses doutes et à ce moment-là, Harper comprit qu'en effet, il existait une chose telle que l'amour inconditionnel, un amour sans limites et qui ne finissait jamais, parce que c'était ce qu'elle ressentait pour Taylor.

— Je n'ai pas beaucoup d'argent, et je commence tout juste un nouvel emploi. Je n'ai même pas de bague. Tout ça viendra plus tard, nous aurons le temps de régler les détails. Tout ce que je veux, c'est ne pas te perdre. Pour moi, c'est sans importance que ta mère te déshérite. Tout ce que je veux, c'est *toi.*

Harper le regarda dans les yeux en se disant que personne ne lui avait jamais dit une chose pareille. On avait toujours attendu quelque chose de sa part, sa richesse, ses relations. Or, voilà que cet homme ne voulait rien, sinon elle.

Quand il lui prit la main, elle retint sa respiration.

— Harper Muir-James de New York, je t'offre tout ce que j'ai et aurai, je t'offre tout ce que je suis et serai. Veux-tu m'épouser ?

Ils se connaissaient à peine depuis quelque temps et déjà ils s'engageaient à se marier ? C'était fou, illogique, irrationnel. Harper devait toujours se trouver un emploi, elle n'avait rien sur quoi se reposer si les temps devenaient durs, et ce serait le cas.

Et pourtant… elle ne pouvait se départir de l'assurance que Taylor était l'homme pour elle, que ce qu'elle ressentait pour lui était réel.

Aussi sa réponse ne vint-elle pas de sa tête, où, d'habitude, elle prenait le temps de réfléchir et de creuser ses pensées et ses décisions. Cette fois, sa réponse vint directement de son cœur.

– Oui, Taylor McClellan de McClellanville, je le veux.

~

Le matin suivant, Harper et Taylor se dirent longtemps au revoir, le front pressé, tandis qu'ils s'imprégnaient de la lumière du matin puis elle retourna à Sea Breeze en ayant l'impression de flotter sur un nuage de joie. En roulant vers le sud sur cette longue étendue de route, elle était une personne différente de celle qui, la veille, était allée vers le nord. Tout en traversant le pont qui menait à Isle of Palms, elle dominait les vastes marécages qui se dirigeaient droit vers la mer. À son sommet, elle aperçut l'immense Atlantique dont le bleu resplendissait au soleil radieux, et à sa droite, la large bande de la magnifique Intracoastal Waterway. Harper éclata de rire seulement pour le plaisir de le faire et ouvrit grand sa fenêtre pour laisser la brise chaude de l'été souffler dans sa Jeep. L'automne arrivait, et déjà l'extrémité des herbes était dorée, laissant deviner le changement de saison.

Changement. Ce mot lui fit faire une pause.

Le nombre de changements qu'elle avait vécus pendant ce dernier été ! Elle était arrivée fin mai quand les herbes devenaient vertes, cette charmante couleur du printemps ondulant sous une douce brise. De bien des manières, elle était aussi naïve et verte que cette herbe qui poussait sans s'en rendre compte. Ensuite, pendant l'été, elle avait grandi comme l'herbe de mer, devenant plus résistante et complète. Et maintenant, à l'approche de l'automne, elle se sentait mûre, prête à éclater de couleurs.

Elle croisa la route où, si elle tournait et continuait sur trois pâtés de maisons, elle arriverait à ce qui serait bientôt le nouveau foyer de Dora. Cela la fit glousser de rire. Ça, c'était une histoire de changements. Cet été, non seulement Dora s'était-elle trouvée, mais elle avait aussi trouvé une existence et un amour qu'elle méritait.

Son regard se posa sur son téléphone, qui, de manière exaspérante, restait silencieux du haut de son perchoir sur le tableau de bord. En dépit de toutes les sensations de joie qui tourbillonnaient en elle, elle soupira. Elle avait essayé de téléphoner à Georgiana plusieurs fois ce matin-là, convaincue que l'enthousiasme d'une mère pour les fiançailles de sa fille, même si elles avaient été improvisées, l'emporterait sur la dispute qu'elles avaient eue auparavant. Mais sa mère n'avait pas répondu et finalement, Harper lui avait envoyé un courriel au sujet de cette nouvelle. Cependant, son téléphone ne sonnait toujours pas.

Harper quitta ensuite Middle Street et s'engagea sur la route qui menait à Sea Breeze. Elle croisa la grande haie verte et entra dans l'allée circulaire qu'elle connaissait si bien. Comme souvent, quand elle était en face de la maison surélevée au toit en pignon sise à l'ombre du chêne géant, elle eut l'impression que Sea Breeze l'attendait les bras ouverts pour l'accueillir.

Comme elle mourait d'envie de faire part de sa nouvelle, elle se dépêcha de monter les marches et ouvrit la porte d'entrée.

— Salut, cria-t-elle en jetant son sac à main sur la table de l'entrée.

La peinture du *Miss Jenny* suspendue au mur attira son attention, et de nouveau elle sourit.

– Il y a quelqu'un? demanda-t-elle de nouveau en entrant dans la cuisine. Où êtes-vous?

Au même moment, Carson, qui était sur la véranda, apparut soudain dans la cuisine, vêtue d'un bikini qui ne cachait pas grand-chose, ses cheveux mouillés lissés vers l'arrière.

– Enfin, tu es rentrée!

Elle regarda par-dessus son épaule afin de s'assurer qu'il n'y avait personne derrière elle. Elle courut alors vers Harper, les yeux brillants, et la serra très fort dans ses bras.

– C'était incroyable! Je ne pouvais pas m'arrêter de lire.

Harper en eut le souffle coupé.

– Mon livre? C'est vrai?

– Je l'ai adoré, adoré, adoré, en particulier quand…

Juste à ce moment, Dora arriva derrière Carson. Elle portait un une-pièce noir brillant. Elles avaient toutes deux l'air d'avoir été à la piscine. Dora regarda Harper avec un regard sévère de mère.

– Tu n'es pas rentrée hier soir.

– J'ai quelque chose à vous annoncer, laissa échapper Harper, puis, incapable de se retenir une seconde de plus, elle cria : je suis fiancée!

Après une seconde d'un silence stupéfait, Dora et Carson, à l'unisson, se mirent à pousser des cris aigus. En un instant, les trois sœurs étaient dans les bras l'une de l'autre et sautillaient sur place tout en poussant d'autres cris.

À cet instant, Mamaw entra dans la cuisine.

– Au nom du ciel, que se passe-t-il donc? demanda-t-elle impérieusement, car elle n'aimait pas être laissée de côté.

Harper se détacha de ses sœurs pour courir vers sa grand-mère et la serrer dans ses bras.

– Je suis fiancée!

Voilà qui laissa Mamaw stupéfaite.

– Fiancée? Avec Taylor? s'enquit cette femme qui bredouillait rarement.

— Évidemment avec Taylor, répondit Harper en riant. Oh, Mamaw, est-ce seulement possible d'être si heureuse ?

— Ma douce petite, je suis ravie pour toi, déclara sa grand-mère, troublée, tout en regardant la main gauche de Harper.

Celle-ci s'aperçut de son geste et croisa sa main sans bague avec l'autre.

— Je n'ai pas de bague, indiqua-t-elle en souriant pour faire bonne contenance. Sa demande nous a surpris tous les deux. Mais je me fiche s'il m'en donne jamais une. Je l'aime et il m'aime et c'est tout ce qui importe.

— C'est vrai, répondit Mamaw d'une voix hésitante avant de prendre les mains de Harper pour les presser doucement dans les siennes. Cependant, vous ne vous connaissez pas depuis longtemps. Es-tu certaine ?

— Oui, acquiesça Harper avec conviction. Nous savons tous les deux que ça s'est fait rapidement, mais parfois, on sait, tout simplement. Mamaw, il m'aime pour moi-même, seulement pour moi. J'ai attendu d'entendre ces paroles toute ma vie. C'est lui, Mamaw.

— Dans ce cas, il te mérite, ma petite, prononça Mamaw avec émotion.

Harper se délecta dans la chaleur de l'approbation de sa grand-mère.

— Un mariage ! s'exclama Dora. Enfin ! Avez-vous choisi une date ?

— Oh, mon Dieu, non. Nous n'en avons pas encore parlé.

— Vous devez choisir une date, insista Dora. Charleston est devenue une destination populaire pour les mariages, de nos jours, et les salles sont réservées longtemps à l'avance. Nous devons nous y mettre immédiatement.

— Calme-toi, Vera Wang, la réprimanda Carson. Elle vient juste de se fiancer. Laisse cette pauvre fille célébrer au moins un jour avant qu'on l'attache au harnais du mariage.

— Je ne sais même pas s'il y aura vraiment des noces, intervint Harper. Tout ça, c'est encore bien loin.

— Bien sûr qu'il y aura des noces, déclara Mamaw.

— Ma mère ne viendra pas, et il est sûr qu'elle ne paiera pas pour le mariage.

— Pourquoi pas ? Tu es sa fille unique, souligna Mamaw.

— Nous avons eu une terrible dispute. J'ai essayé de lui téléphoner plusieurs fois ce matin, mais chaque fois, je tombais sur sa messagerie vocale. Je lui ai donc envoyé un courriel, mais elle ne m'a toujours pas répondu, poursuivit Harper en haussant les épaules. Et je ne m'attends pas à ce qu'elle le fasse. Ma mère a la capacité de fermer une porte de fer sur elle-même pour faire disparaître une autre personne. C'est une tactique de pouvoir. Je l'ai vue le faire trop souvent pour ne pas la reconnaître.

— Quelle froideur, cracha Carson. Mais donne-lui un peu de temps. Tout de même : sa seule enfant est fiancée.

— Nous n'avons pas besoin de Georgiana James pour avoir des noces, suggéra Mamaw avec hauteur. Mais nous mettons la charrue avant les bœufs. D'abord, je dois organiser un petit dîner pour célébrer tes fiançailles. Il est temps que nous fassions la connaissance des parents de Taylor.

— Oui, nous avons besoin d'une fête à Sea Breeze, s'exclama Dora. Ça pourrait bien être la dernière ici. Alors faisons cela correctement.

Avec un accès d'enthousiasme, les femmes, l'une après l'autre, se mirent donc à proposer des idées pour la fête. Tandis que l'atmosphère était endiablée, leur discussion fut interrompue par la sonnette.

— Je vais répondre, ce doit être Blake. Mais ne me regardez pas comme ça.

Carson prévint ses sœurs en levant les yeux au ciel.

— Il vient seulement pour me dire où en sont les choses avec Delphine, ajouta-t-elle en se tournant et en se dépêchant d'aller répondre.

Un moment plus tard, elle revint avec un papier jaune à la main, l'air déconcertée.

– Harper, tu as reçu un télégramme. Je ne savais même pas que les gens en envoyaient toujours.

Harper ne pouvait imaginer qui pouvait toujours en envoyer à notre époque plutôt qu'un courriel, aussi se dépêcha-t-elle de saisir le télégramme et tandis que Carson regardait par-dessus son épaule, elle l'ouvrit.

Il lui fallut ensuite le lire deux fois et même après cela, elle ne comprenait toujours pas.

– C'est de qui ? demanda Carson en s'approchant davantage d'elle.

– De ma grand-mère anglaise, grand-mère James.

– Elle ? s'enquit Mamaw en se rapprochant. Que peut-elle donc avoir à dire qui nécessite un télégramme ?

Harper souleva le télégramme et le lut tout haut :

– « Arrivée Charleston mercredi 16 h. Stop. Svp venir me chercher. Stop. »

Il y eut un instant de silence stupéfait.

Mamaw se tenait droite, les mains jointes devant elle, et tout en réfléchissant, elle fronçait les sourcils.

– Mercredi, demanda Dora la première… c'est-à-dire après-demain ?

– Je suppose, répondit Harper.

À ces mots, Dora inclina la tête. À son air, on aurait dit qu'elle avait un insecte dans l'oreille.

– Tu veux dire que ta grand-mère arrive tout droit d'Angleterre, juste comme ça, sans même d'abord te téléphoner ?

– Où va-t-elle rester ? voulut savoir Carson.

– Dans un hôtel, je présume, dit Harper.

– Il n'en est pas question !

Au son de la voix sévère et autoritaire de Mamaw, les trois jeunes femmes tournèrent brusquement la tête vers elle.

— Harper, si ta grand-mère prend l'avion d'Europe pour nous rendre visite, elle est la bienvenue à Sea Breeze. Tout autre arrangement serait un manque d'hospitalité. Même si, ajouta-t-elle malicieusement, elle a l'impolitesse de se présenter chez nous alors qu'elle n'a pas été invitée.

Harper sentit la piqûre de cette insulte et ressentit le besoin de défendre son autre grand-mère. En effet, grand-mère James n'était pas du tout comme Georgiana et elle était l'une des seules autres personnes de l'enfance solitaire de Harper qui l'avait fait se sentir aimée.

— Je suis sûre qu'elle n'avait pas l'intention de s'imposer, ça ne serait pas du tout son genre. Elle doit déjà avoir une réservation quelque part, ajouta-t-elle, puis, regardant le télégramme dans sa main, elle reprit : mais tout de même, ce n'est pas son genre. Je n'arrive pas à comprendre pourquoi elle vient comme ça, avec tant de précipitation, sans même passer un coup de fil.

— Vraiment, tu ne comprends pas ? demanda Mamaw.

— Elle est à peu près aussi subtile qu'un poids lourd, remarqua Dora. Ta grand-mère vient examiner ton jeune homme.

— Mais je viens tout juste de me fiancer. Comment pourrait-elle être au courant ?

Dès qu'elle eut prononcé ces mots, Harper connut la réponse et elle vit le regard entendu de Mamaw. Évidemment, Georgiana, dans tous ses états, avait téléphoné à sa mère après avoir écouté le message de Harper, lui racontant sans doute toutes sortes d'histoires horribles au sujet de la ruine de Harper. Elle pouvait à peine imaginer les adjectifs virulents qu'elle avait dû utiliser.

— Maman…

— Tout à fait, acquiesça Mamaw brièvement. C'est du Georgiana tout craché.

— Elle a dû lui brosser un portrait vraiment négatif de la situation pour que grand-maman saute dans un avion et se dépêche de venir me voir. Après tout, elle a presque 80 ans.

– Ça ne fait tout de même pas d'elle un dinosaure, renifla Mamaw.

– Ce n'est pas ce que je voulais dire, se dépêcha de répondre Harper. Mais elle s'est cassé la jambe le printemps dernier. Elle se comporterait ainsi seulement dans une situation d'urgence.

– Il est naturel que ta grand-mère considère le fait que tu renonces à ta fortune pour te dépêcher de te marier à quelqu'un que tu connais à peine comme une urgence, confirma Mamaw.

– Évidemment, quand on présente les choses comme ça, ricana Dora.

– Tu as raison, reprit Mamaw en souriant avec ironie. Quand on présente les choses de cette manière, je trouve le comportement de ta grand-mère admirable. Elle devait se rendre compte de la situation par elle-même et elle ne voulait pas te prévenir non plus, de peur que tu t'enfuies, poursuivit-elle avant de faire une pause et d'ajouter à contrecœur : j'aurais fait de même.

Quant à Harper, elle ressentit un accès d'émotions pour ses grands-mères.

– C'est qu'elle est un peu comme toi : forte, raffinée, instruite, expliqua-t-elle avant de faire un petit sourire ironique : avec des avis très arrêtés.

– Nous devrions nous amuser, s'exclama Carson : le duel des grands-mères.

De son côté, Dora gloussa de rire avant d'entamer la mélodie des *Dueling Banjos*.

– Quoi qu'il en soit, assez lambiné, s'écria Mamaw en tapant vivement des mains. Si nous avons une invitée qui arrive dans à peine 48 heures et un dîner à planifier, nous avons du pain sur la planche.

— Où allons-nous la mettre ? demanda Dora.

— Je pourrais lui donner ma chambre, suggéra Harper.

— Mon Dieu, non, s'écria Mamaw. Je ne serais pas à l'aise de partager ma salle de bain avec une personne que je n'ai jamais rencontrée.

— Veux-tu que l'une de nous lui cède sa chambre ? proposa Dora. Sauf Nate, évidemment, se dépêcha-t-elle d'ajouter. Nous nous souvenons toutes comme il est facile de le déplacer.

— Il est inutile que qui que ce soit cède sa chambre. Le cottage devrait parfaitement faire l'affaire. Il vient tout juste d'être repeint et madame James sera bien plus à l'aise dans un endroit à elle.

— Mais Mamaw, il est presque vide, intervint Carson. Il reste seulement le lit en fer et un bureau. Nous avons donné tout le reste à des organismes caritatifs.

— Pas tout, contra Dora. Les tapis crochetés ont simplement été envoyés au nettoyage et on nous les rapporte demain.

— Ça laisse tout de même le salon tout entier.

— Les rideaux, la vaisselle…

— Les filles, s'écria Mamaw en brandissant les mains, nous pouvons y arriver. Taylor et son père ont fait du bon travail et les murs sont secs. De mon côté, j'ai des meubles entreposés. Tout ce qu'il nous reste à faire, c'est d'acheter quelques petites choses. Dora, tu as un œil merveilleux pour la décoration et toi, Harper, regarde simplement comme tu as rénové la cuisine en si peu de temps. Carson, de ton côté, tu t'assureras de les garder au pas pour qu'elles ne perdent pas la tête. Ça ne peut pas être bien difficile pour trois femmes talentueuses et pleines d'énergie de remplir un petit cottage.

— Nous tendrons vers la simplicité et la pureté, souligna Dora, que ce projet commençait à enthousiasmer. Beaucoup de blanc avec des notes de bleu çà et là. De plus, c'est la fin de la saison, il y a plein d'articles d'été en solde.

– Mais Mamaw, protesta Harper, je ne peux plus simplement sortir mon chéquier. C'est une époque révolue pour moi.

– Ne t'inquiète pas, la rassura Mamaw jovialement. Ça ne coûtera pas beaucoup si nous faisons attention. Le strict minimum, quelque chose de spartiate, hein ?

– Pense plutôt à Santorin, répondit Harper. Grand-mère James adore la Grèce.

Sur ce, Dora battit des mains avec excitation.

– J'ai aidé Devlin à décorer quelques maisons à vendre et franchement les filles, Mamaw a raison, il ne nous faut pas grand-chose. En fait, moins c'est chargé, mieux c'est. Mais nous devons faire la liste de ce dont nous avons absolument besoin.

– Attends un instant, s'exclama Harper en se laissant prendre par cet enthousiasme, je vais aller chercher un papier et un stylo.

– Allons discuter de tout cela au cottage, proposa Mamaw joyeusement. C'est que je ne peux plus penser sur mes deux pieds à présent. En outre, je m'en sors toujours mieux avec une tasse de café.

CHAPITRE 18

Le mercredi après-midi, Harper, qui se trouvait à la barrière de sécurité de l'aéroport international de Charleston avec à la main son sac en raphia qui contenait une bouteille d'eau froide, examinait les visages des gens à l'air débraillé qui, à la queue leu leu, se dirigeaient vers la sortie. Certains d'entre eux marchaient la tête penchée, en brandissant les bras avec détermination, tandis que d'autres se déplaçaient avec nonchalance en traînant leur bagage à main derrière eux. Les plus chanceux étaient accueillis par les salutations enthousiastes et les bises de leurs proches.

Pendant qu'elle attendait, Harper se sentit submergée par une vague de culpabilité en se rendant compte qu'il y avait plus de deux ans qu'elle n'avait pas vu grand-mère James. Auparavant, Harper se rendait en Angleterre pour voir ses grands-parents tous les ans, en général pendant les vacances de printemps. Tandis qu'elle devenait adulte, sa mère avait acheté la maison des Hamptons et grand-mère James s'était mise à venir aux États-Unis pour y passer plusieurs semaines au soleil. Elle aimait la chaleur et la mer. Cependant, au cours des dernières années, la santé de grand-père James avait été mauvaise et sa grand-mère avait décidé de ne pas le laisser seul.

Harper fronça les sourcils, inquiète : comment sa grand-mère avait-elle fait pour prendre l'avion jusqu'ici avec une jambe cassée ? À quoi donc Georgiana pensait-elle en encourageant sa grand-mère à faire un tel voyage ? Harper restait à l'affût pour un fauteuil roulant.

Une minute plus tard, elle aperçut une dame âgée de belle apparence, de taille moyenne avec des cheveux auburn qui lui arrivaient au menton, vêtue d'un tailleur bleu marine avec du passepoil d'un blanc pur bien coupé encore que conservateur et des perles d'une grosseur appréciable qui se dirigeait vers elle à grandes enjambées. Elle avait toujours de belles jambes, et pourtant, elle portait des chaussures bleu marine aux semelles épaisses de ce genre qu'elle appelait des chaussures « confortables » et qui était une preuve de sa conception pratique de la vie. Elle avait aussi au bras un sac aux motifs floraux qui contenait indubitablement son tricot de même qu'un énorme sac à main en cuir noir.

– Grand-mère James ! appela Harper en remuant la main.

La femme s'arrêta en apercevant le geste de la main de Harper et son air sévère céda la place à un sourire de soulagement et de joie étonnant.

– Ma chère petite !

Grand-mère James tenta faiblement de lever un de ses bras encombrés par son lourd sac tout en continuant d'avancer avec détermination à travers la barrière, croisant le gardien de sécurité pour se retrouver directement dans les bras de Harper, qui l'attendaient. Elle laissa tomber ses paquets et serra sa petite-fille dans ses bras. Pendant plusieurs minutes, le temps s'arrêta tandis que Harper était happée par l'odeur aimante et le contact de grand-mère James qui lui étaient si bien connus.

Après cette embrassade, la grand-mère s'écarta et agrippa les épaules de Harper. Se tenant ainsi face à face, Harper étudia sa grand-mère : ses cheveux coiffés sur le côté et qui ondulaient légèrement, d'un roux beaucoup plus prononcé que celui de Harper. Les yeux bleu clair de sa grand-mère sous leurs sourcils finement arqués examinaient quant à eux Harper comme un chalumeau.

– Tu sembles aller plutôt bien, fut finalement le verdict de sa grand-mère.

– Bien sûr que je vais bien, répondit Harper en riant. En fait, je vais mieux que jamais. Et toi, comment vas-tu ?

Grand-mère James baissa les bras et se redressa.

– Aussi bien que l'on peut s'y attendre après un voyage horrible dans les airs dans une boîte de conserve pleine à craquer. J'étais en classe économique, poursuivit-elle avec répugnance. Avec si peu de délai, je n'ai pas pu être en première.

Harper éclata de rire. Sa grand-mère n'avait pas changé. Puis, tout en ramassant ses paquets, Harper se déplaça de quelques mètres vers l'endroit où des fauteuils à bascule faisaient face à la baie vitrée et qui constituait une jolie aire d'attente avec une touche du Sud.

– Je… je suis un peu perplexe, reprit Harper en regardant les jambes de sa grand-mère. Je m'attendais à ce que tu arrives dans un fauteuil roulant ou quelque chose du genre.

– Un fauteuil roulant ! s'exclama grand-mère James, l'air offensée.

– Mais oui, ta jambe…

– Quoi, ma jambe ?

– Tu ne te l'es pas cassée ?

– Mais qu'est-ce que tu es en train de raconter…

– Au début de l'été, maman m'a dit que tu ne pouvais pas venir dans les Hamptons cette année parce que tu avais fait une mauvaise chute et que tu t'étais cassé la jambe, de sorte qu'elle voulait vraiment que j'aille en Angleterre pour te servir d'infirmière.

L'expression de perplexité de grand-mère James fit place à un air de compréhension résignée.

— Ta mère t'a dit que je m'étais cassé une jambe?

C'était plus un énoncé de fait qu'une question. Puis, elle remua la tête avec exaspération.

— Rien de tel ne m'est arrivé. Je me suis cassé l'orteil! Elle a fait une tempête dans un verre d'eau. Comme d'habitude.

— L'orteil… répéta lentement Harper tout en comprenant.

Sa mère avait transformé la vérité afin que Harper aille en Angleterre plutôt qu'en Caroline du Sud.

De son côté, le visage de grand-mère James s'était adouci et était plein d'affection.

— Alors, tu t'attendais à me voir arriver poussée dans un fauteuil roulant?

— Ou tout au moins, boitiller avec des béquilles.

— Ma pauvre petite, comme tu dois avoir été inquiète.

— Plus qu'inquiète. Je ne pouvais imaginer pourquoi tu prenais l'avion pour venir ici avec tant de précipitation.

— Je pense que, peut-être, tu le peux.

Harper attendit.

— Ta mère m'a téléphoné. Elle était dans tous ses états.

Grand-mère James hésita.

— Ma chère petite, je vais être directe : vas-tu te marier?

— Mais oui, confirma Harper en souriant. Un jour. Mais pour le moment, nous sommes fiancés.

Voilà qui laissa grand-mère James pantoise et elle cessa de prendre des gants.

— Alors, c'est vrai.

— Que t'a raconté maman?

— Oh, elle était dans un de ces états, ça, je peux te le dire. Elle m'a dit que tu renonçais à ton héritage, que tu prenais tes distances avec la famille, tout cela pour épouser un… pêcheur? À entendre ta mère, on aurait dit que tu avais été faite prisonnière par une secte quelconque!

À ces mots, Harper éclata de rire.

— Une secte?

Mais quand elle vit à quel point sa grand-mère était contrariée, Harper se rendit compte que cette dernière était épuisée et inquiète et qu'elle ne devrait pas lui répondre avec désinvolture.

— Grand-mère, il y a beaucoup de choses dont nous devons discuter, mais tu es fatiguée. Je t'emmène à Sea Breeze et nous en parlerons.

— Non, j'ai une chambre à l'hôtel Charleston Place. Le numéro de réservation se trouve dans mon sac.

— Oh, jamais nous ne te laisserions habiter à l'hôtel. Tu vas venir à Sea Breeze. Tout est organisé.

— Jamais je ne voudrais être une source de désagréments.

— Il n'y a pas de désagrément. Nous avons préparé ta chambre. De toute manière, c'est trop loin pour aller et venir de la ville à Sea Breeze.

— Je pensais que tu pourrais peut-être rester à l'hôtel avec moi et je t'ai d'ailleurs réservé une chambre, à toi aussi. Honnêtement, c'est seulement toi que je suis venue voir et je ne vois pas l'intérêt de me mêler aux autres.

— Tu veux dire avec les indigènes ? demanda Harper avec un sourire en coin. Mais c'est justement pour que tu fasses connaissance avec Taylor, Mamaw et mes sœurs que je te veux à Sea Breeze, pour que tu puisses te forger ta propre opinion. Grand-mère, je veux que tu me voies dans mon élément. J'ai besoin de toi de mon côté.

— Mais ma chérie, je suis déjà de ton côté.

Harper se pencha alors sur sa grand-mère pour lui faire la bise.

— Fais-moi confiance, tu seras bien mieux à Sea Breeze.

Si grand-mère James ne fut pas tout à fait convaincue, elle eut tout au moins l'air de se résigner à cette idée.

— Bon, si tu insistes, concéda-t-elle les lèvres serrées.

— J'insiste. Merci.

Puis, tout en essayant de ne pas avoir l'air inquiète, Harper lui demanda :

– Combien de temps comptes-tu rester ?

Grand-mère James redressa les épaules et la regarda d'un air sévère qui aurait fait détaler son personnel s'il l'avait vu.

– Aussi longtemps que nécessaire.

~

Harper avait emprunté la Cadillac ancienne de Carson pour venir chercher grand-mère James à l'aéroport, car il était moins nécessaire d'y grimper pour y monter que dans sa Jeep. Les yeux bleus de sa grand-mère brillèrent quand elle vit la décapotable bleu clair avec ses grandes ailes qui s'élevaient comme un phœnix. Harper avait ôté les bouteilles d'eau vides, la couche de sable et les détritus et nettoyé la voiture de fond en comble. Elle était d'ailleurs méticuleuse pour la propreté et elle le reconnaissait, un peu obsessive-compulsive, surtout comparée à Carson.

Grand-mère James laissa sa main passer sur l'aile de la voiture.

– C'est une voiture ancienne. Elle est très bien. Elle a du style.

Harper sourit et lui ouvrit la portière. Ses efforts en avaient valu la peine.

Le soleil brillait dans un ciel sans nuage tandis qu'elles traversaient les marécages qui menaient à Sullivan's Island. Le bavardage cessa complètement tandis que grand-mère James regardait par sa fenêtre en silence. Harper, elle, souriait, comprenant parfaitement la stupeur et l'émerveillement que sa grand-mère était en train de vivre et qu'elle-même ressentait chaque fois qu'elle passait sur cette route étroite. Une fois dans Sullivan's Island, elles s'engagèrent sur Middle Street et Harper ralentit en passant devant les charmants restaurants, la galerie d'art, le parc, la station de pompiers. Le clocher de l'église catholique Stella Maris s'élevait du paysage.

La charmante église, un des sujets préférés des artistes de la région, était sise en retrait de la route au milieu des palmiers et des fleurs. Près de là, au fort Moultrie, quelques personnes flânaient. Harper parla brièvement de la longue histoire du fort à sa grand-mère, qui allait de la guerre d'Indépendance, à la guerre de Sécession jusqu'à la Deuxième Guerre mondiale. Grand-mère James, de son côté, saisissait le tout en silence, mais Harper savait qu'elle écoutait en raison de l'attention dans ses yeux. Enfin, Harper quitta Middle Street et roula le long de routes de petits villages jusqu'à la fin de l'île. Quelques instants plus tard, elle dépassait les hautes haies en tournant dans l'allée circulaire de Sea Breeze.

Grand-mère James se pencha sur son siège, l'œil perçant et les mains serrées sur son sac. Harper fit le tour du grand chêne pour se garer directement devant la maison.

– Nous sommes arrivées !

Grand-mère James ouvrit la portière et avec raideur, descendit lentement de la voiture.

Harper contourna le capot en courant pour aller l'aider.

– Tout va bien, indiqua sa grand-mère en repoussant sa main. Je suis seulement courbaturée après ce long vol.

À la lumière vive du soleil, Harper vit alors les nouvelles rides profondes qui traçaient leur chemin sur le visage de sa grand-mère.

– Ma valise est dans le coffre, déclara-t-elle en regardant le long escalier qui menait à la porte d'entrée. Quelqu'un pourrait-il nous aider ? Elle est très lourde.

– Je m'en occupe.

Harper ouvrit le coffre et avec un petit grognement, en sortit la grande valise puis la posa par terre. Elle vit comme sa grand-mère était surprise qu'elle puisse la soulever avec autant de facilité.

– C'est formidable pour les muscles de passer l'été à soulever des sacs de terre et de compost de 20 kg.

Grand-mère James eut l'air perplexe.

— J'ai fait du jardinage… Pour l'escalier, pas de souci, poursuivit-elle en se mettant à traîner la valise vers le cottage. C'est ici que tu habiteras, dans le cottage. C'est charmant et ça te donnera un peu d'intimité.

Pendant qu'elles se dirigeaient vers le cottage, la porte de la maison principale s'ouvrit et Mamaw, Dora et Carson sortirent sur la véranda. Elles étaient tout sourire et accueillantes.

— Bonjour ! dit Mamaw d'une voix douce. Soyez la bienvenue à Sea Breeze.

Grand-mère James tourna la tête pour montrer qu'elle avait bien entendu, mais, comme le remarqua Harper, elle ne sourit pas.

— Je vais simplement laisser ta valise sur la véranda. Allons leur dire bonjour.

Grand-mère James grimpa l'escalier en s'accrochant à son grand sac à main comme si quelqu'un allait le lui arracher des mains.

Au sommet de l'escalier se trouvait Mamaw. Droite et reposée, elle s'avança, la main tendue.

— Je suis si heureuse de faire enfin votre connaissance. Je m'appelle Marietta.

— Imogene, répondit grand-mère James en acceptant sa main avec un sourire crispé. J'espère que je n'abuse pas de votre gentillesse. J'avais une réservation à un très bon hôtel, mais Harper a insisté.

— Mais bien sûr que non, vous faites partie de la famille, après tout. Harper nous a tellement parlé de vous. Et voici mes autres petites-filles, énonça Mamaw en s'écartant. Dora, l'aînée, la présenta-t-elle d'un geste, et Carson, les sœurs de Harper.

Les deux sœurs s'avancèrent avec l'hospitalité du Sud en souriant et en serrant chaleureusement la main que grand-mère James leur tendait.

— Vous êtes toutes demi-sœurs, n'est-ce pas ?

Mamaw fronça les sourcils. Harper savait qu'elle détestait ce terme.

– Oui, Parker, mon fils, est leur père.

– Oui, mais elles ont des mères différentes… toutes les trois ?

Mamaw se hérissa à la critique que ce commentaire sous-entendait, et Dora et Carson échangèrent un regard circonspect.

– En effet, répondit Mamaw du tac au tac d'un ton incisif. Mais nous ne disons pas à leur sujet qu'elles sont demi-sœurs. Ce sont les parents qui ont abandonné à mi-chemin, et mes filles, elles, n'abandonnent jamais, ajouta Mamaw en souriant chaleureusement à chacune des trois jeunes femmes. Des sœurs sont des sœurs, ce sont *mes* filles de l'été, poursuivit-elle d'un ton possessif avant de soulever le menton avec l'air d'une personne qui vient juste de remporter le premier tour. Mais entrons. Il fait un peu chaud ici dehors.

La maison sentait la cire parfumée au citron et le savon, preuve de toutes les préparations qui avaient été faites pour cette visite. L'atmosphère était cependant solennelle tandis que les trois femmes prenaient place parmi les meubles anciens du salon. Le papier peint en toile de rami bleu clair, les délicates petites tables d'appoint et les peintures aux cadres dorés, la plupart représentant des scènes de la côte, créaient une pièce élégante avec pourtant une allure de plage dont Harper était fière.

– Ce sont des meubles de l'époque coloniale ? questionna grand-mère James tandis qu'elle parcourait du regard la commode haute. Du XVIIIe siècle, je suppose ?

– Oui, répondit Mamaw, dont les yeux s'illuminèrent, car elle adorait parler mobilier. C'est un Chippendale. Quand mon mari, Edward, a pris sa retraite, nous avons quitté notre maison de Charleston pour nous installer dans l'île. Ça m'a brisé le cœur de vendre une si grande partie de mes meubles. J'ai seulement conservé ce qui nous avait été transmis, et même parmi ceux-là, j'ai choisi ceux que je préférais pour cette maison. Les autres sont entreposés en dehors de l'île, loin des ouragans.

– Oui, répondit grand-mère James en reniflant comme si elle sentait de la moisissure, conserver des meubles serait une source d'inquiétude quand on vit dans une île, avec toute cette humidité et ce soleil. De bons meubles, c'est-à-dire. Évidemment, nos objets de famille remontent à beaucoup plus loin. A-t-il été difficile d'abandonner votre maison de Charleston pour cette… pittoresque petite île ?

À ces mots, Mamaw se redressa et esquissa un sourire crispé.

– Peut-être pittoresque, mais parfaite pour nos besoins. Nous étions prêts à réduire notre train de vie et à quitter notre grande maison au moment de sa retraite. Edward et moi, nous adorions Sea Breeze et cette île. C'est une maison qui est dans la famille depuis des générations. Nous passions nos étés ici, voyez-vous, ajouta-t-elle avant que son regard s'arrête sur Harper. Avec les filles.

Son visage devint sérieux.

– Ce qui s'est avéré difficile, c'est qu'Edward s'éteigne un an plus tard seulement.

– Et depuis vous avez habité seule ici, pendant toutes ces années ?

– Oui, en compagnie de Lucille, ma bonne et dame de compagnie. Malheureusement, Lucille est morte cet été. Et maintenant que j'ai atteint l'âge vénérable de 80 ans, je crains bien que, malgré le fait que je l'adore, cette maison ne soit trop grande pour moi.

– Trop grande, vraiment ? C'est pourtant une charmante petite maison. Confortable. Je penserais au contraire qu'elle est parfaite.

– Vous ne pouvez imaginer, répondit Mamaw en se redressant de nouveau, l'entretien que requiert une maison de quelque importance que ce soit sur une île.

Grand-mère James, de son côté, l'écoutait attentivement.

– J'ai entendu dire que vous la vendiez ?

Ce commentaire éveilla la curiosité sur le visage de Mamaw tandis que Dora et Carson arrivaient dans le salon en transportant des plateaux de thé et de biscuits. L'odeur du Darjeeling, qui était, comme Harper leur avait appris, le thé préféré de sa grand-mère, remplit l'air quand Dora le versa.

Harper fut soulagée de voir sa grand-mère accepter le thé avec plaisir. Cette dernière se déplaça légèrement sur le canapé de soie, sa tasse expertement équilibrée dans ses mains et en prit une gorgée.

– Oh, mais ce thé n'est pas chaud, s'écria-t-elle en faisant la grimace. L'avez-vous fait infuser dans le port, comme les colons ? demanda-t-elle en riant comme si c'était une plaisanterie avant de déposer sa tasse et sa soucoupe sur la table et de joindre sévèrement les mains sur ses genoux.

Harper fit la grimace tandis que le visage de Mamaw devenait de marbre et que, silencieusement, Carson et Dora bouillaient. Il commençait à faire plus chaud dans le salon, se dit Harper. En dépit du fait que la climatisation fonctionnait, Mamaw ne gardait jamais la température de la maison à moins de 22 degrés. Cette dernière était d'ailleurs vêtue de son habituelle tunique de lin, d'un bleu pâle cette fois, qui faisait ressortir le bleu brillant de ses yeux. Dora, de son côté, avait l'air bien au frais dans une robe d'été Lily Pulitzer tout comme Carson dans son long caftan blanc. Quant à Harper, elle portait une robe d'été verte et des perles. En revanche, grand-mère James semblait étouffer dans son tailleur sombre, mais Harper savait que sa grand-mère rendrait l'âme plutôt que de retirer son veston.

Mamaw se lança dans les plans qui avaient été faits pour la visite de grand-mère James. Des déplacements à Charleston pour visiter les vieilles maisons, peut-être un arrêt dans les maisons des plantations. Cependant, Harper vit le visage de sa grand-mère devenir immobile et son regard, vitreux.

– Vous souhaitez peut-être vous rafraîchir, poursuivit Mamaw. Nous avons préparé un charmant dîner, qui sera servi à 18 h.

Cependant, grand-mère James se leva lentement en entraînant avec elle son énorme sac à main.

– Je crains de ne pouvoir me joindre à vous pour le dîner. Je suis très fatiguée avec le décalage horaire et tout le reste. Si cela ne vous gêne pas, je préférerais me retirer dans ma chambre, annonça-t-elle avant d'ajouter en soupirant : ou dans mon cottage.

Le sourire quitta le visage de Mamaw, mais elle se reprit et le remit en place tandis qu'elle se levait elle aussi.

– Mais bien sûr, vous devez être épuisée après ce long voyage. Ce n'est pas comme autrefois, avant que les compagnies aériennes réduisent les dépenses, quand elles fournissaient un bon repas et des arrangements spéciaux pour les personnes âgées. Et il est vrai que vous semblez vraiment avoir chaud. On ne porte pas de couleurs sombres dans l'île.

Puis, tout en regardant Harper, elle poursuivit :

– Sois gentille et accompagne ta grand-mère au cottage et aide-la à se sentir chez elle. Il y a une petite cuisine, expliqua-t-elle aussi à grand-mère James. Nous y avons mis des céréales, du thé et des petites choses à grignoter, si jamais vous deviez avoir faim plus tard. Mais n'hésitez pas à nous faire savoir si vous avez besoin de quoi que ce soit.

Sur ce, Mamaw joignit les mains devant elle, son devoir d'hôtesse accompli.

~

Grand-mère James retira son veston bleu marine dès qu'elle entra dans le cottage puis elle porta la main à ses cheveux pour les ajuster. Après avoir posé son veston sur le canapé blanc rêche, elle fit le tour de la pièce blanche fraîchement repeinte et peu meublée, apercevant la brillante peinture de Jonathan Green au mur, la table basse recouverte de raphia, les tapis en toile de rami et les longs rideaux de coton blanc aux fenêtres. Harper la suivit ensuite dans la chambre à coucher. Elle y avait laissé les fenêtres ouvertes et une brise faisait bruisser les rideaux de lin bleu clair. Ici aussi, les murs étaient blancs avec du linge de lit d'un bleu clair assorti.

– J'ai l'impression d'être à Santorin, remarqua grand-mère James avec un léger sourire.

– C'était ce que j'espérais.

La grand-mère tendit ensuite les bras et, en se penchant, essaya le matelas.

– Il est neuf, lui assura Harper. D'ailleurs, tout est neuf. C'était le cottage de Lucille. Nous l'avons vidé pour le rafraîchir. Tu es la première invitée.

– Mais j'espère bien puisque, si je comprends bien, cette femme y est morte.

– Mamaw a fait beaucoup d'efforts pour que tu te sentes à l'aise, reprit Harper après avoir soupiré. Sea Breeze lui est très chère.

– Oui, elle semble être orgueilleuse, souligna grand-mère James, même s'il n'y a pas grand-chose dont elle puisse être fière.

– Je vais aller chercher ta valise, se contenta de répondre Harper en secouant la tête.

Quand elle fut de retour dans la chambre, sa grand-mère avait retiré ses chaussures et se trouvait à la fenêtre en train de regarder dehors. Sans le veston droit, dans son corsage de tricot, Harper constata que sa grand-mère avait conservé sa ligne mince et pulpeuse.

– Non, ce n'est pas Santorin, émit grand-mère James nostalgiquement. Ce cottage me ramène à Cornwall où, à une certaine époque, ma famille possédait un cottage qui donnait sur la mer, un cottage très similaire à celui-ci, ajouta-t-elle avant de soupirer. J'étais très jeune alors. Comme j'aimais cet endroit.

Harper traîna la lourde valise noire jusqu'au milieu de la chambre.

– Tu as apporté assez de choses pour un long séjour.

Grand-mère James se détourna alors de la fenêtre.

– Je ne savais pas quoi apporter. J'ai donc prévu chaque possibilité.

– Un maillot de bain et un short auraient suffi pour Sea Breeze.

– Oui, c'est ce que je constate maintenant, rétorqua sa grand-mère en se dirigeant vers le lit et en s'y asseyant tout en s'enfonçant dans le couvre-lit de duvet. Harper, s'il te plaît, assieds-toi.

Celle-ci alla donc s'asseoir sur une délicate petite chaise ancienne à côté du lit.

– À propos de tes fiançailles, commença grand-mère James en allant droit au but, ça semble être précipité, même si je n'ai pas encore rencontré cet homme ni sa famille.

– Je sais que ça donne cette impression, ça s'est fait si vite, admit Harper en riant. Nous-mêmes, nous sommes sous le choc. Mais ça semblait être la chose à faire.

– Mais Harper, le mariage… c'est une décision trop importante pour ne pas la prendre au sérieux.

– Grand-mère James, intervint Harper en s'asseyant plus droite sur sa chaise, nous ne nous précipitons pas dans le mariage, nous n'avons même pas encore déterminé de date. Je dois d'abord trouver un emploi, un appartement et Taylor commence tout juste un nouvel emploi. Nous savons tous les deux que nous avons beaucoup de choses à régler avant de pouvoir nous marier.

Puis, tout en regardant sa grand-mère dans les yeux, elle ajouta :

– Je t'assure que nous prenons cela au sérieux.

Sa grand-mère étudia alors son visage en considérant ce qu'elle venait de dire avant de soupirer.

– Très bien, cela suffira pour ce soir, nous pourrons en discuter davantage demain. Toi et moi seulement, ajouta-t-elle avant de porter la main à sa bouche pour réprimer un bâillement. Je suis épuisée. Par ailleurs, dit-elle en baissant la main, je n'ai aucunement l'intention de jouer les touristes.

Étant ainsi sommairement congédiée, Harper se rendit jusqu'à sa grand-mère et lui fit une chaste bise. Même dans les meilleures circonstances, grand-mère James distribuait rarement les baisers et les câlins, au contraire de Mamaw, avec qui c'était si facile.

– Bonne nuit, lança sa grand-mère, dont le visage s'adoucit tandis qu'elle laissait sa main s'attarder sur le bras de Harper. Je suis vraiment heureuse de te revoir, ma chérie. Tu m'as manqué.

L'expression pleine de tendresse de sa grand-mère fit sourire Harper.

– Toi aussi, tu m'as manqué. Bonne nuit.

Puis, tout en se retirant, elle referma la porte derrière elle.

CHAPITRE 19

Dès qu'elle s'éveilla le lendemain matin, Harper se dépêcha d'aller dans la cuisine préparer le petit-déjeuner de sa grand-mère. Elle était d'ailleurs en train de mélanger le contenu d'une casserole sur la cuisinière quand Mamaw fit son entrée, joviale et agréablement parfumée dans son corsage orange et son pantalon clair.

– Ça sent bon. Que prépares-tu ? demanda-t-elle en regardant dans la casserole. Du gruau ?

– Je me suis dit que grand-mère aimerait bien, étant donné que c'est un plat du Sud, après tout.

– Combien de temps Imogene a-t-elle l'intention de dormir, penses-tu ? la questionna Mamaw avec une désapprobation à peine déguisée avant de placer sur un plateau son petit-déjeuner habituel composé d'un café crème très riche, de pain brioché et de morceaux de fruits.

– D'habitude, elle se lève tôt, répondit Harper quelque peu sur la défensive. Mais il y a cinq heures d'avance en Angleterre alors quand elle s'est couchée hier soir, il était minuit pour elle. De plus, je pense qu'elle s'est fait beaucoup de mauvais sang pour moi. Il y a probablement des jours qu'elle n'a pas bien dormi.

– Cela pourrait excuser sa manière impolie de se retirer hier soir.

À ces mots, Harper leva les yeux au ciel.

– Pourquoi donc se faisait-elle du mauvais sang ?

– Ma mère lui a téléphoné, annonça Harper après s'être tordu les lèvres, et elle lui a rempli la tête d'histoires sur le fait que je m'enfuyais pour me marier.

– C'est bien ce que je pensais, déclara Mamaw après avoir émis un grognement offusqué. Et je suppose que Georgiana s'est fait un plaisir de lui dire que tu voulais acheter Sea Breeze ?

– Oui, j'en ai bien peur.

– Quelle femme horrible. Alors maintenant ta grand-mère est ici pour venir à ta rescousse, je suppose ?

Une fois encore, c'était plus un énoncé de fait qu'une question.

Harper garda d'ailleurs les yeux rivés sur le melon qu'elle était en train de couper en petits morceaux.

– Je me demande si elle aura envie de faire une visite de Charleston aujourd'hui.

– Non, s'empressa de répondre Harper. C'est-à-dire, laissons-lui un jour ou deux pour se reposer. N'oublie pas, tu dis toujours qu'il faut trois jours pour s'acclimater à l'heure de l'île.

– Combien de temps a-t-elle l'intention de rester ? s'enquit Mamaw, dont les mains s'étaient immobilisées avec inquiétude.

– Je ne sais pas, répondit Harper en haussant les épaules. Quelques jours tout au moins.

– J'ai entendu parler de visiteurs européens qui restaient des mois. Des poissons et des Européens…

– Oh, je ne crois pas que ça durera si longtemps, la rassura Harper en mélangeant plus rapidement le contenu de la casserole tout en pensant à l'énorme valise remplie de vêtements de sa grand-mère. Après tout, nous-mêmes ne serons plus ici dans un mois.

– Je suppose que non, répliqua faiblement Mamaw en regardant son plateau.

Harper ne voulait pas s'attarder sur cette question déplaisante qui arriverait inévitablement.

– Je devrais préparer un plateau pour grand-mère et aller voir si tout va bien.

À ce moment, un coup fut frappé à la porte d'entrée, suivi d'une voix féminine.

– Bonjour ? appelait-elle.

Harper se dépêcha d'aller dans l'entrée accueillir sa grand-mère. Elle était habillée de manière plus décontractée que la veille, avec une jupe plissée en lin gris qui lui arrivait aux mollets et un chemisier en lin d'un blanc pur, qui, comme c'était du lin, était froissé de manière pardonnable, ainsi que d'espadrilles. Ses cheveux étaient renvoyés vers l'arrière pour dégager son visage et elle avait l'air reposée, plus jeune aujourd'hui, même si elle était toujours pâle et qu'elle avait les yeux rouges.

– Comment te sens-tu ? Et dis-moi la vérité.

– Parfaitement bien. Un peu courbaturée, mais une bonne promenade sur la plage devrait y remédier. J'ai terriblement soif. J'ai bu toute l'eau en bouteille et je craignais un peu de boire celle du robinet, dans une telle jungle.

– Elle ne te rendra pas malade. De plus, il y a un filtre sur le robinet de la cuisine. En attendant, allons-y, je t'ai préparé le petit-déjeuner.

En rentrant dans la cuisine, Harper constata que Mamaw s'en était déjà esquivée. En soupirant, elle sut que, d'une manière ou d'une autre, il lui faudrait s'occuper de la friction entre les deux femmes. Elle versa un grand verre d'eau à sa grand-mère ainsi qu'une tasse de thé au lait qu'elle lui tendit.

Grand-mère James regarda le thé.

– C'est toi qui l'as préparé ?

– Oui.

– Et l'eau a bouilli à gros bouillons ?

– Oui, et j'ai réchauffé la théière.

Sur ce, grand-mère James y goûta.

– Beaucoup mieux. Ces Yankees n'ont toujours pas maîtrisé la manière de faire une tasse de thé buvable.

– Bon, du côté des boissons, ça devrait aller. J'ai coupé des fruits et je t'ai aussi préparé quelque chose de spécial.

– Tu fais la cuisine maintenant ?

Voilà qui fit rire Harper. En effet, sa grand-mère avait souvent fait des commentaires sur son incompétence générale dans la cuisine.

– Oh, je n'irais pas aussi loin, encore que j'essaie.

– Mais qu'as-tu donc préparé ? Du *porridge* ? demanda grand-mère James, horrifiée.

– Non, c'est du gruau, indiqua Harper en riant. Moulu à la meule de pierre et cuit avec du lait, du beurre et du fromage. C'est un classique de la cuisine du Sud.

– Du gruau ? s'exclama grand-mère James en faisant la grimace. Ce n'est pas avec ça qu'on nourrissait les esclaves ?

– Je n'en sais rien, mais je me suis dit que tu aimerais peut-être essayer quelque chose de nouveau. Sinon, dit Harper en indiquant la boîte en fer blanc pleine de pâtisserie, il y a du pain brioché et des scones.

Grand-mère James examina machinalement la cuisine avant de se diriger tout droit vers les grandes fenêtres d'où elle regarda la crique, le visage immobile et attentif.

Harper la rejoignit.

– C'est magnifique, n'est-ce pas ?

Sa grand-mère recula et prit une petite gorgée de thé.

– Je suppose que c'est une assez jolie petite rivière.

– Ce n'est pas une rivière. Il y a beaucoup de baies sinueuses dans ces marécages, mais ça, là-bas, ça fait partie de la crique, une merveilleuse étendue d'eau qui se jette dans la grande Intracoastal Waterway. On pourrait aller de la Floride à la Nouvelle-Angleterre sans jamais se retrouver dans l'océan.

– Vraiment ? demanda grand-mère James, que cela eut l'air d'intéresser.

– Veux-tu sortir y jeter un coup d'œil ?

– Je suppose que je devrais tout aussi bien, concéda sa grand-mère après un long soupir indulgent.

Elle sortit donc sur la véranda, sa tasse de thé à la main, en gardant le regard rivé sur la large étendue de baie sinueuse qui serpentait à travers l'herbe verte ondulée en brillant au soleil du matin.

– Bonjour, Imogene, la salua Mamaw de la table en osier noir où elle était assise avec son plateau de petit-déjeuner.

Il y avait aussi un journal ouvert.

Surprise de voir Mamaw sur la véranda, grand-mère James se tourna et se dirigea vers la table.

– Vous avez bien dormi ? demanda poliment Mamaw.

– Oh, vous savez, comme d'habitude. Les yeux fermés, avec une respiration régulière.

– Je vous en prie. Joignez-vous à moi, reprit Mamaw en lui offrant une chaise. Je prends toujours mon petit-déjeuner ici tôt le matin avant que la chaleur s'installe. Harper, sois gentille et va chercher le plateau de ta grand-mère, tu veux bien ?

Harper fut prise d'un accès de frayeur à l'idée de laisser les deux femmes seules, même pour un instant. Elle ne s'attendait pas à un crêpage de chignon… pas exactement.

Elle se dépêcha donc d'aller dans la cuisine chercher le plateau. Carson s'y trouvait, en train de grignoter un scone du bout de deux doigts.

– S'il te plaît, viens avec nous sur la véranda, la supplia-t-elle. J'ai besoin d'aide. Je me sens comme le capitaine du *Titanic* au milieu des icebergs.

— Très peu pour moi, refusa Carson en reculant. Sans vouloir t'offenser, ta grand-mère est glaciale.

Elle fit mine de frissonner.

— Elle n'est pas si froide que ça. Normalement, en tout cas. Hier soir, elle était fatiguée.

Le visage de Carson arbora un air de doute.

— Et pour ce matin, quelle est son excuse ?

— Bon, d'accord, ça lui prend un moment pour se réchauffer. S'il te plaît ?

— Je ne peux pas. J'ai une rencontre avec Blake à la NOAA. Je dois me dépêcher.

Harper fut sur le point de prendre le plateau, mais hésita.

— Avec Blake ?

— Ne commence pas avec les suppositions, l'enjoignit Carson, mais soudain, ses yeux se mirent à briller. Nous sommes en train de planifier la remise en liberté de Delphine.

À ces mots, Harper lâcha le plateau et se dépêcha d'aller serrer sa sœur dans ses bras, car elle savait ce que cette nouvelle représentait pour elle comme pour Blake. Pour chacun d'eux, en fait.

— Je suis si heureuse pour toi. Oh, quelle bonne nouvelle. C'est pour quand ?

— Bientôt, annonça Carson, les yeux brillants. Blake et moi, nous voulons tous les deux que cela se fasse en douceur, alors nous nous rencontrons pour régler les détails. En plus, ça nous force à travailler ensemble, et j'aimerais que nous restions amis. Et puisque nous parlons d'être ensemble, dit Carson en inclinant la tête vers le fond de la véranda avant de reculer, si j'étais à ta place, je sortirais aussi vite que possible.

Harper poussa un soupir et prit le plateau, mais une fois de retour sur la véranda, elle y trouva les deux femmes en train de lire silencieusement le journal.

— Voici ton petit-déjeuner, offrit-elle joyeusement en plaçant le plateau sur la table. Je t'ai aussi apporté des lunettes de soleil, ajouta-t-elle en les tendant à grand-mère James. Le soleil peut être aveuglant ici.

— Tu as toujours été prévenante, souligna sa grand-mère en les mettant.

— Oui, c'est vrai, confirma Mamaw. Les filles du Sud sont élevées avec de bonnes manières.

— Mais Harper provient d'une bonne lignée britannique. Pour les Anglais, les bonnes manières viennent aussi naturellement que l'air que nous respirons, répondit grand-mère James en s'éventant avec le journal. On dirait vraiment le Congo, ici, ajouta-t-elle avant de regarder son gruau avec répugnance et d'en prendre une bouchée. Oh, mon Dieu… tout à fait délicieux, émit-elle tout en avalant manifestement avec difficulté puis elle passa aux fruits qui étaient moins dégoûtants.

Pendant quelque temps, les trois femmes restèrent assises en silence.

— Quel charmant jardin, remarqua finalement grand-mère James en regardant devant elle. Voudrais-tu me le montrer ?

À ces mots, Harper rayonna de fierté.

— C'est le jardin dont je t'ai parlé hier, grand-mère James. C'est moi qui l'ai planté.

— Vraiment ? demanda-t-elle avec incrédulité.

— C'est que je suis en train de devenir douée pour les arts ménagers, répliqua Harper avec suffisance.

— Dans le Sud, toutes les jeunes dames bien élevées sont douées pour les arts ménagers, ajouta Mamaw.

— Dans la famille James, les jeunes femmes apprennent aussi les arts ménagers, rétorqua grand-mère James en esquissant un sourire, afin que nous puissions diriger le personnel.

Elle se tourna ensuite vers Harper :

— Allons, ma chérie, montre-moi ce joli petit lopin de terre que tu appelles ton jardin, la somma-t-elle en se levant.

Harper savait que sa grand-mère voulait l'attirer pour un moment seule à seule loin de Mamaw. Tandis qu'elles traversaient lentement le jardin, Harper commença ce qui serait, elle le savait, une longue conversation. Elle lui expliqua comment elle et Dora avaient entrepris ce petit jardin, en creusant pour retirer les mauvaises herbes sous le soleil cuisant et comment elle avait découvert les menottes des esclaves.

– Tu es en train de me dire que tu as travaillé la terre toi-même ? Sans l'aide d'un jardinier ?

– C'est moi, le jardinier, lança Harper en riant, pleine de fierté. J'ai planté chacune de ces fleurs, chacun de ces rosiers, chaque herbe. Je les surveille constamment comme s'ils étaient mes enfants. Je suis beaucoup plus fière de ce jardin parce que j'y ai travaillé moi-même que si j'avais dit quoi faire à un jardinier. Oh, s'écria-t-elle en s'arrêtant. Excuse-moi, grand-mère. Mais ton jardin est tellement grand. Je ne pourrais pas… Je ne voulais pas te vexer.

– Mais non, bien sûr que non, répliqua grand-mère James avec ironie.

– C'est que j'aime tellement ça, travailler la terre, faire quelque chose moi-même. Qui l'eut cru ? Moi ?

Sa grand-mère retira ses lunettes de soleil et examina le visage de Harper avant de répondre d'une manière réfléchie :

– Oui, toi.

Harper se réjouit de l'expression qu'arborait le visage de sa grand-mère, comme si elle la voyait pour la première fois ou tout au moins comme la femme qu'elle était devenue. Elle se sentait différente intérieurement et aimait penser que cela était visible.

– Fais attention, ma chérie, l'avertit sa grand-mère en remettant ses lunettes de soleil, tu commences à être couverte de taches de son. Bon, allons nous asseoir un instant, là-bas, à l'ombre près de l'eau.

Ainsi du jardin descendirent-elles la pente qui menait jusqu'au quai couvert et à l'ombre. La marée était haute et agitée, brillante au soleil. Le quai inférieur craquait contre les cordes tandis que l'eau frappait de chaque côté. Dans le ciel, un vol de pélicans gris passa, leurs ailes déployées et quelque part dans l'eau, Harper entendit le bruit d'un gros poisson qui plongeait.

Grand-mère James regarda quelque temps vers l'horizon les yeux brillants d'appréciation puis elle se tourna vers Harper avec un air sérieux et tendre tout à la fois.

– Raconte-moi tout.

Harper régala donc sa grand-mère du récit de son incroyable été, de la rencontre de Carson et du dauphin Delphine, de la naissance de leur amitié, de la manière qu'avait eue cet envoûtant dauphin de leur apporter à tous de la joie et des rires quand ils en avaient le plus besoin puis les tristes conséquences de son accident. Elle lui narra comment elle avait refait connaissance avec ses sœurs, son neveu, comment l'océan et les plages, les palmistes et la boue des marais, les sons et les odeurs de la côte l'avaient séduite. Elle lui parla de sa rencontre avec Taylor, et du coup de foudre que ç'avait été, tel qu'elle avait lu dans tous ses livres. Elle lui parla aussi des nombreuses heures qu'elle avait passées à contempler cette même vue en se demandant qui elle était et ce qu'elle attendait de la vie.

– Sea Breeze a été mon sanctuaire, là où je me suis découverte.

– Il est évident que tu aimes cet endroit. Et, ajouta sa grand-mère, je peux voir pourquoi. C'est si beau, bucolique. Mais entrons dans le vif du sujet, veux-tu ? Aussi charmant que tout cela puisse être, je ne suis pas venue d'Angleterre pour admirer la vue.

– Je ne sais pas ce que maman t'a raconté, mais premièrement, tu dois savoir que je vais bien, que j'ai les idées claires et que je suis plus heureuse que je ne l'ai jamais été.

– Je le vois bien, concéda grand-mère James avant de faire une pause. Dois-je comprendre que c'est tout cet air frais ou est-ce à cause de ce jeune homme dont tu es tombée amoureuse ?

Harper sourit et serra impulsivement sa grand-mère dans ses bras. Grand-mère James était rigide et implacable, mais Harper savait qu'elle avait une profonde affection pour elle, même si elle ne pouvait pas toujours l'exprimer par des mots ou des gestes.

– Je suis tellement heureuse, reprit-elle en se redressant. Il s'appelle Taylor McClellan. Il a servi dans les Marines et maintenant, il fait des affaires. Ce n'est pas un pêcheur, même si son père pêchait autrefois la crevette. Il est courageux et bon, compatissant et intelligent. Je l'aime, grand-mère, je l'aime vraiment.

– Oui, mais te mérite-t-il ?

– La véritable question, c'est si moi, je le mérite.

– Je suis sérieuse.

– Je le sais. Il faudra tout simplement que tu le rencontres, et que tu te fasses ta propre idée.

– J'en ai bien l'intention, c'est pour cela que je suis ici, rappela-t-elle avant de poser sa main sur celle de Harper. Ma chérie, écouteras-tu mon opinion ?

– Bien sûr.

– Et si je ne l'aime pas ?

– J'espère que tu l'aimeras. Mais, ajouta Harper en retirant sa main, si ce n'est pas le cas, je l'épouserai quand même.

Sa grand-mère étudia alors le visage de Harper pendant un moment puis détourna le regard en direction des eaux avant de se retourner, le visage résolu.

– Et ton fonds fiduciaire maintenant, reprit-elle en changeant de sujet. Raconte-moi ce fiasco. Pourquoi as-tu demandé à ta mère si tu pouvais avoir accès à ton capital immédiatement ?

— Je voulais acheter Sea Breeze.

— C'est ce que ta mère m'a dit, répondit sa grand-mère avec autosatisfaction.

Harper poussa alors un soupir laborieux.

— Mais pourquoi ne commences-tu pas par me dire exactement ce que maman t'a raconté ?

— Eh bien, commença grand-mère James en soulevant légèrement l'épaule, je suppose que je dois remonter au mois de mai dernier. Georgiana m'avait téléphoné après une dispute qu'elle avait eue avec toi. Elle était dans tous ses états parce que tu avais démissionné de ton emploi à la maison d'édition sans crier gare. Vraiment, ma chérie, la gronda sa grand-mère, avoir démissionné sans préavis.

— Continue, l'intima Harper, qui bouillait.

— Elle était contrariée que tu aies refusé de rentrer à New York ou seulement d'aller en Angleterre pour me voir. J'ai essayé de la calmer en lui rappelant que tu n'étais plus une enfant, après tout. Tu es une adulte capable de prendre ses propres décisions.

— Merci.

Cependant, grand-mère James lança à Harper un regard sans équivoque.

— Encore que je doive reconnaître que je t'aurais été reconnaissante de me passer un coup de fil, cet été.

— Tu as raison, s'excusa Harper. J'ai été égoïste et impolie. Pardonne-moi.

Grand-mère James accepta ces excuses avec un geste de la main.

— Quoi qu'il en soit, l'été a passé et cette semaine justement, Georgiana m'a téléphoné de nouveau pour me dire que non seulement tu allais rester ici, mais que ta grand-mère, Marietta Muir, te manipulait pour que tu touches ton fonds fiduciaire plus tôt afin de pouvoir acheter sa maison et l'aider financièrement. Georgiana l'a invectivée, a fait toutes sortes de comparaisons entre elle et ton père, et, je le crains, elles n'étaient pas toutes gentilles, de sorte que je ne t'insulterai pas en te les répétant.

– C'est ridicule! ragea Harper. Rien ne pourrait être plus éloigné de la vérité.

– Pourquoi ne me racontes-tu pas ta version de cette histoire sordide?

– Pour commencer, maman me traitait horriblement à la maison d'édition. Je n'aborderai pas ma relation personnelle avec elle, ou son absence, nous en avons déjà parlé, et Dieu sait combien de fois j'ai pleuré à tes genoux à ce sujet.

– Oui, ma chérie, comprit sa grand-mère d'une voix plus douce en touchant la main de Harper. Ta mère peut être dure.

À ces mots, Harper respira narquoisement du nez d'une manière qui ne seyait guère à une dame.

– Elle peut être cruelle et une vraie garce comme patronne. On s'attendrait à ce qu'elle se comporte au moins de manière professionnelle, mais elle me traitait comme un laquais, pas comme son adjointe. C'était embarrassant. De plus, elle a refusé de me donner une promotion. Je crois franchement qu'elle aime me garder sous son joug. Or, en mai dernier, nous nous sommes disputées.

Harper ne précisa pas que cette dispute avait eu pour sujet grand-mère James et que Georgiana avait exigé qu'elle aille en Angleterre lui servir d'infirmière.

– Elle m'a dit que mon travail était de lui obéir, point à la ligne.

Harper haussa les épaules.

– Ç'a été la goutte qui a fait déborder le vase. J'ai donc démissionné. Tu dois me croire. C'est strictement elle et moi que ça regarde, ça n'a rien à voir avec Mamaw.

– À part le fait que, comme par hasard, tu étais à Sea Breeze quand tout cela a transpiré.

– Je suis venue ici pour le quatre-vingtième anniversaire de Mamaw. Au début, c'était censé être pour quelques jours seulement, mais ensuite, elle nous a invitées, toutes les trois, à passer tout l'été ensemble ici, comme quand nous étions petites. C'était peut-être un heureux hasard, mais nous le pouvions toutes. Il faut que tu saches que dès le début, Mamaw nous a informées qu'elle allait mettre Sea Breeze en vente à la fin de l'été. C'était pour cette raison que cet été était si important, pour chacune de nous. Mamaw n'a *pas* besoin de mon argent ni que j'achète sa maison. En fait, elle a déjà deux offres en main au moment où nous nous parlons.

– Je vois, dit sa grand-mère, dubitative.

– C'est vrai. Oh, grand-mère, que puis-je te dire d'autre? J'aime cet endroit, je suis à ma place ici, expliqua Harper en faisant un geste du bras vers la crique. Sea Breeze est un endroit merveilleux et je *voulais* l'acheter. Je voulais habiter ici pour toujours, et c'est toujours le cas, ajouta-t-elle avec mélancolie. Je me sens chez moi ici.

– Et Greenfields Park? Tu n'as pas d'affection pour cet endroit? Tu n'as pas l'impression que tu y es chez toi?

Voilà qui était un sujet délicat et Harper ne voulait pas peiner sa grand-mère.

– Si, bien sûr que si. J'ai beaucoup d'affection pour Greenfields Park parce que c'est là que toi et grand-père habitez, et que j'y ai passé tant de temps en grandissant. Mais…

Harper regarda alors sa grand-mère pour évaluer sa réaction.

De son côté, grand-mère James demeurait aussi immobile qu'un chat, mais elle regardait attentivement sa petite-fille.

– Mais…

– Mais je n'ai pas l'impression d'y être chez moi, répondit Harper, qui put seulement lui dire la vérité.

– Je vois, répliqua stoïquement grand-mère James avant de regarder ses mains.

Il y eut ensuite un moment de silence et Harper entendit le craquement mélancolique du bois tandis que le quai bougeait avec la marée, tendant la corde qui le retenait.

Au bout d'un moment, grand-mère James releva la tête et sembla prête à se battre.

— Alors tu as demandé à ta mère d'avoir accès à ton fonds fiduciaire.

— En effet. Il y a eu une offre d'achat pour Sea Breeze. J'ai paniqué, j'allais manquer de temps. Je devais l'acheter maintenant ou la perdre à jamais. Le fonds fiduciaire, c'était mon idée, et je ne demandais rien qui ne m'appartenait pas. Alors j'ai pris mon courage à deux mains, j'ai ravalé mon orgueil, et j'ai téléphoné à ma mère.

— Pourquoi à elle plutôt qu'à moi ?

— Parce qu'elle en est l'exécutrice. Je lui ai donc demandé si je pouvais toucher le capital plus tôt afin d'acheter la maison, déclara Harper avant de s'arrêter, sentant de nouveau l'amertume se soulever en elle à l'égard de la réaction de sa mère. J'ai été naïve de lui demander de l'aide. Je ne sais pas pourquoi j'ai cru qu'elle réagirait comme une mère, qu'elle serait préoccupée et voudrait que je sois heureuse. On croirait que, à ce stade-ci, j'aurais appris ma leçon.

Grand-mère James ne répondit pas.

— Tu sais ce qui est arrivé ensuite, ce qui arrive toujours quand maman n'obtient pas ce qu'elle veut. Elle a fulminé contre moi, Mamaw et mon père, et toute la lignée des Muir. C'était horrible. Elle a menacé de me déshériter si je ne rentrais pas à New York immédiatement. Tu la connais assez bien pour savoir qu'elle le ferait d'ailleurs. J'étais désespérée, mélangée. J'ai honte de reconnaître que j'étais à un cheveu de me comporter en bonne petite fille docile et d'obéir à ses ordres. Comme je l'ai toujours fait. Comme elle s'attendait à ce que je le fasse.

Grand-mère James inclina alors la tête, les yeux brillants.

– Mais tu ne l'as pas fait.

– Non, répondit Harper en souriant avec un léger embarras. Je lui ai dit de garder son argent et de se le mettre où je pense.

À ces mots, grand-mère James sourcilla.

– Puis, j'ai pris ma voiture et je suis directement allée voir Taylor. C'était instinctif, je savais que je voulais être avec lui, qu'avec lui, je serais en sécurité.

Harper s'arrêta avant de reprendre avec tendresse :

– C'est à ce moment qu'il m'a demandé de l'épouser.

– Nous sommes finalement arrivées à la partie qui m'inquiète le plus.

– Que je me marie ?

– Mais bien sûr, tu es ma seule petite-fille, signifia sa grand-mère en bougeant pour déplacer son poids et en fronçant les sourcils. Selon Georgiana, cet homme est, pour utiliser un euphémisme, un croqueur de diamants.

À ces mots, Harper sentit son sang se remettre à bouillir.

– C'est tout ? dit-elle avec un sourire ironique. Et il ne me fournit pas de la drogue en plus ?

– Ne te moque pas de moi. Je viens juste de traverser l'océan pour…

– Me sauver.

– Très franchement, oui.

Harper vit alors l'amour dans le regard de sa grand-mère et baissa les épaules.

– Je t'aime, mais je n'ai pas besoin d'être sauvée.

Sa grand-mère soupira cependant laborieusement.

– Moi aussi, je t'aime, ma chérie, mais cela reste à être déterminé.

– Oh, je t'en prie…

Harper se prit la tête entre les mains en gémissant théâtralement.

– Dis-moi, ce jeune homme, ce Taylor McClellan…

Sa grand-mère attendit que Harper baisse les mains et soit attentive.

— Il est au courant de ton fonds fiduciaire ?

— Oui.

À ces mots, grand-mère James eut l'air pleinement satisfaite.

— Je vois.

— Je lui ai dit que je l'avais perdu en décidant de rester ici, que j'y avais renoncé.

— Mais tu ne l'as pas perdu. Tu en hériteras quand tu auras 30 ans.

— Ça je le sais, maman me l'a dit, mais Taylor, lui, ne le sait pas.

— Ah.

— Il a donc demandé à une fille sans le sou et sans un endroit où habiter de l'épouser, partagea-t-elle, les larmes aux yeux. Oh, grand-mère, j'ai attendu cet homme toute ma vie, quelqu'un qui m'aimerait, *moi*, expliqua Harper en portant le poing à son cœur, sans ma sacrée fortune.

— Mais tu viens à peine de faire sa connaissance…

— Il y a eu cette connexion entre nous dès que nous nous sommes rencontrés.

— Oh, Harper…

— Mais ce genre de choses, ça arrive, insista-t-elle obstinément.

Sa grand-mère sourit alors de manière attachante, un sourire plein de souvenirs.

— Je sais. Mais on ne doit pas prendre le mariage à la légère. Il ne faut pas confondre l'amour et le désir avec l'engagement. L'amour, c'est un sprint, le mariage, un marathon, une course d'endurance, si tu veux.

— Mais grand-mère, je sais tout cela. J'ai fréquenté plusieurs hommes.

— Je t'en prie, épargne-moi les détails.

Cette remarque fit rire sa petite-fille.

– Et Howard Salisbury alors ? lui rappela sa grand-mère comme si c'était son dernier recours. C'est un jeune homme si bien, si beau, et un pair ! Il est vraiment épris de toi, il demande toujours de tes nouvelles. Je pensais même que, tous les deux, vous formiez un couple.

– Howard est amoureux de Greenfields Park, pas de moi.

À ces mots, grand-mère James fronça les sourcils.

– Les Salisbury sont une famille très bien.

– Tout comme les McClellan. Grand-mère, j'ai toujours su que je me marierais par amour, que je ne me caserais pas, souligna-t-elle en lui tapotant la main de manière à lui indiquer que cette conversation tirait à sa fin. Pourquoi n'attends-tu pas de le rencontrer et de te faire ta propre opinion ?

– En effet. J'aimerais bien rencontrer ce jeune homme.

– Fantastique, car il vient dîner ce soir.

CHAPITRE 20

C'était la soirée des surprises.

Mamaw était sur son trente-et-un, comme Edward aimait dire chaque fois qu'elle sortait de sa salle d'habillage dans une nouvelle robe et défilait devant lui tel un mannequin. C'était un jeu idiot, mais qui les amusait tous les deux.

Elle garda la main sur la taille de sa robe en soie framboise qui, comme toutes ses autres robes, la maintenait si serrée qu'elle pouvait à peine respirer. Elle prit une respiration, sentant le tissu qui la serrait contre son ventre. Mais pourquoi tout ce qu'elle mangeait semblait-il lui aller au ventre ?

Elle relâcha son souffle et laissa son regard parcourir sa salle à manger vert sauge avant d'esquisser un sourire de satisfaction. Au moins, ici, tout était parfait. Elle s'était surpassée, ce soir. La longue table Sheraton était recouverte de son plus beau linge de table belge. Elle avait astiqué son argenterie jusqu'à ce qu'elle brille sous le lustre de cristal comme une étoile tombée du ciel. Des pentas, des roses et d'autres fleurs provenant du jardin de Harper reposaient dans des vases bas décorés de feuilles de magnolia sombres comme du cuir. Et de la cuisine, elle entendait le bruit de la vaisselle tandis que le traiteur préparait leur repas.

Elle plaça les mains sur le dossier d'une chaise chippendale tandis que les souvenirs d'autres dîners lui revenaient en tête. Naguère, dans sa grande maison d'East Bay Street, ses fêtes étaient légendaires à Charleston. Elle avait la réputation d'être l'hôtesse préférée au sud de Broad Street. Elle éprouva d'ailleurs un accès de plaisir à ce souvenir.

Mais ici, à Sea Breeze, il y avait beaucoup moins de fêtes, car sa vie avait radicalement changé après la mort d'Edward. Mon Dieu, elle pouvait compter sur les doigts d'une main le nombre de fêtes qu'elle avait organisées ici. La dernière remontait à mai dernier, quand ses petites-filles étaient venues célébrer son quatre-vingtième anniversaire. Elle poussa un petit rire en se souvenant. Quelle soirée ç'avait été ! Les rires et les secrets avaient coulé en même temps que le champagne rosé brut.

Oui, elle aimait les fêtes, et les prétextes pour en organiser une. Pendant que Sea Breeze lui appartenait toujours, elle devait saisir cette occasion pour un dernier hourra. Harper voulait présenter son jeune homme à sa grand-mère et, pensa-t-elle avec un sourire, elle-même voulait saisir cette occasion pour présenter son propre ami… Girard.

Elle regarda sa montre. Il arriverait bientôt. Elle se redressa et traversa le salon en souriant à ses petites-filles, à Taylor, Devlin et Imogene en se rendant vers l'entrée. Là, elle se tint près de la porte, cachée aux regards, et elle attendit, en réfléchissant. Il était parfaitement normal qu'elle invite un ami cher à un dîner, se dit-elle. Elle n'avait aucune raison d'être nerveuse. Et pourtant, en pressant ses mains contre son estomac qui se serrait, elle se sentait comme une jeune fille à son premier rendez-vous. Les filles avaient toutes déjà rencontré Girard, évidemment. Mais c'était la première fois que Mamaw le faisait pénétrer dans leur maison comme invité. D'ailleurs, cette invitation impliquait davantage que des relations de bon voisinage. Elle espérait seulement que Dora tiendrait sa langue.

Soudain, la sonnette retentit. En prenant une respiration pour se calmer, Mamaw ouvrit la porte. La vue de Girard la fit soupirer. Il était particulièrement beau ce soir, élégant même, dans son veston bleu marine et sa cravate rouge, et ses yeux bleus brillaient avec chaleur en contraste avec son bronzage sombre.

– Marietta, la salua-t-il en lui tendant un bouquet de roses et de frésias.

Le parfum s'en éleva, doux et capiteux.

– Comme tu es belle ce soir.

– Merci, Girard. Entre, je t'en prie, l'accueillit-elle nerveusement en se déplaçant.

Girard attendit dans l'entrée tandis qu'elle fermait la porte.

– Il y a bien longtemps que je n'étais entré à Sea Breeze. Pendant des années, j'ai regardé l'arrière de cette maison depuis mon quai. J'avais oublié comme elle était charmante, admit-il avant de lui faire un clin d'œil : tout comme sa propriétaire, d'ailleurs.

À ces mots, Mamaw en eut des frissons dans le dos.

– Oh, vieux fou. Viens, laisse-moi te présenter à ma famille, avant que tu me fasses tourner la tête.

Quand elle entra dans le salon en compagnie de Girard, tous cessèrent de parler tandis que leurs têtes se tournaient vers eux. Les filles les fixaient avec une curiosité et une surprise évidentes et Mamaw remarqua qu'Imogene avait sourcillé avec intérêt tout en prenant une gorgée de son verre.

– Vous vous souvenez de Girard Bellows ? demanda-t-elle aux filles. Notre voisin.

– Oh, tu veux dire…

Dora, qui était dans la ligne directe d'un regard glacial de Mamaw, coupa court à son commentaire. Elle avait été sur le point de l'appeler par le surnom que Nate lui avait donné plus tôt cet été, *le vieux monsieur Bellows*. Levant la main, elle dit plutôt :

– Vous êtes cet homme si bon qui a aidé Nate à pêcher.

– Comment va ce jeune homme ?

– Très bien. Vous le verrez d'ailleurs pendant le dîner.

– Bien.

Carson et Devlin se levèrent alors pour être présentés, tous les deux se comportant parfaitement. Après quelques questions polies, ils laissèrent la place à Taylor et Harper.

– Mes invités d'honneur, annonça Mamaw en les faisant se rapprocher. Girard, voici Harper, ma petite-fille, et Taylor, son fiancé.

Le mot *fiancé* fut facilement prononcé par Mamaw, lui semblant d'ailleurs approprié. Cependant, elle remarqua qu'Imogene s'était légèrement raidie de désapprobation en entendant ces présentations.

Pour finir, Mamaw attira Girard vers Imogene, qui était seule environ un mètre plus loin, accrochée des deux mains à son verre et enveloppée d'un cocon de soie bleu nuit qui accentuait sa ligne bien conservée. Les diamants qu'elle portait aux oreilles et au poignet brillaient comme des étoiles, ou comme de petites planètes, pensa Mamaw avec désapprobation. De son côté, Imogene les regardait tandis qu'ils s'approchaient et son regard s'arrêta sur Girard.

– Imogene, je voudrais vous présenter mon ami, Girard Bellows.

Celle-ci sourit alors d'une manière pleine de coquetterie.

– Le voisin, dit-elle. Mais je n'entends pas d'accent du Sud.

– Je plaide coupable, répliqua Girard. Je viens du Nord, du Connecticut.

– Vraiment ? répondit-elle en l'évaluant du regard. Comme c'est charmant.

Juste à ce moment, une serveuse vêtue d'un pantalon noir et d'une chemise blanche s'approcha de Mamaw.

– On a une question à vous poser à la cuisine.

– Merci, dit-elle, puis, se tournant vers Girard : Excuse-moi un instant. Voudrais-tu offrir un nouveau verre à Imogene ?

~

Pendant que l'on effectuait les dernières préparations pour le dîner, grand-mère James emmena Taylor sur la véranda arrière loin des oreilles curieuses pour une discussion en privé. En cette charmante soirée, il y avait peu d'humidité, la lune était haute dans le ciel et, pensa Imogene en regardant autour d'elle sur la véranda, Marietta avait eu la sagesse d'installer ces chandelles de type tahitien qui repoussaient les moustiques.

Imogene buvait sa vodka-martini en regardant l'homme qui se trouvait en face d'elle. Il était beau, sans aucun doute. Un grand jeune homme bien charpenté qui tournerait la tête à n'importe quelle fille. Il était soigneusement vêtu d'un pantalon clair, d'une chemise bien repassée et d'un veston bleu marine qui, cependant, n'était pas bien coupé. C'était du prêt-à-porter, cela ne faisait aucun doute, au contraire du jeune homme de Dora, qui était tout à fait élégant dans son veston bien taillé et son polo en soie. Mais tout de même, cela ne suffisait pas à condamner Taylor dont les cheveux, contrairement à ceux de l'ami de Dora, étaient tondus comme un mouton.

Elle remarqua de plus quelques détails qui importaient plus que son style vestimentaire. Il était certain qu'il n'était pas doué pour le bavardage, mais Harper ne l'était pas non plus. Cependant, tout comme cette dernière, il semblait plutôt intelligent, un esprit vif. En outre, Imogene se targuait de savoir obtenir des informations importantes des invités qui n'étaient pas sur leurs gardes : leurs relations familiales, leurs relations, leur adresse (toujours un indice sur le statut social). Taylor était d'ailleurs tout à fait franc à cet égard. Il n'y avait aucune surprise.

Malheureusement, pensa-t-elle en prenant une tonifiante gorgée de son martini, il était exactement comme Georgiana l'avait décrit : le fils d'un pêcheur, un soldat… ou plutôt un Marine, comme il l'avait d'ailleurs corrigée au sujet de cette distinction. Il avait peu d'argent, et n'était d'aucune manière un prétendant acceptable pour sa petite-fille, même si, en gros, il semblait être un jeune homme bien.

Une serveuse aux cheveux violets sortit sur la véranda pour les informer que le dîner serait servi dans 10 minutes.

Alors, il vaut mieux s'y mettre, pensa Imogene en soupirant. Elle prit une dernière gorgée de son cocktail et tendit son verre vide à la jeune femme dont les bras étaient entièrement tatoués. Une fois qu'elle fut partie, Imogene renifla avec mépris.

— Je ne comprends pas comment on peut engager une femme aux cheveux violets et pleine de tatouages pour servir lors d'un dîner. C'est absolument rebutant.

— Je ne crois pas que cela ait quelque effet que ce soit sur la qualité de son travail, contra Taylor en esquissant un sourire.

— Voilà une remarque audacieuse de la part d'un officier.

— Pourquoi donc ?

— Je crois comprendre que les tatouages sont interdits aux officiers dans l'armée.

— Dans certaines branches de l'armée, c'est vrai. Mais la dame dont il est question n'est pas dans l'armée.

— Et vous, avez-vous des tatouages ?

— Non, je n'en ai pas.

Grand-mère James hocha alors la tête, comme si cela prouvait justement ce qu'elle affirmait.

— Et vous ne servez plus ?

— Non, Madame.

— Nous, les Anglais, nous admirons le sens du devoir chez un homme. Le prince de Galles a servi dans l'armée, tout comme le prince Harry. Si j'avais eu un fils, j'aime penser que, lui aussi, aurait accompli son devoir, ajouta-t-elle avant de faire une pause. Sans vouloir me mêler de ce qui ne me regarde pas, que faites-vous maintenant ?

Bien que le ton de sa voix ait été légèrement insultant, et cela intentionnellement, Taylor répondit avec un sang-froid qui, malgré elle, impressionna grand-mère James.

— Je suis gestionnaire de projets.

— Oui, mais qu'est-ce que cela signifie, au juste ?

— Je dirige des hommes.

À ces mots, les yeux de grand-mère James se plissèrent.

— Ah, comme vous le faisiez dans les Marines, je suppose ?

— Oui.

— Et ce genre de travail vous plaît-il ?

— Oui.

— J'imagine que vous devez y exceller.

Elle pensait d'ailleurs que ce devait être le cas. Sa réticence naturelle et ses réponses pleines de détermination lui serviraient bien comme meneur d'hommes. Il ne bavardait pas, une caractéristique qu'elle trouvait irritante chez les hommes. Chaque mot qu'il prononçait avait sa fonction.

— Et les femmes, les dirigez-vous bien, elles aussi ?

— Il y aura des femmes sous mes ordres, oui.

— Je voulais dire dans votre vie privée.

Sa remarque le fit rire et il fit passer son poids sur son autre jambe.

— Ce n'est pas ainsi que je conçois les choses.

— Comment, dans ce cas ?

— Je n'y pense pas du tout, répondit-il en ne souriant plus. Je n'essaie pas de *diriger* les femmes.

— Et pourtant, reprit grand-mère James en fronçant un sourcil, vous semblez très bien diriger ma petite-fille.

À ces mots, les sourcils de Taylor se froncèrent de colère et grand-mère James se passa la langue sur les lèvres, heureuse de constater qu'elle l'avait fait réagir.

— Si vous pensez que je dirige Harper, dans ce cas, vous ne connaissez pas très bien votre petite-fille.

– Oh, je pense que je la connais bien mieux que vous, répliqua-t-elle avec hauteur avant de s'expliquer. Harper aime faire plaisir. Elle se donne, en particulier à ceux qu'elle aime.

Taylor croisa les bras et regarda Imogene d'un air assuré.

– Ma fille, la mère de Harper, est, j'ai honte de le dire, narcissique. Son amour de soi et de sa carrière passe avant tout. Il y a peu de place pour les autres dans sa vie. Ce ne fut d'ailleurs jamais le cas, même quand elle était enfant, et pas même pour sa propre fille. Elle a formé cette fille pour qu'elle se conforme à elle dès le jour de sa naissance. Elle a utilisé la nature soumise et la bonne volonté de Harper contre elle.

– Vous voulez dire *abuser*.

– Je vous en prie, ricana grand-mère James. Sa situation n'était pas malheureuse à ce point. On n'a jamais abusé d'elle.

– La négligence peut être pire que les sévices.

À ces mots, grand-mère James sentit que son cœur était traversé par un accès de honte.

– Ce n'est pas vrai.

– Si, c'est vrai. Comme dirait Harper, faites la recherche.

Imogene, ébranlée, joignit les mains.

– Même si c'est vrai, Georgiana désire ce qu'il y a de mieux pour sa fille et Harper a bénéficié de tous les avantages. De plus, mon mari et moi, nous avons fait en sorte qu'elle ne manque de rien.

– Rien de matériel, peut-être, ce qui s'achète. Si c'est à son fonds fiduciaire que vous faites allusion, vous savez que Harper y a déjà renoncé ?

– Pour vous épouser.

Après un silence plein de défi, Taylor poursuivit.

– Même avant qu'elle accepte de devenir un jour ma femme, Harper a choisi sa propre voie. Or, par hasard, c'est l'opposé de ce que sa mère recherche pour elle.

– Sa mère est une femme très forte et déterminée, plutôt dans votre genre, à mon avis, répondit Imogene avant de faire une pause pour l'effet. Vous savez sans doute que Harper s'est toujours laissée diriger par la volonté de sa mère.

– Oui.

– Êtes-vous sûr que ce ne soit pas le cas avec vous aussi ?

Le visage de Taylor devint complètement immobile et Imogene sut que ces paroles avaient produit leur effet. Il attendit, porta les mains à ses hanches et regarda ses pieds puis, quand il redressa la tête, ses paroles étaient posées.

– Je dois reconnaître que cela me préoccupait.

Grand-mère James apprécia son honnêteté. Elle la surprit même comme peu de choses le pouvaient encore.

Cependant, le regard de Taylor se durcit tandis qu'il la regardait.

– La différence, c'est que je l'aime.

Ses paroles à lui aussi produisirent leur effet.

– Je vous crois, répondit-elle doucement.

Le visage de Taylor s'adoucit.

– Cependant, reprit grand-mère James en le regardant droit dans les yeux, si vous l'aimez vraiment, vous la laisserez aller. Harper a un esprit brillant. Avec l'instruction qu'elle a reçue, son expérience et son talent, elle peut s'élever au sommet dans son domaine. Or, vous voudriez la garder ici ? Avec son potentiel ?

Taylor fit passer son poids sur son autre jambe et joignit les mains derrière son dos. Quand un sourire se profila sur son visage sévère, grand-mère James fut déconcertée.

– En fait, je me demande à quel point vous connaissez Harper. Pas Harper l'enfant, mais la femme qu'elle est aujourd'hui. Elle n'est plus du genre à se laisser bousculer. C'était d'ailleurs au cœur de sa dispute avec sa mère. Celle-ci lui a ordonné de rentrer à New York, et Harper a refusé.

– Mais vous lui avez dit de rester, et elle a accepté.

Taylor se frotta la mâchoire avant de rire.

– Harper n'est pas un animal de cirque quelconque qui obéit à des commandes telles que *viens* ou *au pied*. Rendez-lui ce qui lui est dû. Elle sait ce qu'elle veut et elle a d'elle-même pris la décision de rester ici.

Imogene haussa alors les épaules, l'air de dire *on verra bien.*

– Madame James, êtes-vous au courant que votre petite-fille ne veut plus être éditrice ?

À ces mots, les yeux d'Imogene s'écarquillèrent de surprise.

– Quoi ?

Comme si on l'appelait, Harper arriva sur la véranda, le visage brillant de joie. Elle était vêtue d'une robe fluide sans bretelles rose qui se soulevait sur ses jambes fines tandis qu'elle se déplaçait dans leur direction.

– Ah, vous voilà ! s'exclama-t-elle d'une voix chantante en passant immédiatement son bras sous celui de Taylor.

Les regardant tous les deux alternativement, elle poursuivit.

– Oh, mon Dieu, comme vous avez l'air sérieux. Grand-mère, étais-tu en train de cuisiner mon fiancé ? Tu lui arrachais les ongles ? Tu lui as fait subir une simulation de noyade ? Je devrais te prévenir, Taylor est un Marine, et il est formé pour supporter un tel traitement.

Cependant, Taylor, tout en riant, lui tapota le bras.

– Rien que je ne sois capable de supporter.

Grand-mère James regarda alors Taylor avec finesse et répondit en souriant pour rassurer sa petite-fille.

– Il s'en est très bien sorti.

– Nous devrions y aller. Après tout, nous ne voulons pas retarder le dîner, déclara Harper avant de se mettre sur la pointe des pieds pour embrasser délicatement Taylor. Nous sommes les invités d'honneur.

~

C'était son moment préféré d'un dîner, se dit Mamaw avec satisfaction tandis que le personnel du service de traiteur finissait de desservir. Une fois que l'on avait fini de manger, que les assiettes avaient été enlevées et que chaque invité était rassasié de bonne chère et de bons vins. On avait porté plusieurs toasts, la conversation avait été vivante et maintenant, ils étaient prêts à passer au cognac et au café.

Mamaw s'adossa à sa chaise et laissa son regard aller de visage en visage. Girard, Dora, Nate, Taylor, Harper, Carson, Devlin, tous lui étaient chers. Cependant, son regard s'arrêta sur Imogene. Bon, presque tous, se corrigea-t-elle. Elle voulait ne jamais oublier cette soirée, comme une photographie qu'elle pourrait ressortir de temps à autre quand les filles seraient parties et qu'elle serait seule à la maison de retraite. D'ailleurs, elles étaient rayonnantes ce soir, ses filles de l'été, se dit-elle avec un sourire. Les chères petites étaient attentionnées et portaient toutes les perles qu'elle leur avait données le soir de la fête quand elles étaient arrivées à Sea Breeze.

Harper portait le collier à trois rangées de perles d'ivoire au fermoir de diamant et de rubis qui, en contraste avec son teint laiteux, ressortaient parfaitement et accentuaient le roux de ses cheveux. Ce collier-de-chien extravagant lui donnait ce soir l'air d'une reine, comme cela était approprié pour une telle occasion. Car ce soir, c'était sa soirée. Son visage brillait d'ailleurs de confiance et jamais Mamaw ne l'avait vue si ravissante.

Dora avait l'air chic avec ses cheveux blonds attachés en chignon banane et sa superbe robe écarlate au col bateau qui créait l'accompagnement parfait à la longue rangée de perles qui descendait le long de son corps voluptueux. Marietta avait porté cet impressionnant collier lors de son mariage et avait pour lui et ses 92 cm de perles parfaitement assorties une affection particulière. D'ailleurs, pendant l'été, Dora avait acquis un lustre qui leur était parfaitement assorti.

Finalement, le regard de Mamaw s'arrêta sur Carson. Elle était superbe dans sa robe or bruni ajustée à son corps athlétique et qui contrastait théâtralement avec son bronzage prononcé. Elle portait le magnifique collier de perles noires des mers du Sud à la forme baroque qui pouvait seulement convenir à une femme au style théâtral. Pourtant, ce soir, contrairement à ses sœurs, Carson, plutôt que de se comporter en fleur exotique, avait plutôt joué les fleurs faisant tapisserie. Elle avait été présente au dîner, avait répondu aux questions et ri aux moments appropriés. Cependant, son humour d'habitude mordant et sa joie de vivre étaient absents. Elle s'était abstenue de boire, mais avait passé la plus grande partie du dîner à fixer les verres à vin, ce qui inquiétait sa grand-mère.

Son attention fut rappelée à ses invités par un cri d'indignation d'Imogene qui lui fit faire la grimace. Cette femme avait été tout simplement irritante, ce soir. Elle avait flirté avec Girard de manière éhontée pendant tout le dîner et Mamaw n'aurait pas été surprise que cette effrontée de garce lui ait fait du pied sous la table.

Cependant, Imogene se leva de sa chaise et lança un regard noir à Devlin assis en face d'elle.

– Comment pouvez-vous dire que la monarchie n'a plus d'importance aujourd'hui ? Je vous ferai savoir que l'Angleterre est une monarchie depuis plus longtemps que votre pays est une démocratie et nous nous en trouvons très bien, merci. Nous sommes peut-être un petit pays, mais nous avons une histoire glorieuse. De plus, la reine est bien-aimée de son peuple.

Devlin, lui, secoua la tête avec un rire qui gronda sourdement dans sa poitrine.

– Bon sang, voilà une jument qui devrait être mise au pâturage. Quand donc donnera-t-elle sa chance à son garçon ? Elle s'accroche au sceptre comme un terrier à son os.

Mamaw couvrit son rire avec sa serviette, encore qu'elle n'était pas d'accord avec Devlin, car elle aimait bien la reine Elizabeth, sa contemporaine. Mais Devlin faisait un peu le pitre ce soir, et il le savait très bien. Il jouait délibérément le rôle du bon vieux garçon, utilisant de vieilles expressions de la région en exagérant ses manies seulement pour agacer Imogene.

– Laissez-moi vous arrêter avant que vous mélangiez d'autres métaphores, cracha-t-elle en levant le menton avec hauteur. Vous, les Américains, vous savez certainement comment faire souffrir la langue anglaise.

Devlin s'esclaffa, mais d'autres à la table se sentirent insultés et se mirent à grommeler avec désapprobation.

– Je ne voulais pas être impolie, affirma Imogene.

– Bien sûr que si, rétorqua Mamaw avec un rire sec.

Les deux grands-mères s'affrontèrent alors du regard.

De son côté, Carson se pencha vers Harper pour lui murmurer quelque chose tout en faisant semblant de tenir le pointage sur une serviette.

– Mamaw, quatre… grand-mère, trois.

– Si vous voulez bien m'excuser, annonça Imogene en prenant sa serviette sur ses cuisses, j'ai passé une excellente soirée, mais ce ne fut pas celle-ci.

À ces mots, tout le monde se tut tandis qu'Imogene quittait la salle à manger à la manière de la reine dont il venait tout juste d'être question.

– Cette femme pense que le soleil se lève rien que pour l'entendre croasser, lança Mamaw en se penchant vers Girard, mais assez fort pour que tout le monde l'entende.

Nate, qui était assis à côté de sa mère et s'était comporté en parfait gentleman pendant toute la soirée, vit la chance de s'évader.

– Je peux y aller, moi aussi ?

– Oui, tu peux sortir de table, accepta Dora. Merci d'avoir été un gentleman.

Au même moment, Harper, qui se levait, fusilla Devlin du regard.

– Je suis contente que lui, au moins, se soit comporté en gentleman.

– Oh, allez, Harper, lâcha Devlin aimablement. Elle nous a fait souffrir pendant toute la soirée. Je lui ai seulement rendu la monnaie de sa pièce.

– Harper a raison, Devlin. Imogene est une invitée dans cette maison, le gronda Dora.

– Et moi alors ?

Le regard de Dora croisa celui de Devlin et elle tenta de réprimer un sourire.

– Toi, tu fais partie de la famille.

Devlin s'adossa à sa chaise, les yeux brillants.

Harper regarda Mamaw. Elle était assise très droite de l'autre côté de la table, les yeux brillants, et gardait délibérément le silence.

Elle se pencha alors tout près de Taylor, qui était assis à sa droite.

– Je reviens tout de suite. Je veux aller voir si tout va bien avec ma grand-mère, lui murmura-t-elle à l'oreille.

– Tu es sûre que ça va aller ? Veux-tu que je vienne avec toi ?

Elle avait senti une tension en lui ce soir depuis sa conversation avec grand-mère James et pendant le repas, elle l'avait vu regarder quelques fois en direction de sa grand-mère comme s'il évaluait l'ennemi.

– Mon Dieu, non. Je reviens tout de suite.

Puis, déposant sa serviette sur la table, Harper se dépêcha d'aller dans la cuisine à la poursuite de sa grand-mère.

Le service de traiteur avait presque fini d'emballer la nourriture et de faire la vaisselle. Les deux femmes et l'homme, qui portaient des pantalons noirs et des chemises blanches, parcouraient la cuisine avec détermination, impatients d'en avoir fini avec cette soirée et de s'en aller. Grand-mère James était contre le comptoir en train de se verser un généreux verre de vin rouge et en voyant Harper, elle prit un verre propre qu'elle souleva pour savoir si sa petite-fille en voulait.

Harper hocha la tête.

Sa grand-mère lui remplit donc un verre qu'elle lui donna avant de prendre le sien et de le lever haut dans les airs.

– Tu vois ma chérie, voilà la grande question dans la vie : vois-tu ce verre à moitié vide ou à moitié plein ?

– Grand-mère, que vient-il de se passer ? demanda Harper en se sentant devenir de mauvaise humeur.

Grand-mère James regarda le personnel du service de traiteur occupé dans la cuisine.

– Viens un instant dehors, ma chérie, j'ai besoin d'un peu d'air frais.

Harper jeta anxieusement un regard en direction de la salle à manger, où le son des voix pouvait être entendu, mais avec réticence, elle suivit sa grand-mère sur la véranda arrière. Elle ne voulait pas être impolie et quitter la fête, mais elle avait besoin d'échanger quelques mots avec elle. Dehors, la nuit était beaucoup plus fraîche.

– Grand-mère, es-tu contrariée ou en colère ?

– Ni l'un ni l'autre, ma chérie. Je voulais seulement une pause.

– Une pause ? Du spectacle que tu as donné pendant le repas ? Je ne t'ai jamais vue te comporter comme ça.

– Comment, comme ça ? s'enquit sa grand-mère en prenant une petite gorgée de vin.

– Comme un mauvais stéréotype de snob anglaise des classes supérieures.

À ces mots, sa grand-mère éclata de rire et renversa presque son vin.

– Un stéréotype, moi ? On aura tout entendu. Et ce Dev… je ne sais quoi alors ?

– Il s'appelle Devlin.

– Cet homme va épouser ta sœur ? Mais, c'est, c'est un… ploc.

– Tu veux dire un *plouc*, la corrigea Harper sans pouvoir s'empêcher de rire.

– Peu importe, rétorqua sa grand-mère en agitant son verre dans les airs.

– Mais grand-mère, il jouait avec toi, reprit Harper en soupirant. Et tu lui as tellement facilité la tâche.

– C'est moi qui jouais avec eux, souligna grand-mère James d'un ton supérieur après avoir pris une petite gorgée de vin.

– Et le vieux monsieur Bellows, tu jouais avec lui aussi? questionna Harper malicieusement.

Grand-mère James esquissa cependant un sourire espiègle.

– Tu veux dire Girard? demanda-t-elle en ronronnant et en exagérant un instant l'accent du Sud de Mamaw.

– Tu sais très bien que je parle de lui. Tu n'as pas exactement dragué de manière subtile, grand-mère. Je pensais d'ailleurs que Mamaw allait exploser.

Grand-mère James éclata de rire.

– Oui, n'est-ce pas? s'exclama-t-elle avec satisfaction.

– J'imagine que ça aussi, c'était exprès?

– Bien sûr. C'est qu'elle peut être tellement suffisante. Mais ce n'était pas particulièrement désagréable. Ce Girard est certainement un bel homme.

Alors même qu'elle essayait de garder un air sévère, Harper ne put s'empêcher de rire du manège de sa grand-mère. Elle brandit alors les bras de frustration tout en riant, mais soudain, ses rires se transformèrent en larmes.

Grand-mère James posa alors son verre et plaça les mains sur les bras de Harper.

– Qu'est-ce qui ne va pas, ma chérie?

– Toi! cracha Harper en faisant la tête comme la petite fille qu'elle ne voulait pas qu'on pense qu'elle était, ce soir tout particulièrement, et sa grand-mère encore plus. J'étais si heureuse que tu sois là pour partager mes fiançailles, mais je crains que tu n'aies tout gâché.

– Je suis désolée de t'avoir blessée, s'excusa doucement grand-mère James en lui caressant le bras pour la consoler. Peut-être qu'en effet, je suis allée trop loin, admit-elle avant de faire une pause puis elle retira sa main. Mais je ne suis pas désolée d'avoir cuisiné ton jeune homme, comme tu dis.

Elle fit une nouvelle pause pour ajuster ses cheveux.

– Sache, reprit-elle, qu'il s'en est sorti avec brio.

À ces mots, Harper releva brusquement la tête.

– C'est vrai ?

– Et j'ai été dure avec lui, poursuivit grand-mère James en souriant, je lui ai posé les questions difficiles. C'était mon devoir de grand-mère, après tout.

– Et alors ?

– C'est un jeune homme très bien, fier, confiant, et il y a quelque chose chez lui qui impose le respect. Mais surtout, je crois qu'il t'aime énormément. Ma chérie, si c'est lui que tu choisis, je pense qu'il te mérite. Tu as ma bénédiction.

– Oh, grand-mère.

Harper la serra impulsivement dans ses bras.

– Mon Dieu, s'exclama grand-mère James, troublée, tu es vraiment devenue très affectueuse.

– Oui, c'est vrai, hoqueta Harper en essayant de ne pas pleurer. Je suis amoureuse, et je t'aime, toi aussi.

Sa grand-mère posa alors sa main sur la joue de Harper.

– Et moi aussi, je t'aime. Mais maintenant, retournons à table avant de devenir trop sentimentales, tu veux bien ? Et je te promets de me comporter le mieux du monde. Tu vois ? dit grand-mère James en avalant le reste de son vin. Le lion s'est transformé en mouton.

~

Tout bavardage cessa quand Harper et grand-mère James, tout sourire, revinrent lentement dans la salle à manger en transportant un plateau de verres à champagne, de chocolats et d'amandes Marcona ainsi qu'une bouteille de champagne.

À table, Mamaw et Girard échangèrent un regard. Elle regarda autour d'elle et vit que les autres semblaient également perplexes devant ce changement évident d'humeur. Mais tout de même, elle était soulagée que la paix ait, de manière évidente, été conclue.

– Encore du champagne ? s'étonna-t-elle. Mon Dieu, je ne pense pas pouvoir en boire davantage.

– Juste un dernier toast ! s'exclama grand-mère James tout en donnant la bouteille à Taylor. Mon cher garçon, si vous nous faisiez les honneurs ? lui intima-t-elle tout en fronçant les sourcils pour le taquiner. Vous semblez certainement assez fort.

Puis, comme Taylor débouchait facilement la bouteille, grand-mère James s'exclama :

– Quel son délicieux ! C'est mon préféré.

Devlin fit alors un clin d'œil à Dora.

Imogene se mit ensuite à aller de personne en personne, remplissant gaiement leurs verres.

– Ce soir, nous avons entendu tant de toasts en l'honneur de l'heureux couple, commença-t-elle quand elle eut terminé de faire le tour de la table avant de jeter un regard éloquent à Devlin, certains plus hauts en couleur que d'autres.

Devlin eut la bonne grâce de rire et la glace fut rompue.

– Mais il me reste à en prononcer un.

Mamaw se pencha sur sa chaise, et elle vit Carson et Dora échanger rapidement un regard inquiet.

Imogene s'arrêta alors un instant pour faire un sourire aimant à Harper.

– Harper est mon seul petit-enfant. Je n'ai pas la chance de Marietta, qui a trois petites-filles si charmantes. De sorte que vous me pardonnerez, je l'espère, si je me suis montrée, disons, inquisitrice.

– Oh, c'était plutôt la Grande Inquisition, murmura Mamaw.

Un petit rire de surprise et de reconnaissance s'ensuivit à la table. Soulagée par la touche d'humour dans la voix d'Imogene, Mamaw s'y joignit.

– La nouvelle des fiançailles de Harper a été une surprise comme vous pouvez vous l'imaginer, poursuivit Imogene sur un ton plus sérieux. Fiancée ! Je ne l'avais même pas entendue prononcer le nom de Taylor McClellan. Alors j'ai fait mes valises et j'ai traversé l'Atlantique pour voir moi-même si le futur de ma seule petite-fille était entre de bonnes mains, poursuivit-elle en se tournant vers Taylor.

Taylor la regarda lui aussi, assis droit sur sa chaise, les épaules rejetées en arrière, comme un chat sur le point de bondir, pensa Mamaw. S'il avait une queue, il serait en train de la fouetter de droite à gauche.

– Taylor et moi avons eu une petite conversation, reprit Imogene en souriant chaleureusement. Et en effet, le futur de Harper est entre de bonnes mains, des mains aimantes et, ajouta-t-elle avec un sourire ironique, des mains *puissantes*.

À ces mots, les épaules de Taylor se détendirent visiblement et il hasarda un petit sourire avant de se tourner vers Harper, assise à côté de lui, pour une confirmation. Celle-ci lui fit un sourire entendu et plaça sa main sur la sienne.

– Taylor, au nom de Jeffrey et de moi-même, nous te souhaitons la bienvenue dans la famille. Portons un toast.

Imogene leva son verre plus haut, tout sourire maintenant, alors que plus tôt, elle aurait froncé les sourcils. En fait, elle était rayonnante de joie.

– À Harper et Taylor !

Tandis qu'ils choquaient leurs verres pour célébrer, tous riaient. Mamaw, étonnée, exhala le souffle qu'elle avait retenu. Jamais elle n'oublierait le joyeux carillon de ces rires mélangés au son du cristal qu'on entrechoquait.

Girard se rapprocha alors d'elle, son verre entre eux. Tournant la tête, son visage était à quelques centimètres à peine du sien. Il y avait eu tant de drames, ce soir, pensa-t-elle, qu'elle avait presque ignoré ce pauvre homme, et pourtant il avait supporté cette situation avec sa grâce et son charme habituels.

– Marietta, dit-il tout bas de manière à ce qu'elle seulement puisse l'entendre, à nous.

– Es-tu sûr que tu ne veux pas dire à Imogene et toi ? lança Mamaw en soulevant un sourcil de manière moqueuse.

Girard éclata cependant d'un bon gros rire.

– Non, répondit-il, les yeux étincelants, absolument pas.

Mamaw eut un coup au cœur en levant son verre tout en le regardant dans les yeux et elle prit une petite gorgée. Jamais, se dit-elle alors, le champagne n'avait été aussi bon.

CHAPITRE 21

— Ne partez pas tout de suite ! leur cria Harper. Il me reste une surprise.

Devlin était à moitié debout, sa serviette sur la table, tout comme d'autres, mais ils reprirent tous place à la demande de Harper tout en échangeant des regards pleins d'attente, tandis que Harper, elle, quittait sa chaise et s'éloignait dans le couloir à toute vitesse.

Imogene retourna s'asseoir et elle échangea un sourire poli avec Mamaw, qui se pencha vers elle.

— Savez-vous de quoi il s'agit ?

— Pas le moins du monde. Je semble recevoir toutes les nouvelles de seconde main.

Pendant l'attente, personne ne se hasarda à commencer une conversation.

Devlin toussa et prit de l'eau.

Carson tapota la table de la main.

Dora attrapa un autre chocolat.

Taylor regardait en direction du couloir. Quand il aperçut Harper les bras remplis de paquets de papiers, il fut debout d'un bond et vint à sa rencontre pour la libérer de son fardeau et la suivre dans la salle à manger.

– Où veux-tu que je les mette ?

– Tu peux les poser juste ici, indiqua-t-elle en tapotant la table.

Des piles de feuilles étaient reliées par des rubans rouges et Taylor les plaça en deux piles qui devinrent l'objet de l'attention de chacun.

– Mais qu'est-ce que ça peut bien être ? s'exclama Mamaw, les yeux brillants d'anticipation.

Harper se tourna alors vers Taylor, qui seul savait de quoi il retournait.

– Es-tu prête ? lui demanda-t-il.

– Si je ne le suis pas, je ne le serai jamais, répondit-elle, puis elle se tourna vers sa famille qui la regardait dans l'expectative.

– Ne nous fais plus attendre, l'intima Dora. Il est déjà tard.

Harper se racla la gorge et joignit fermement les mains.

– Un jour, une personne très sage, commença-t-elle en regardant Taylor, m'a dit que partager ce qu'on écrivait, c'est faire un don, car on donne une parcelle de son âme. Tout le monde ici présent m'a fait des cadeaux, dont aucun n'est plus précieux que votre amour. Ceci, annonça-t-elle en plaçant la main sur la pile de manuscrits, est mon cadeau pour vous.

Harper regarda alors chaque visage présent dans la salle à manger afin de saisir cet instant.

– J'ai écrit un livre.

Il y eut un cri de surprise collective.

– Je le savais ! s'exclama Dora en se tournant vers Carson. Je te l'avais dit, n'est-ce pas ?

– Moi, je l'ai déjà lu, lâcha-t-elle avec un sourire suffisant.

– Quoi ? s'écria Dora, immédiatement dégonflée.

Harper se tourna ensuite vers grand-mère James, dont le regard était alerte sous ses sourcils froncés. Manifestement, elle ne s'était pas attendue à une telle annonce et elle jetait un regard inquisiteur en direction de Taylor. Celui-ci la regarda alors avec un sourire qui lui disait : *Je vous l'avais bien dit.*

Mamaw était sous le choc et Harper se dit qu'elle avait l'air d'avoir vu un fantôme.

— Veux-tu que je les distribue ? chuchota Taylor.

Harper se passa alors la langue sur les lèvres en se sentant assoiffée et elle hocha la tête. Elle en prit cependant deux au sommet de la pile et se dirigea directement vers Mamaw.

— Je t'avais dit qu'un jour je te laisserais le lire, précisa-t-elle calmement.

Mamaw prit lentement le manuscrit. Ses mains tremblaient.

Harper alla ensuite personnellement porter un autre manuscrit à grand-mère James.

— C'est donc cela qui t'occupait, ta nouvelle passion ? la taquina gentiment sa grand-mère.

— Oui, acquiesça Harper en la regardant dans les yeux sans malice.

Alors, grand-mère James accepta le manuscrit avec solennité en caressant des doigts la première page.

— Je suis impressionnée. Profondément impressionnée.

— Je ne sais pas ce que ça vaut, souligna Harper en rebroussant chemin pour retourner aux côtés de Taylor, mais c'est terminé. Il y a un début, un développement et une fin.

Taylor passa alors un bras protecteur autour d'elle.

Mamaw, le manuscrit dans les mains, fixait Harper du regard, et elle avait l'air d'avoir soudainement vieilli. Son visage était pâle et ses yeux bleus étaient ternes, obscurcis par les souvenirs. Harper savait qu'elle pensait à son fils, leur père. Elle regarda alors Carson et Dora, mais elles aussi avaient le regard rivé sur Mamaw.

Cette dernière posa le manuscrit sur la table et du bout de deux doigts, elle dénoua le ruban rouge.

Grand-mère James, quant à elle, se leva, le manuscrit serré sur sa poitrine.

– Je vais vous souhaiter une bonne nuit. Ce fut une soirée fort agréable, une belle célébration. Merci à tous. Mais, reprit-elle, les yeux sur sa petite-fille, et avec un bref sourire, j'ai de la lecture à faire.

Mamaw leva la tête sans s'apercevoir du départ de grand-mère James, le regard stupéfait.

– Harper ! Le titre !

– Quel autre titre voulais-tu que je lui donne ? émit-elle avec un petit rire.

Les lèvres de Mamaw tremblèrent alors tandis qu'un million de souvenirs voletaient devant son visage.

– *Les filles de l'été.*

~

Plus tard ce soir-là, une fois que la fête se fut séparée et que chaque personne présente eut trouvé le chemin de son lit, Carson se glissa dans la cuisine pour une tasse de tisane. Les lumières installées sous les placards éclairaient légèrement la cuisine et guidaient ses pas dans le couloir obscur. En entrant, elle fut surprise d'y trouver Mamaw à côté de la bouilloire en train de chauffer sur le feu.

– Tu es toujours debout ?

– Évidemment, lança Mamaw. Je doute que qui que ce soit dorme en ce moment. Nous sommes tous en train de lire.

Carson traversa la cuisine pour aller se prendre une tasse.

– Où en es-tu ?

– Pas très loin, je savoure chaque mot. Je suis arrivée au moment où toi et Harper vous jouez aux pirates et que vous grimpez la colline du fort Moultrie. Je ne savais pas que vous alliez dans ces donjons ténébreux. Je vous l'aurais interdit.

Carson posa alors sa tasse sur le comptoir à côté de celle de Mamaw.

– C'est pour ça que nous ne te l'avons pas dit.

L'eau qui se mit à bouillir fit siffler la bouilloire et Mamaw la retira du feu pendant que Carson choisissait un sachet dans la boîte de camomille ouverte sur le comptoir. Mamaw remplit ensuite les deux tasses d'eau bouillante et l'odeur sucrée de la tisane emplit immédiatement la cuisine.

– Elle est vraiment exceptionnelle, remarqua Mamaw en reposant la bouilloire sur la cuisinière.

– Oui, en effet.

– J'étais terrifiée à l'idée de commencer. Je craignais de ne pas aimer ça.

– Oui, moi aussi. Quel soulagement, hein ?

– Oui, acquiesça Mamaw avec un petit rire.

Carson prit ensuite deux cuillères dans le tiroir avant de prendre le miel sur le plateau tournant. Elle en prit une cuillérée qu'elle mit dans sa tisane avant de passer le pot à sa grand-mère.

– Il semble donc que quelqu'un dans la famille a hérité des gènes d'écrivain de papa.

La cuillère de Mamaw produisait de petits bruits tandis qu'elle touillait.

– Il semble bien.

– Cher papa. Moi, j'ai hérité de ses gènes pour l'alcoolisme. Eh bien, merci, papa.

Mamaw posa sa cuillère sur le comptoir puis la déplaça légèrement pour qu'elle soit droite.

– Es-tu sûre que tout ce tapage autour de Harper ne te contrarie pas ?

– Oui, reconnut-elle honnêtement et sans hésitation. Je suis heureuse pour elle. C'est son tour.

– Mais ça met en relief ta propre obscurité. C'est ça ?

– Je suppose, répondit Carson en soulevant sa tasse des deux mains et en appréciant la chaleur qui filtrait sur ses paumes.

– Ma chérie, prononça Mamaw tout en posant sa tasse, confie-toi à ta vieille grand-mère.

– Je parle toujours de mes problèmes, protesta Carson en soupirant. J'en ai assez de m'entendre.

– Mais moi, pas le moins du monde.

– C'est juste que… commença Carson après avoir souri avec reconnaissance à sa grand-mère.

– Juste quoi ?

– J'étais à table, ce soir, je regardais autour de moi tous ces visages heureux, Harper et Taylor, Dora et Devlin, et même toi et Girard !

– Que des couples, remarqua Mamaw en esquissant un sourire triste.

– Ouais. Et il y a moi, pauvre Carson, seule une fois de plus.

– Mais c'était ton choix.

– Je sais, je sais… lâcha-t-elle en soupirant laborieusement. Je suis tellement douée quand il s'agit de ruiner ma vie.

– Tu es aussi douée pour la vivre pleinement. Ma chérie, on ne peut pas vivre pleinement sans parfois se faire mal. Ta capacité à aimer est égale à ta capacité à souffrir.

– C'est pour cette raison que je ne veux pas de relation. Ça fait trop mal, je leur fais trop mal, émit-elle en hochant la tête avec détermination. Ça ne vaut pas la peine.

– Alors, que choisis-tu ? De te protéger derrière une armure contre l'amour ? De rester enfermée ? proposa Mamaw en lui mettant la main sur le bras. Carson, ce n'est pas *toi*.

– Peut-être que ça devrait l'être.

Mamaw prit sa tasse et, en fermant les yeux, en prit une gorgée tonifiante. Quand elle reposa la tasse, elle croisa les bras devant elle.

– Tu te rappelles au mois de mai dernier, quand ce requin t'a fait peur ? Tu étais terrifiée à l'idée de retourner dans l'eau. Te souviens-tu comme tu étais malheureuse ? Tu avais l'impression d'être séparée de ce qui t'apportait le plus de joie. Puis, tu as trouvé Delphine. Sa plus grande leçon fut de te rappeler comment vivre au présent, comment rire, comment plonger la tête la première dans l'eau sans avoir peur.

— Et elle s'est blessée.

— *Et* elle a retrouvé la santé.

Carson fronça les sourcils et regarda son thé.

— Tout au long de ma vie, j'ai fait de nombreux plans, reprit Mamaw avant de rire d'elle-même. Mais comme tu sais, j'ai appris que mes priorités changent souvent au fil du temps, de sorte que je dois les adapter en conséquence, poursuivit-elle en remuant la tête avec résignation et humour. La vie est pleine de surprise et, le bon moment… Les gens sous-estiment toujours l'importance du moment où les choses surviennent.

Elle s'arrêta et regarda un instant dans le vide. Dans la pénombre, avec son air nostalgique, Carson eut une idée de ce dont Mamaw avait dû avoir l'air quand elle était une jeune femme établissant ces plans, avec sa silhouette si élégante, son expression tellement pleine d'intelligence, de détermination et de personnalité. Carson y vit aussi la silhouette de son père, et la sienne propre.

Puis, Mamaw se retourna vers elle avec un sourire ironique.

— Permets-moi de te donner un conseil. Souhaite la bienvenue au changement, accepte le bon et le mauvais, tes triomphes comme tes erreurs. Ta vie sera remplie des deux, je peux te l'assurer. Tout cela fait partie du processus. Le secret du bonheur est d'embrasser l'humilité d'accepter ce qui arrive et le courage de continuer sur le chemin de sa vie avec un cœur ouvert.

Carson s'appuya contre le comptoir et repensa de nouveau au requin.

— Aller de l'avant.

— Oui, ma chérie, approuva Mamaw en se penchant vers elle pour déposer un baiser sur son front avant de se redresser et de prendre sa tasse de thé. Mais je pense que nous avons assez discuté pour ce soir. J'emporte ma tisane bien chaude et je te dis bonne nuit, dit-elle avant de conclure en remuant les sourcils : je retourne à ma lecture.

~

Plus tard, Carson, étendue sur son lit, les mains derrière la tête et les jambes croisées, regardait le portrait de son ancêtre, Claire Muir, dans son cadre orné.

Mamaw avait suspendu ce portrait dans la chambre de Carson quand elle était une adolescente dans sa phase vilain petit canard. Elle avait désespérément voulu être la belle du Sud aux cheveux blonds et au teint laiteux que sa sœur Dora était. Mamaw lui avait alors raconté l'histoire légendaire de Claire et la manière effrontée qu'elle avait eue de rompre avec sa famille pour épouser le fameux gentilhomme pirate. Leur histoire d'amour était légendaire. Depuis, chaque fois que Carson manquait d'assurance ou était troublée, elle regardait le portrait de cette belle femme aux cheveux noir de jais et aux yeux d'un bleu brillant et y trouvait la consolation, la clarté et l'inspiration.

Et tandis qu'elle l'observait en ce moment, Carson se demanda comment Claire avait acquis son courage féroce et son indépendance. Elle se rappela alors les paroles de Mamaw : *Le secret du bonheur est d'embrasser l'humilité d'accepter ce qui arrive et le courage de continuer sur le chemin de sa vie avec un cœur ouvert.*

— Grand-mère Claire, murmura-t-elle alors, donne-moi de la force.

Carson s'assit ensuite en tailleur sur son lit. Chez les AA, elle avait appris qu'elle devait examiner ses erreurs du passé et demander pardon. Elle prit donc son téléphone et, dans ses relations, trouva le numéro qu'elle cherchait. Puis, après avoir appuyé sur la touche APPEL, elle prit une grande respiration.

— Allô ? répondit une voix d'homme.

Pendant un instant, Carson resta figée.

— Allô ? Jason Kowalski ? finit-elle par laisser échapper.

— Oui.

Il y avait de l'impatience dans cette voix, comme si on regrettait d'avoir répondu.

— Qui parle ?

— Carson Muir à l'appareil. J'espère que je ne vous dérange pas.

— Carson Muir ? demanda-t-il, le ton de sa question impliquant qu'il ne se souvenait pas de qui elle était.

— Oui, j'étais la photographe pour les photos pour votre film, *Aimless*. Vous m'avez congédiée.

Il y eut une pause.

— Ah, oui, répondit-il ensuite avec méfiance.

— Je ne veux pas vous déranger bien longtemps. Voyez-vous, je fais maintenant partie des AA et un des aspects du programme implique que je fasse amende honorable. Je vous appelle donc pour m'excuser de m'être saoulée pendant le tournage de votre film. Je sais que j'ai causé du retard. C'était une attitude dépourvue de professionnalisme et je suis vraiment désolée.

Elle prit une nouvelle respiration.

— Voilà, c'est tout. Je vous remercie de m'avoir écoutée.

— Attendez. Vous dites que vous faites maintenant partie des AA ?

Carson hésita.

— Oui.

— À quand remonte votre dernier verre ?

— Il y a trois mois.

— C'est un bon début.

— Merci.

Puis, avant de poursuivre, il toussa.

— Je fais moi-même partie des AA.

– Ah ? dit-elle en retenant sa respiration.

Après une pause, monsieur Kowalski se racla la gorge.

– Écoutez, vous faites du bon travail… quand vous êtes sobre, précisa-t-il. Si vous êtes intéressée, je pourrais avoir du travail pour vous.

CHAPITRE 22

Le matin se déploya lentement sur Sea Breeze tandis que les femmes faisaient la grasse matinée, toutes absolument épuisées par les évènements de la soirée précédente.

Harper se leva lentement en bâillant bruyamment et en plissant les yeux à cause du soleil, dont la lumière brillante et perçante pénétrait entre les lattes des volets fermés. C'était un soleil de fin d'avant-midi, pensa-t-elle, mais pour la première fois depuis des mois, elle ne ressentait pas le besoin de se jeter hors du lit.

D'ailleurs, aujourd'hui, elle ne joggerait pas. Elle avait trop bu la veille, il y avait eu trop d'excitation et, se rappela-t-elle en s'étirant voluptueusement comme un chaton rassasié, trop de baisers. Elle se frotta le visage, bâilla de nouveau et se leva lentement. La pièce tourna un peu de sorte qu'elle s'assit sur le bord de son lit en attendant de retrouver son équilibre.

— De l'eau, murmura-t-elle à travers ses lèvres sèches. J'ai besoin de beaucoup d'eau.

Elle se leva et se dirigea vers son bureau pour finir un verre d'eau à demi vide. Une fois sa bouche humectée, elle ouvrit la porte coulissante qui séparait sa chambre de celle de Mamaw pour se diriger vers la cuisine, mais elle s'arrêta soudain en la voyant assise sur son lit.

– Oh, pardonne-moi ! s'exclama Harper, mal à l'aise d'avoir ainsi violé l'intimité de sa grand-mère.

En effet, depuis que Mamaw avait transformé son boudoir en chambre à coucher pour elle, Harper avait fait excessivement attention de ne pas envahir son espace. Elle sortait donc habituellement de sa chambre tôt le matin en passant par la porte qui donnait sur la véranda, mais même alors, elle trouvait souvent Mamaw déjà en train de préparer du café dans la cuisine. En effet, il était parfaitement inhabituel de la trouver si tard au lit.

Harper commença donc à battre en retraite en refermant la porte coulissante.

– Harper, attends !

Elle s'immobilisa.

– J'attendais que tu te réveilles. Viens ici, ma petite, l'intima Mamaw, les bras grands ouverts.

Harper sourit et se dépêcha d'aller sur le grand lit à baldaquin et se glissa contre la poitrine de Mamaw pour des câlins comme quand elle était petite. Et bien vite elle fut enveloppée dans ses bras, respirant son odeur caractéristique.

– Je ne voulais pas te réveiller.

– Tu ne m'as pas réveillée. J'ai lu tard dans la nuit puis j'ai dormi comme la belle au bois dormant. J'ai d'ailleurs fait de très beaux rêves, ajouta-t-elle avant de baisser la tête pour embrasser le dessus de la tête de Harper. Toutes mes filles de l'été.

Harper s'était juré qu'elle ne poserait pas la question, mais elle ne put résister.

– Tu as aimé ? questionna-t-elle en inclinant la tête pour croiser le regard de Mamaw.

Le sourire de sa grand-mère fut comme le lever du soleil, resplendissant et plein d'inspiration.

– Oh, oui, beaucoup. J'ai adoré.

Harper, rayonnante de joie, relâcha la bouffée d'air qu'elle avait retenue. En effet, l'opinion de Mamaw était fondamentale pour elle.

– Je veux te remercier.

– Moi ? Mais pourquoi donc ?

– De m'avoir encouragée, d'avoir cru en moi quand moi-même je n'y croyais pas.

– Oh, ma chérie…

– Je m'inquiétais pour toi.

– Inquiète ? Pour moi ? Mais pourquoi ?

– Tu semblais troublée hier soir quand je t'ai donné mon livre.

L'expression de Mamaw passa alors de la confusion à la compréhension.

– Je dois reconnaître que j'ai éprouvé un instant de tristesse. Non pas parce que tu as écrit ton livre, se dépêcha-t-elle de rassurer Harper, mais parce qu'en dépit de tous ses rêves, Parker n'a jamais réussi à y arriver.

Après avoir fait une pause, Mamaw reprit doucement.

– J'aurais aimé le voir le terminer, peut-être pas qu'il le publie, mais qu'au moins il ait la satisfaction d'avoir mené son projet à bien et d'avoir écrit FIN, si on veut. Mais je suppose que c'était sa faiblesse. C'est assez triste, n'est-ce pas ?

Harper hocha la tête contre la poitrine de sa grand-mère.

– Enfin, peut-être pas sa faiblesse, renchérit-elle après avoir réfléchi un instant, mais peut-être sa peur. Après avoir passé tant d'années à vanter son livre tout en acceptant ton argent… C'est qu'il avait fixé la barre haute. Il se vantait d'écrire le grand roman américain, après tout, poursuivit Harper en riant tristement. Qui peut se montrer digne de telles attentes ? Je soupçonne qu'il s'est dit qu'il préférait échouer en ne le terminant pas qu'en le finissant et qu'il soit raté, car ç'aurait été la fin de son rêve. Après tout, il craignait de ne pas avoir de talent. C'est une crainte que je connais bien. Il faut beaucoup de courage pour mener un livre à bien, et encore plus pour laisser quelqu'un le lire.

– Tu es courageuse.

– Je ne sais pas. Je tremblais hier soir. La réputation de papa me précédait.

– Oh, Harper, dit Mamaw en soupirant avec tristesse, n'aie pas honte de lui.

– Non, je n'ai pas honte, se dépêcha-t-elle de répondre. Mais toute ma vie, j'ai vécu avec son nom comme source de plaisanteries dans ma famille. Alors, dire à ma mère ou, par association, à grand-mère James que j'écrivais un livre… Je tremble rien que de penser à ce qu'elles pourraient avoir dit. J'ai dû le leur cacher et au bout d'un moment, j'en suis arrivée au point où j'étais incapable d'en parler à qui que ce soit, même à toi, tout au moins jusqu'à ce que je sache que je pourrais le terminer. Considérant l'histoire de papa, c'était ce que je devais au minimum accomplir, conclut-elle en se pelotonnant contre sa grand-mère.

– Je ne soupçonnais pas cela.

– Comment l'aurais-tu pu ? Je ne te l'ai pas dit, souligna-t-elle avant de s'arrêter, le visage de Taylor lui venant en tête. Je n'aurais pu y arriver sans Taylor. Il m'a aidée à vaincre mes peurs.

– C'est un homme courageux, un guerrier.

– Oui, mais ce n'est pas ce genre de courage dont je parlais. Il a risqué sa vie au combat et il a été blessé, précisa Harper en levant la tête pour regarder Mamaw. Mais selon lui, c'était la partie la plus facile.

Elle éclata de rire en voyant la surprise sur le visage de sa grand-mère. Elle avait eu la même réaction quand Taylor le lui avait raconté.

– Il m'a appris que le véritable courage, c'est de croire en soi, d'affronter et de vaincre ses peurs, ou d'être vaincu par elles.

Mamaw s'immobilisa puis regarda par la fenêtre.

— Je comprends ce genre de courage, admit-elle doucement.

— Je le sais, répliqua Harper en pensant à tout ce que Mamaw avait perdu.

Supporter la perte d'un être cher, surtout de son propre fils, imagina Harper, requérait beaucoup de courage.

— Tu sais, reprit Mamaw, le mot *courage* vient de la racine française *cœur*[6]. Toi, Harper, tu as un grand cœur.

— Mais son livre, qu'est-il devenu ? demanda-t-elle soudainement. Il est dans le grenier, dans une de ces boîtes ?

Mamaw fit non de la tête.

— Il l'a détruit, répondit-elle avec tristesse. Parker a détruit tout ce qu'il a écrit, même ses lettres. Il ne reste rien.

— Mais c'est tragique, déclara Harper en éprouvant profondément cette perte, et égoïste. J'aurais tellement aimé lire ce qu'il a écrit.

— Peut-être était-ce égoïste. J'ai lu certaines de ses premières œuvres. Disons que Parker acceptait mal la critique. Et peut-être qu'ayant échoué, il ne voulait pas que son œuvre soit critiquée de façon posthume.

Harper sentit les épaules de sa grand-mère se hausser sous sa tête.

— Mais, poursuivit-elle en caressant les cheveux de Harper, son esprit vit en toi. Je sais qu'il aurait été très fier de toi, comme je le suis d'ailleurs.

— Et moi, je suis fière d'être comme lui, reconnut Harper, le cœur gonflé.

— Oui, soupira Mamaw, sauf que *toi*, ma chérie, commença-t-elle en embrassant de nouveau Harper sur la tête, tu as un don qui manquait à ton père. La détermination.

~

Mamaw s'éventait, assise à sa place favorite à l'ombre de l'auvent noir et blanc sur la véranda arrière. C'était la fin de l'après-midi

6. N.d.T.: En français dans le texte.

et pourtant, des ondes de chaleur scintillantes flottaient toujours au-dessus des eaux. Seigneur, elle ne s'en plaignait pas, se dit-elle. On était en septembre et le temps dans les tropiques était calme, sans une menace à l'horizon. Elle choisirait la chaleur n'importe quand plutôt qu'un front de tempête. Mais tout de même, pensa-t-elle en prenant son verre de thé glacé, cet été était l'un des 10 plus chauds du Sud depuis qu'on enregistrait les températures, soit depuis 1998. Ça, et l'augmentation de lamantins dans la crique la persuadaient que le climat changeait.

– Seigneur, Seigneur, Seigneur qu'il fait chaud, répéta-t-elle avant de prendre une petite gorgée de son thé en faisant claquer ses lèvres.

C'était bon, se dit-elle. Puis, replaçant le verre sur la table, elle examina ses cartes placées devant elles pour une patience. En dépit de la chaleur, elle était tout à fait à son aise ici, à l'ombre, où une brise occasionnelle venait la soulager. Elle ne pouvait supporter de rester enfermée comme une poule dans son poulailler.

– Bonjour ! Marietta !

Elle tourna la tête et vit une femme qui contournait la maison et elle plissa des yeux pour s'assurer qu'elle voyait bien. Mais oui, c'était Imogene, mais pendant un instant, elle avait pensé que ça pouvait être une des filles. Elle portait un pantalon de jogging gris avec une bande sur les côtés et un haut léger du genre que Harper portait. Sous son chapeau mou, elle avait de grandes lunettes de soleil et son visage était rose. Cette femme semblait lessivée.

– Il fait horriblement chaud aujourd'hui, s'exclama Imogene tandis qu'elle s'approchait.

Marietta retira ses lunettes de soleil.

– Vous êtes allée jogger, par ce temps ? l'interrogea-t-elle sous forme de critique déguisée.

– Non, répondit-elle d'un ton qui impliquait qu'elle n'était pas si bête. J'ai marché.

Elle était cependant essoufflée par ses efforts physiques.

– J'ai marché pendant des heures. J'adore la plage. Et, reconnut-elle à contrecœur, c'est une étendue de sable particulièrement charmante. Crikey ! J'ai failli m'évanouir quand un cargo est passé.

Marietta prit alors un verre propre sur le plateau et y versa du thé qu'elle conservait dans une bouteille thermos avant de le tendre à Imogene.

– Vous avez l'air assoiffée.

– Qu'est-ce que c'est ?

– Du thé glacé.

– Oh, c'est parfait. Merci.

Imogene en prit une grande gorgée avant de faire la grimace.

– Mais c'est tellement sucré.

– Évidemment, c'est du thé sucré. C'est comme ça que nous le buvons dans le Sud.

– En avez-vous du non sucré ?

– Pas de prêt, non. Préféreriez-vous plutôt de l'eau ?

– Non, ne vous dérangez pas pour moi, refusa Imogene avant de soupirer avec résignation.

Elle prit une nouvelle gorgée de son verre et se passa la langue sur les lèvres puis elle regarda alors son verre avec curiosité.

– Que mettez-vous là-dedans ? En fait, c'est assez bon.

Marietta sourit tout en prenant son verre.

– Je le prépare moi-même à partir d'une vieille recette familiale. C'est aussi doux que le baiser d'un bébé.

Imogene posa son verre sur la table à côté de son sac de plage. Marietta la regarda avec stupeur retirer son haut humide et son pantalon. Elle portait un maillot de bain en dessous. Bien qu'il ait été pudique, l'une-pièce bleu marine mettait en valeur son corps mince. Elle avait une petite ossature, tout comme Harper, et elle était en forme pour une femme de son âge. En fait, se dit Mamaw avec tristesse, Imogene était en forme pour une femme de tout âge. Marietta lissa alors sa tunique, l'air gênée, heureuse que Girard n'ait pas été présent pour être témoin de ce spectacle.

– Je vais faire un brin de trempette dans la piscine, indiqua-t-elle en descendant lentement les marches vers la terrasse inférieure.

Une fois au bord de la piscine, elle leva les bras au-dessus de sa tête et avec un bond plein d'entrain, plongea dans l'eau. Marietta ressentit de l'envie en regardant Imogene traverser la piscine avec énergie. Elle fit ainsi plusieurs longueurs, remuant les jambes et s'amusant de manière évidente. Puis, quand elle eut terminé, elle sortit de la piscine aussi reluisante qu'un phoque.

– Eh bien, tant mieux pour elle, murmura Marietta tout en prenant une autre grande gorgée de thé.

– Voilà qui est mieux, s'exclama Imogene en revenant à l'ombre de la terrasse supérieure.

Puis, lissant ses cheveux vers l'arrière pour les dégager de son visage, elle prit sa serviette de plage dans son sac, en secoua le sable avant de s'essuyer vigoureusement. S'en entourant ensuite les épaules, elle s'assit à côté de Marietta.

– Vous permettez ? s'enquit-elle en soulevant la bouteille thermos.

– Mais oui, servez-vous, accepta Marietta, qui la regarda ensuite se verser un autre verre de thé avec un sourire au bout des lèvres. Vous nagez souvent ?

– Tous les jours. L'été, tout au moins. J'essaie d'aller chez Georgiana dans les Hamptons au printemps quand il fait toujours mauvais en Angleterre. À cette époque de l'année, l'eau là-bas est toujours frisquette. En grandissant, j'ai passé mes étés dans la résidence secondaire de ma famille à Cornwall, alors j'ai l'habitude des trempettes tonifiantes dans l'eau glacée, expliqua-t-elle avant de regarder la piscine. Au contraire, dans l'eau de votre piscine, on se croirait dans sa baignoire. Ce n'est pas très rafraîchissant.

Cette femme pourrait se disputer dans une pièce vide, pensa Marietta.

– Ici, le soleil fait fonction de chauffe-eau naturel, reconnut-elle cependant cordialement.

– Humm, fit seulement Imogene en se mettant à l'aise dans son fauteuil. Mais où est donc passé tout le monde ?

– Sorti.

– Harper aussi ? demanda-t-elle en buvant son thé.

Les lunettes de soleil de Marietta cachèrent le fait qu'elle levait les yeux au ciel.

– Oui, Harper aussi. Elle est allée aider Dora à installer des rideaux dans sa nouvelle maison. Elle y emménagera la semaine prochaine. Elle sera la première à partir, se désola-t-elle avant de pousser un long soupir. Carson, elle, prend des échantillons d'eau dans la crique en préparation de la remise en liberté de Delphine.

– Delphine, c'est bien le dauphin qu'elle a apprivoisé et qui s'est blessé ?

– Contente de voir que vous commencez à vous y retrouver.

– C'est qu'il y a tellement d'histoires, souligna Imogene en dégustant toujours son thé.

– C'est que nous ne sommes rien sinon intéressantes. Et nous sommes toutes nerveuses pour sa remise en liberté, qui aura lieu d'un moment à l'autre, maintenant. Peut-être serez-vous *toujours* parmi nous pour y assister.

– Peut-être, lâcha-t-elle puis ce fut comme si un voile était retiré : le visage d'Imogene se décomposa et elle remua lentement la tête. Je ne sais pas encore combien de temps j'oserai rester. Je crains de devoir partir bientôt. Jeffrey ne s'en sort pas bien quand je ne suis pas là.

Mamaw saisit immédiatement le changement dans sa voix.

– Votre mari est malade ?

– Pas au sens habituel. Il souffre de la maladie d'Alzheimer.

– Oh, je suis désolée, énonça Mamaw avec sincérité.

– Oui, bien…

Le visage d'Imogene reflétait un cœur troublé. Elle remit ses lunettes de soleil avant de les retirer aussi vite qu'elle les avait mises.

– Il y a plusieurs années qu'il a été diagnostiqué. Pendant les premières phases, nous nous en sommes assez bien sortis. Il avait une mauvaise mémoire, mélangeait les dates à l'occasion, des choses du genre. Mais, il y a deux ans, les choses ont changé. Maintenant, il est confus, incapable de terminer une tâche, il erre, l'air hébété, expliqua-t-elle en portant la main à son front avant de poursuivre avec émotion : il ne peut plus lire. C'est déchirant de le voir. Jeffrey était un esprit brillant et un grand lecteur. Les livres étaient toute sa vie. Mais maintenant…

Imogene soupira et baissa le bras.

– Il oublie ce qu'il a lu et relit sans cesse le même livre sans rien comprendre, je le crains. Même sa manière de parler…

Mamaw se dit qu'Imogene commençait à manger ses mots, mais celle-ci poursuivit, penchée plus près d'elle.

– Il répète les mêmes choses ou laisse échapper les commentaires les plus étranges. Il est hors de question de voyager avec lui : il s'égare à Greenfields Park, alors il ne pourrait jamais s'y retrouver dans un endroit qu'il ne connaît pas. Sans compter que, loin de la maison, il devient trop agité, poursuivit-elle, puis elle fit une pause pour se calmer. Pardonnez-moi. Je ne sais ce qui m'arrive. Ça doit être la chaleur. Je ne voulais pas m'étendre sur le sujet.

– Ne vous excusez pas, la rassura Marietta en se sentant communicative. Il nous arrive parfois d'avoir besoin d'exprimer nos pensées, sans quoi on a l'impression d'être sur le point d'exploser.

— C'est vrai, n'est-ce pas ? Je ne sors pas beaucoup, ces derniers temps. Avec Jeffrey…

— Ça doit être très difficile.

— Oui, renifla Imogene. Jeffrey a toujours été mon roc. Mais maintenant…

— Comme je comprends, compatit Marietta, qui se sentait elle-même un peu larmoyante. Edward et moi, nous avions tant de plans pour sa retraite. Mais il est mort. Une crise cardiaque…

— Je ne sais pas ce qui est le plus difficile à supporter : une mort rapide ou voir quelqu'un s'étioler peu à peu.

Marietta prit une grande gorgée de son verre en réfléchissant à cette question.

— Je ne le sais absolument pas. Vous avez de l'aide, au moins ?

— Une infirmière vient tous les jours, acquiesça-t-elle en hochant la tête. Et quelqu'un reste avec lui quand je suis partie, évidemment. Mais ce n'est pas comme quand je suis là. Ma présence le calme. De sorte que, même si j'aimerais rester, je dois rentrer.

— Bien sûr, comprit Mamaw en lui tapotant la main pour la réconforter.

— Je rêvais que Harper rentre avec moi, reprit Imogene avec un sourire nostalgique. Ç'aurait été réconfortant de savoir qu'elle était avec moi maintenant. On finit par se sentir seule à tourner en rond toute seule dans cette grande maison. J'espérais qu'un jour, elle prendrait la relève au domaine. Je voulais qu'elle aime Greenfields Park comme elle aime Sea Breeze. Mais je pense que nous savons toutes les deux ce qu'il en est, n'est-ce pas ? ajouta-t-elle en prenant une autre grande gorgée de son verre.

Marietta suivit son exemple, prenant une gorgée de son thé tout en s'abstenant de répondre.

— C'était égoïste de ma part, je m'en rends compte aujourd'hui, poursuivit Imogene. Elle est un être autonome, capable de prendre ses propres décisions. Et ce serait profiter de sa bonne volonté que de la forcer à accepter la responsabilité de Greenfields Park en la culpabilisant. Je ne voudrais pas lui faire une chose pareille, reconnut-elle avant de porter la main à son cœur et que sa voix se casse. J'aime bien trop Harper pour lui imposer un tel fardeau.

À ces mots, Marietta sentit son cœur s'adoucir pour cette femme, et elle remplit de nouveau leurs verres.

— À chaque gorgée, j'aime davantage ce thé. Il a du piquant. Votre ingrédient secret, qu'est-ce que c'est, exactement?

— Du rhum, répondit Marietta avec un sourire malicieux.

— Je savais qu'il y avait quelque chose que j'aimais là-dedans, s'écria Imogene en riant avant de hoqueter. Mon Dieu, je me sens un peu pompette.

— Je crains que nous ne soyons toutes les deux beurrées.

Imogene regarda alors Marietta avec un sourire triste.

— Vous savez, quand je suis venue ici, j'étais prête à ne pas vous aimer. Je pensais que vous essayiez de vous débarrasser du fardeau de votre maison sur les épaules de Harper.

— Comme vous.

Imogene haussa les épaules et fit non du doigt, l'alcool faisant manifestement effet.

— Je n'avais pas l'intention de vous laisser le faire, poursuivit-elle en haussant de nouveau les épaules. Mais je vois maintenant que je me trompais. Harper a fait son propre choix. Elle veut habiter ici.

— Que va-t-il advenir de Greenfields Park?

— Les jeux sont faits. Tout comme vous, Marietta, j'ai pris conscience que je ne peux plus le diriger, admit Imogene en se prenant le visage dans la main, comme je dois affronter le fait que je ne peux plus prendre soin de Jeffrey à la maison.

Elle baissa la main.

— Quand je serai rentrée, je devrais trouver un établissement adéquat pour lui.

Ses consonnes sifflantes lui donnaient de la difficulté.

– Et une fois que je l'aurai trouvé… commença-t-elle avant de faire une pause. Je suppose que je devrai trouver un endroit pour moi aussi. Il est temps de passer à autre chose, conclut-elle en imitant un voilier de la main.

Ce geste fit rire Marietta, qui leva son verre.

– Au futur.

Les deux femmes choquèrent leurs verres.

Marietta posa alors à Imogene la question qui la tourmentait depuis son arrivée.

– Et votre fille ? Elle ne veut pas du domaine ?

– Georgiana ? Mon Dieu, non. La dernière chose qu'elle veut, c'est s'embarrasser des responsabilités de Greenfields Park. La seule chose qui compte pour elle, c'est sa carrière.

– Et il n'y a pas un oncle ou un neveu ?

– Pour quoi ?

– Pour prendre la relève, vous savez, pour hériter.

Imogene inclina la tête en réfléchissant.

– Mais vous croyez donc que Greenfields Park est une propriété de famille ? Avec des générations de James, etc. ?

– Ce n'est pas le cas ?

À ces mots, Imogene éclata d'un rire en trille aigu et Mamaw ne put s'empêcher de rire avec elle.

– Non, pas du tout, répondit-elle avec affectation. Jeffrey et moi, nous l'avons achetée, et maintenant, dit Imogene en levant les mains, nous allons la vendre.

Puis, elle se pencha vers Marietta en lui faisant un signe de la main comme si elle lui confiait un secret :

– Avec un joli profit en plus, ajouta-t-elle en hochant la tête, puis elle s'enfonça dans son fauteuil. Je serai heureuse d'en être débarrassée. Je veux voyager.

– C'est vrai ? demanda Marietta en se penchant vers elle. Moi aussi.

– Bora Bora, s'écrièrent-elles à l'unisson.

Les deux femmes sourirent et choquèrent encore une fois leurs verres.

— Je pense que nous allons être de grandes amies, annonça Imogene avec un nouveau sourire.

— Moi aussi. De bien des manières, nous sommes assez similaires. Nous sommes toutes les deux d'une autre époque, remarqua Marietta pensivement.

— C'est tellement vrai. Ces jeunes femmes d'aujourd'hui ne veulent pas se retrouver coincées avec de grandes propriétés qui exigent tout leur temps et leur attention. De toute manière, qui a les moyens de les entretenir ?

— Exactement.

— La vie semblait plus simple quand nous étions jeunes, poursuivit Imogene, encore que je doive admettre que je me suis détendue depuis que je suis ici. Il y a quelque chose de sensuel et de séduisant.

— C'est la magie de la côte. Et le rhum, ajouta Marietta sur un ton de conspiration.

Les deux femmes éclatèrent de rire.

Puis, Imogene prit l'éventail de Marietta.

— Vous permettez ?

— Mais bien sûr, indiqua Marietta d'un geste.

Elle commença donc à s'éventer paresseusement.

— Vous savez, c'est une chose merveilleuse que vous avez faite pour vos petites-filles, les amener toutes ici pour passer l'été ensemble. Je peux voir comme elles sont proches les unes des autres. Elles sont aussi vraiment très dévouées les unes pour les autres.

Marietta perdit le souffle tant cette constatation était forte.

— Vous ne pouvez savoir ce que cela signifie pour moi de vous entendre dire une chose pareille. J'ai agi strictement par instinct. Les filles s'étaient tellement éloignées les unes des autres, non seulement du point de vue géographique, mais même dans leur communication. Elles n'étaient rien de plus que des inconnues.

— Cela arrive dans les familles. La plupart du temps.

— Dans ce cas, c'est à nous d'y remédier. J'ai été accusée d'être autoritaire, d'être manipulatrice… et le plus souvent par Harper, dois-je ajouter. Mais à vrai dire, je ne savais pas ce que je faisais. Cependant, je devais agir, je le sentais dans chaque fibre de mon être. Sea Breeze devait être vendue, ça, je n'y pouvais rien. Mais même si mes filles n'avaient plus la maison, je voulais qu'elles soient toujours là les unes pour les autres.

— Vous êtes une merveilleuse grand-mère, hoqueta Imogene.

À ces mots, Marietta retira ses lunettes de soleil et se tamponna les yeux avec une serviette de papier.

— Je n'ai cependant pas été une mère merveilleuse. Vous avez rencontré Parker, mon fils, n'est-ce pas ?

— Une fois. Ils se sont mariés et ont divorcé si rapidement, vous savez. Un bel homme.

— Oui, n'est-ce pas ? reconnut Mamaw avec un pincement au cœur. Je l'ai bichonné. Les médecins, aujourd'hui, ont un nouveau terme pour les mères comme moi : un *agent provocateur.*

Imogene ricana et agita la main de manière dédaigneuse.

— N'importe quoi ! Ah, comme ils aiment blâmer la mère. Ils ont dit ça à mon sujet aussi, pour Georgiana.

— C'est vrai ?

— Mais bien sûr. Provoquer ? dit Imogene en agitant de nouveau la main. J'ai honte de le reconnaître, mais je savais à peine ce que ma fille faisait la plupart du temps.

Marietta éclata de rire avant de se couvrir la bouche.

— Désolée.

— Mais c'était de cette manière que nous étions élevés. Les enfants étaient vus, mais pas entendus, non ? J'avais une nounou pour Georgiana, tout comme elle en avait une pour Harper. Évidemment, poursuivit Imogene sur la défensive, je supervisais tout ce qui concernait ma fille. Directement.

— Eh bien, vous êtes une merveilleuse grand-mère, vous aussi, la complimenta Marietta en lui tapotant la main.

— Tout à fait, en convint résolument Imogene. Harper est si facile à aimer.

— N'est-ce pas ? répondit Marietta en lui souriant, au bord des larmes.

— Que leur arrivera-t-il, pensez-vous, à Harper et Taylor ? Pourra-t-il subvenir à ses besoins ?

— Je pense que oui. Peut-être pas avec le luxe dans lequel elle a été élevée, mais avec une vie confortable et, ce qui est plus important, une vie heureuse.

— Elle aime vraiment cet endroit, n'est-ce pas ? énonça Imogene, dont le regard parcourut la crique puis la maison. Cette Sea Breeze.

— Oui, en effet.

— Et c'est une maison de famille ? De génération en génération et tout ? demanda Imogene en faisant référence à la question que Marietta lui avait posée plus tôt.

— Oui. Un jour, demandez-moi de vous raconter l'histoire des membres fondateurs de notre famille à Charleston.

— Vous parlez du pirate ?

Marietta émit un petit rire et remua les sourcils.

— En effet.

Imogene rit alors à son tour tout en s'éventant rapidement.

Puis, elles tombèrent dans un silence agréable, chacune d'elles perdue dans ses pensées.

— Avez-vous vendu la maison ?

Marietta fit non de la tête.

— Pas encore. Nous sommes en train de négocier. Mais, en toute franchise, je temporise. Devlin me dit que tôt ou tard, je vais devoir serrer les dents et simplement accepter une offre. Elles sont toutes « bonnes », selon ses critères.

– Le Devlin de Dora ? C'est *lui,* votre agent immobilier ?

– Oui.

– Mais mon Dieu, Marietta, vous placez votre fortune entre les mains de ce ploc ?

Marietta éclata d'un rire jovial.

– Ne vous laissez pas tromper par ses manières de bon vieux garçon. Cet homme est aussi rusé qu'un renard dans le poulailler quand il est question d'affaires.

Imogene déplaça alors la serviette sur ses épaules sans avoir l'air convaincue.

– Mais donc, la maison est toujours à vendre ?

Marietta était en train de porter son verre à sa bouche, mais sa main s'immobilisa dans les airs. Il y avait quelque chose dans la manière qu'avait eue Imogene de poser cette question.

Cette dernière retira d'ailleurs ses lunettes de soleil et jeta sur Marietta un regard éloquent.

Marietta baissa donc son verre tout en se redressant dans son fauteuil.

– En effet.

– Je vois, répondit Imogene en repliant l'éventail dans sa main d'un coup sec. Alors, ne la vendez pas.

– Oh, pourquoi pas ?

– Parce que j'aimerais l'acheter, ou plutôt, Harper va l'acheter.

– *Harper* ?

– À un moment donné. Je dois encore régler quelques détails. Je vais consulter mes avocats quand je serai de retour en Angleterre, mais si c'est ce que ma petite-fille désire, et assez pour qu'elle soit prête à renoncer à sa fortune si elle ne peut l'avoir, dans ce cas, je déplacerai quelques montagnes pour que son désir se concrétise.

Mama prit alors une grande respiration en ressentant dans sa poitrine palpiter un peu d'espoir.

– Mais Imogene, êtes-vous sûre de vouloir vendre Greenfields Park pour aider Harper à acheter Sea Breeze ?

– Ne soyez pas bête. Je n'ai pas besoin de vendre Greenfields Park. Disons simplement que Harper m'empruntera l'argent jusqu'à ce qu'elle ait 30 ans et qu'elle me remboursera quand elle touchera son fonds fiduciaire.

– Mais je pensais…

Marietta s'arrêta, déconcertée.

– Je pensais que Georgiana avait dit qu'elle empêcherait Harper d'hériter.

– Oh, je vous en prie, s'écria Imogene avec exagération. Vous ne pensiez tout de même pas que je permettrais à Georgiana d'être l'exécutrice du fonds fiduciaire de Harper ?

– Mais c'est ce qu'elle lui a dit.

– Évidemment, Georgiana transforme toujours la vérité en sa faveur. Mais ce n'est pas vrai. L'exécutrice, c'est moi, et non seulement Harper héritera de sa fortune à 30 ans, mais elle va aussi continuer de recevoir ses versements mensuels jusqu'à cette date. Georgiana n'a rien à voir là-dedans.

À ces mots, Marietta éclata de rire, prit son verre et le leva.

– Brava, Imogene !

Imogene suivit son exemple et elles choquèrent leurs verres pour la troisième fois.

Pendant que Marietta les remplissait de nouveau, Imogene regarda les cartes étalées sur la table.

– Je vois que vous faisiez une patience.

Marietta tendit alors le verre rempli à ras bord à Imogene.

– Oui. C'est d'ailleurs mon état, ces derniers temps.

– Girard ne joue pas aux cartes ?

– Non, pas vraiment. Une partie de poker avec ses amis de temps à autre, mais ce n'est pas un jeu pour moi.

Marietta regarda alors Imogene d'un air rusé en prenant les cartes.

— Mais vous, jouez-vous aux cartes ?

— J'adore jouer aux cartes.

Le cœur de Marietta se mit subitement à battre plus vite et elle se mit à les mélanger.

— Quel jeu aimez-vous ?

— Le crib. Vous connaissez ?

— Non, désolée.

— Et le gin-rami alors ? Je crois que c'est un jeu américain très populaire, non ?

Marietta sourit soudain jusqu'aux oreilles et son opinion d'Imogene atteignit de nouveaux sommets.

— Je le connais en effet. Envie de faire une partie ?

Imogene rapprocha alors son fauteuil de la table.

— Distribuez.

CHAPITRE 23

Carson se tenait à l'extrémité de la rampe de mise à l'eau qui s'abaissait dans la crique. Au cours des derniers jours, Sea Breeze avait bourdonné d'activité. Tout le monde était occupé, bourdonnant en cercles individuels tandis que l'été tirait à sa fin. Carson avait passé son temps à se préparer pour la remise en liberté de Delphine tandis que Dora allait et venait de Summerville, remplissant des cartons pour son emménagement dans le cottage. Harper et grand-mère James, quant à elles, passaient les matinées à marcher ensemble sur la plage et à discuter et leurs après-midi en consultation avec leurs avocats et leurs conseillers financiers aux États-Unis et à l'étranger. Le soir, grand-mère James et Mamaw s'asseyaient ensemble sur la véranda arrière, la tête à leur conversation tandis qu'elles jouaient aux cartes.

Ce fut seulement à la fin de la semaine qu'un évènement les réunit tous. Personne ne fut surpris que l'agent de ce rassemblement soit Delphine.

En effet, la NOAA avait décidé de la relâcher ce jour-là à ce quai de Sullivan's Island. Carson regarda le ciel. C'était une bonne journée pour une remise en liberté, le ciel étant nuageux avec une brise fraîche, mais sans un signe de pluie.

En regardant l'étendue d'eau qu'elle aimait devant elle, Carson pouvait détecter les signes précoces de la fin de l'été. L'extrémité des épaisses touffes d'herbes de mer était maintenant dorée et au fond de ses os, elle sentait la subtile variation dans l'air qui indiquait le changement de saison.

Plus près d'elle, le vent gonflait les drapeaux sur leur mât : la bannière étoilée des États-Unis et le croissant de lune bleu et le palmiste du drapeau de la Caroline du Sud. Elle avait toujours pensé que c'était le plus joli des drapeaux étatiques. Même si elle avait passé une grande partie de sa vie en Californie, le voir signifiait pour elle être à la maison. Plus loin sur le ponton, elle aperçut les panneaux métalliques qui prévenaient les visiteurs et les pêcheurs : ATTENTION, NE PAS NOURRIR LES DAUPHINS SAUVAGES ! Des panneaux que Blake et son équipe de la NOAA avaient installés. Il y avait aussi quelques bacs pour jeter les lignes de pêche.

Une chose était certaine, pensa-t-elle en regardant la crique à l'horizon où des douzaines de dauphins nageaient : plus jamais elle ne nourrirait un dauphin ou un animal sauvage.

Le vent agitait l'eau et soulevait des mèches de ses cheveux. Levant le menton, elle ressentit de l'espoir. Bientôt, Delphine nagerait de nouveau dans la crique. Ce jour était une célébration. C'était aussi son plus grand test. Elle avait promis de rester à l'écart de Delphine, de ne plus jamais l'appeler au quai en tapant sur le bois ou en sifflant, ni de la nourrir ou de nager avec elle, ni d'engager quelque relation que ce soit.

Carson pinça les lèvres d'inquiétude. Pourrait-elle regarder Delphine dans ses yeux chaleureux sans répondre ? Elle ne savait pas si elle était aussi forte.

Et c'était une raison supplémentaire pour accepter l'emploi que monsieur Kowalski lui avait offert à Los Angeles.

Elle ne l'avait pas encore dit à Blake. Le bon moment ne s'était pas présenté. Au cours des dernières semaines, ils avaient plus ou moins établi entre eux une relation platonique pendant qu'ils travaillaient sur cette remise en liberté. Pourtant, chaque fois qu'ils étaient ensemble, ils savaient tous les deux qu'ils retenaient un raz de marée d'émotions. Il lui fallait simplement mettre la remise en liberté derrière elle, avait-elle décidé, puis elle le lui annoncerait.

Elle sentit soudain un léger contact sur son coude. En se tournant, elle vit Nate à côté d'elle, les yeux écarquillés d'émerveillement sous sa crinière blonde. Elle fut de tout cœur avec son neveu, car elle savait qu'il avait été touché tout autant qu'elle par l'accident de Delphine et qu'il était aussi content de son retour.

– Nate, dit-elle en se penchant à son niveau, tu es excité ?

– Quand va-t-elle arriver ?

– Bientôt. Je viens juste d'avoir des nouvelles de Blake. Delphine est arrivée à l'aéroport en sécurité et ils sont en chemin.

Nate se mit alors sur la pointe des pieds et à secouer ses mains, un signe de son excitation.

– Tante Carson, dit-il d'une voix aiguë, ma maman et moi, et aussi Devlin, nous sommes allés faire du kayak.

Il prit une respiration.

– Nous avons vu tellement de dauphins. Il y avait des mamans et des bébés. J'avais l'impression qu'elles apprenaient à leurs bébés à pêcher.

– C'est sans doute ce qu'elles faisaient, reconnut Carson, ravie par l'histoire de Nate et par le fait qu'il soit si animé en la racontant. Se sont-ils approchés de toi ?

Nate hocha la tête, les yeux écarquillés.

– Les petits bébés, oui. Je pense que nous les rendions curieux. Mais leurs mamans ne voulaient pas les laisser s'approcher de nos kayaks, elles les dirigeaient toujours loin de nous.

– Oui. Ça semble juste.

– Je ne les ai pas touchés, ajouta Nate avec importance. Mais ils m'ont regardé dans les yeux, et moi aussi, je les ai regardés. Ils m'ont vu, tante Carson, je le sais.

– Moi aussi, je le sais. Et je suis fière de toi.

Elle était sincère. Son cœur se gonflait d'amour pour le petit. Qu'elle ait son propre enfant ou non, ce garçon aurait toujours sa place dans son cœur.

– Allons dire aux autres que Delphine est en chemin.

Ils allèrent donc les rejoindre. Ils formaient un groupe près de l'entrée du quai. Dora était en train de raconter sa propre version de la sortie en kayak à grand-mère James et à Mamaw.

– Ces petits bébés dauphins étaient tellement mignons, n'est-ce pas, Dev ?

– Ouais. Ensuite, nous avons pris des crevettes sur le quai et nous les avons cuites à la vapeur. Nous les avons mangées directement avec la carapace, déclara-t-il avant de se tourner vers grand-mère James. Alors, voilà ce que j'appelle un jour parfait sur la côte. Je devrai vous en cuire avant que vous partiez, avec ma sauce piquante spéciale.

Il avait un pétillement malicieux dans les yeux.

– Mon cher garçon, vous êtes du strass à l'état brut, plaisanta grand-mère James, et Devlin s'esclaffa.

Carson s'avança alors vers eux.

– Je viens d'avoir des nouvelles de Blake, annonça-t-elle en montrant son téléphone.

Immédiatement tous se turent et la regardèrent.

Nate, qui avait entendu le nom de Blake, vint en courant.

– Quoi ? Ils sont arrivés ? demanda-t-il, les mains violemment tremblantes.

– Ils sont sur le point d'arriver.

En regardant en direction de la route, Carson vit alors le camion jaune brillant en train d'atteindre le ponton. Elle sentit soudain son rythme cardiaque s'emballer et elle se sentit submergée par le désir de voir Delphine.

— Les voilà!

Tout le monde se mit sur le côté tandis que le camion tournait avant de reculer sur la rampe en émettant régulièrement des bips aigus qui perçaient le silence. Finalement, les feux d'arrêt s'éteignirent et le moteur s'arrêta. Les portières du camion s'ouvrirent et elle reconnut Eric et Justin qui en descendaient, vêtus du t-shirt brun de la NOAA et de shorts. Parmi eux se trouvait Blake.

Il se dirigea vers Carson et la famille qui attendaient en silence. Elle pensa qu'elle reconnaîtrait toujours sa démarche : les épaules tombantes, dégingandée, les bras se balançant. Elle se redressa et dégagea son visage de ses cheveux tandis qu'il se rapprochait. Elle connaissait cette expression : il n'était pas ici pour célébrer. Pour lui, c'était une affaire sérieuse, et toute sa concentration était dirigée sur Delphine.

— Alors, tout le monde, commença-t-il, grosse journée, n'est-ce pas? Et toi, comment vas-tu, petit? demanda-t-il à Nate en souriant.

— Bien, répondit-il les yeux brillants.

— Vous avez tous votre tâche. Des questions? Taylor, Dev, j'ai besoin de vous dans le camion. Tout ce que nous allons faire, c'est la prendre dans le bassin de transport, la soulever et la déposer sur l'écharpe de portage. Elle est lourde, alors nous avons besoin de toutes les mains disponibles. Quant aux autres, pourquoi n'allez-vous pas vous mettre là-bas? indiqua-t-il en désignant un quai qui s'étirait dans les eaux. Nous allons la transporter le long de ce quai de sorte que de là, vous aurez une bonne vue.

Le groupe de femmes se tourna donc pour quitter le quai comme on lui en avait donné l'instruction. Dora se dépêcha d'emmener Nate tandis que les hommes se dirigeaient vers l'arrière du camion. Soudain, Blake se retourna pour aller aux côtés de Carson. Son visage s'adoucit et il lui toucha l'épaule pour la rassurer.

– Je sais que tu vas très bien t'en sortir. Et Delphine a l'air de vraiment bien aller.

Puis, il ajouta, les yeux brillants :

– Tout ira bien pour elle.

Le regard de Carson croisa alors celui de Blake, si rassurant, et elle sentit sa frustration la quitter.

– Merci.

C'était un mot si simple pour exprimer tout ce qu'elle ressentait.

– Bon, reprit-il en baissant les mains, et elle entendit dans sa voix qu'il était de nouveau au travail. Toi, tu t'occupes de l'eau. Il y a un seau dans le camion. Remplis-le d'eau de mer et verses-en continuellement sur elle. Nous voulons qu'elle s'acclimate. De plus, ajouta-t-il avec un sourire en coin, je sais qu'elle voudra te voir.

Le cœur de Carson se remplit de gratitude parce qu'il comprenait comme elle s'inquiétait pour Delphine. Il la surprenait toujours de cette manière, en ayant toujours ses sentiments en tête. Elle le suivit donc jusqu'au camion, concentrée sur sa nouvelle tâche.

Blake y monta pour rejoindre les autres hommes pendant que Carson, saisissant le seau, courait jusqu'à l'eau pour le remplir et le rapporter. Elle monta à son tour dans le véhicule et se rapprocha davantage du bassin qu'une bâche bleue recouvrait et sur laquelle l'écharpe de portage qui transporterait le dauphin dans l'eau était posée. En se penchant, elle s'arrêta subitement, bouleversée de revoir Delphine. Elle laissa son regard parcourir le corps lisse du dauphin : les blessures causées par les lignes de pêche avaient guéri, mais Carson pouvait toujours voir les multiples cicatrices qui s'entrecroisaient sur son beau corps gris. Ce fut ensuite au tour de sa nageoire dorsale, qui avait été coupée par la ligne, de la nageoire caudale, qui manquait partiellement à la suite de la morsure du requin. Enfin, tout en souriant, Carson vit l'orifice du diamètre d'une pièce de 10 cents sur sa nageoire caudale droite, celui-là même qui avait permis de l'identifier comme appartenant à la communauté de la crique. Delphine, immobile, était calme, les yeux presque fermés, à peine des fentes sur sa tête.

Blake se déplaça pour que Carson puisse s'approcher davantage. En se faufilant entre Taylor et lui, elle versa doucement l'eau de la crique sur Delphine. Instantanément, elle sut que le dauphin l'avait reconnue, ses yeux s'ouvrant, passant d'une fente à grands ouverts et plein d'ardeur.

Blake lui tapota alors l'épaule et elle se déplaça pour le laisser se remettre à sa position sur le côté du bassin. C'était en effet une question de temps. Tandis qu'elle se dépêchait d'aller chercher encore de l'eau, dans le camion, les hommes obéissaient aux ordres de Blake et saisissaient les portants de l'écharpe. Deux femmes qu'elle avait rencontrées pendant la phase de planification, docteure Pat Fair de la NOAA et docteure Karen Spencer, vétérinaire, s'avancèrent pour donner un coup de main. Tout en grognant en chœur, ils soulevèrent alors Delphine de son bassin de transport.

— Attention maintenant, cria Blake tandis qu'ils se préparaient à la descendre du camion.

Taylor et Eric, qui étaient tous les deux des hommes imposants, sautèrent alors du véhicule pour saisir les portants avant de l'écharpe.

Une fois qu'ils eurent sorti Delphine du camion, ils la transportèrent lentement à l'extrémité de la rampe, là où l'eau commençait à la submerger, et ils la posèrent doucement. Carson courut alors chercher le seau en plastique et versa plus d'eau sur Delphine pendant que docteure Spencer surveillait la température et le rythme cardiaque du dauphin. Blake et docteure Fair attachèrent un petit émetteur à sa nageoire dorsale. Docteure Fair expliqua que cet émetteur relèverait la position du dauphin jusqu'à une distance d'un peu plus de trois kilomètres et permettrait de déterminer comment il allait. Il se détacherait ensuite de sa nageoire en moins de deux mois.

Pendant tout ce processus, Carson versait de l'eau de la crique sur le dauphin, qui gardait son regard rivé sur elle.

– Elle demeure incroyablement calme, remarqua docteure Fair. Certains dauphins deviennent frétillants et nerveux, et leur rythme cardiaque s'accélère.

– Oui, Delphine est un dauphin remarquable, convint Eric.

Blake, dont le regard croisa celui de Carson, lui fit un clin d'œil. Ils savaient tous les deux que Delphine était calme parce que Carson était là.

– Laisse quelqu'un d'autre s'occuper de l'eau, lui lança-t-il. Demeure près de Delphine pour qu'elle puisse te voir, car nous voulons qu'elle reste calme pendant que nous la faisons sortir.

Carson donna immédiatement le seau à Taylor et se dépêcha de retourner aux côtés de la tête du dauphin.

– Je suis là, la rassura-t-elle d'une voix douce en se penchant sur elle.

Delphine s'immobilisa et ses beaux yeux en amande la regardèrent avec confiance. La première réaction de Carson fut de la caresser, mais elle s'arrêta, la main dans les airs, avant de regarder Blake, dont le sombre regard l'observait. Quand leurs regards se croisèrent, il hocha la tête, lui indiquant d'y aller.

Pour la première fois depuis des semaines, Carson sentit la peau humide et caoutchouteuse de Delphine sous sa main. Elle lui caressa la tête avec douceur tandis que Taylor versait de l'eau sur son corps gris luisant.

– Sens l'eau de la crique, dit-elle doucement. Sens la boue des marais, écoute le son des oiseaux. Tu es rentrée.

– Prêt ? cria Blake.

Carson se joignit à Blake, Devlin et Taylor, et ils prirent tous le corps lisse du dauphin dans leur bras pour le soulever hors de l'écharpe. La rampe s'abaissait doucement et bien vite, ils étaient en train de marcher dans la boue sableuse et spongieuse de la crique. Bien que l'on soit tard dans la saison, l'eau était tiède et rafraîchissante tandis qu'elle tourbillonnait autour d'eux. Ils avaient une importante distance à franchir pour dépasser l'herbe et le quai. Mais une fois qu'il put flotter, le dauphin parut léger dans les bras de Carson et elle eut l'impression qu'ils le guidaient plus vers un endroit où il n'y aurait aucun danger à le remettre en liberté qu'ils ne le portaient. De plus, tandis qu'elle avançait, Carson sentait les yeux de Delphine sur elle et elle tourna la tête pour croiser ce regard profond et sombre.

— Merci, dit-elle en caressant doucement la tête du dauphin. Merci de m'avoir appris comment vivre, poursuivit-elle tandis que des larmes ruisselaient sur son visage. Merci de m'avoir sauvé la vie. Merci d'être mon amie. Merci.

— D'accord, c'est bien, cria Blake une fois qu'ils eurent dépassé le quai.

Ils s'arrêtèrent alors en tenant toujours légèrement le dauphin dans l'eau, le vent leur éclaboussant le visage de gouttes d'eau. Carson se souvint alors du jour où ils avaient transporté Delphine hors de la crique. Ce matin-là, le vent faisait rage et une mer mauvaise fracassait ses vagues contre son visage et submergeait l'évent de Delphine. Comme ces gouttelettes fines étaient différentes, pensa-t-elle. C'était rafraîchissant. Ce matin, elle versait des larmes de joie.

— Je vais compter jusqu'à trois, et nous la libérerons, lança Blake. Prêts ?

Carson se pencha davantage sur Delphine, la tenant près d'elle. Elle regarda la tête du dauphin, son gentil sourire perpétuel, en enregistrant chacun de ses traits dans sa mémoire. C'était un moment doux-amer de devoir la laisser partir.

— Un, compta Blake. Deux.

— Adieu, murmura Carson.

— Trois.

L'un après l'autre, ils relâchèrent leur prise sur le dauphin et s'écartèrent, Carson la dernière. Delphine flotta dans l'eau un instant entre eux avant de s'élancer subitement et de s'éloigner.

Tout le monde poussa des cris de joie. Derrière elle, elle entendit Nate qui criait :

— Au revoir, Delphine !

Carson regarda au loin, suivant la trajectoire de Delphine, qui se dirigeait vers le bon endroit, vers le cœur de la crique. Mais soudain, le dauphin fit demi-tour et Carson le vit s'arquer dans l'eau en nageant à toute vitesse vers eux. Ou plutôt, vers elle.

— Oh, non…

Carson partagea un bref regard d'inquiétude avec Blake. Ils savaient tous deux que si Delphine ne s'en allait pas, elle risquait d'être considérée comme impossible à remettre en liberté.

Tous les membres de l'équipe étaient maintenant silencieux et observaient ce qu'allait faire le dauphin.

— Ne reviens pas, murmura Carson, les mains jointes pour prier. Va-t'en.

Le dauphin s'approcha ensuite à environ cinq mètres d'eux avant de faire de nouveau demi-tour pour nager en petites boucles, faisant le tour deux fois. Carson, tout comme les autres, vit ensuite Delphine replonger dans l'eau en remuant sa nageoire caudale dans les airs avant de disparaître.

— Ce dauphin vient-il de nous faire un signe d'adieu ? s'étonna docteure Spencer, incrédule.

— Il ne faut jamais sous-estimer un dauphin, répondit docteure Fair en souriant.

Ils continuèrent tous de regarder pour voir où elle referait surface en retenant collectivement leur respiration.

— Là ! cria soudainement Blake. À deux heures.

Au loin, ils virent Delphine sauter dans les airs, une tache grise à l'horizon, avant qu'elle disparaisse de nouveau.

Après un soupir collectif, tout le monde rit, se donna l'accolade en se tapant dans le dos, ravi qu'un autre dauphin ait été remis en liberté avec succès puis ils se mirent tous en marche vers la rampe.

Sauf Carson.

Elle demeura seule, dans l'eau tiède jusqu'à la taille, à chercher Delphine au loin. Elle avait l'impression d'avoir le cœur percé. Il était plus difficile de la laisser partir qu'elle l'avait imaginé. Ainsi restait-elle calmement là, tandis qu'en elle les émotions tourbillonnaient, espérant apercevoir une dernière fois cette nageoire dorsale scintillante s'arquer au-dessus des eaux sombres de la mer. Mais elle ne vit rien. Le courant était fort et agitait la mer, mais Delphine s'en était allée.

– Carson ?

Elle se retourna brusquement et trouva Blake dans l'eau à côté d'elle. Elle examina son visage, long et fin, ses sourcils épais et sombres sur des yeux chocolat qui étudiaient son visage avec inquiétude. Blake était revenu pour elle. Évidemment…

Plus tard, Carson attribuerait sa réaction aux violentes émotions de cette journée, aux hauts et aux bas de ce qu'elle avait traversé au cours des dernières semaines. Mais voir Delphine ce matin-là, la regarder s'éloigner pour rejoindre sa famille et vivre pleinement sa vie, comme elle était censée la vivre, conduisit Carson jusqu'au bord du gouffre. La marée de larmes qu'elle avait retenue jusque-là fit éruption comme un barrage qui explosait. Carson tomba dans les bras de Blake en relâchant de grands sanglots qui la secouaient et un torrent de larmes. Il la serra alors dans ses bras puissants et la garda tout contre lui.

– Je sais… ça va aller, l'entendit-elle dire dans son oreille en la serrant contre lui avant de poser ses lèvres sur son front. Je suis là.

– Je sais que tu es là, s'étouffa-t-elle. Tu es toujours là pour moi.

– Ma chérie, rétorqua-t-il en la serrant encore davantage, tu ne sais donc pas que je serai toujours là ?

Elle s'écarta alors pour s'essuyer les yeux. Il avait l'air fatigué, ses cheveux sombres étaient humides et décoiffés. Elle vit de l'inquiétude gravée sur son front et de l'amour briller dans ses yeux. Une unique goutte d'eau était suspendue à ses cils incroyablement longs.

Elle porta alors la main au visage de Blake pour l'essuyer.

– Je t'aime.

À ces mots, les yeux de Blake s'illuminèrent.

– Je t'aime.

Avec passion, il la pencha et l'embrassa d'un long baiser sans fin rempli de désir et d'ardeur, un baiser qui pardonnait le passé et promettait un futur brillant. Carson, de l'eau jusqu'à la taille, était dans les bras de Blake et elle l'embrassait de tout son cœur sans se soucier de qui pouvait les voir.

Quand il relâcha son étreinte et que l'eau passa entre eux, il regarda par-dessus son épaule et vit des gens en groupe qui les attendaient.

– Nous avons des spectateurs, indiqua-t-il avec un petit rire.

– Qu'ils regardent, répondit Carson en reculant et en se passant de l'eau sur le visage. De toute manière, ils pensent déjà que je suis folle.

– Peut-être pas folle.

Elle lui envoya alors un regard, le défiant de continuer.

– Plutôt unique. Et à moi.

– Ça, j'accepte.

Blake lui tendit alors la main.

Carson la prit, mais demeura immobile, le retenant comme il se mettait en marche. Il se tourna alors vers elle avec un air interrogateur.

– Il y a quelque chose dont j'aimerais te parler. Mais seule.

– Bien sûr, accepta-t-il en examinant de nouveau son visage, puis il se retourna et la guida à travers l'épaisse boue collante des marais jusqu'à la rampe où le camion dont le moteur ronflait était déjà chargé.

Blake dit au revoir à son équipe tandis que Carson serrait dans ses bras les membres de sa famille, leur disant qu'elle les retrouverait plus tard à la maison. Puis, une fois seuls, Blake et Carson se dirigèrent vers un banc le long du cours d'eau. Ils enlevèrent une couche de sable et de poussière et s'assirent côte à côte en se tenant la main.

– Nous avons nos meilleures conversations sur les bancs de parc, souligna-t-elle.

– Sauf que Hobbs devrait être avec nous.

– Comment va-t-il, ce bon vieux chien ?

– Tu lui manques.

– Dis-lui que je vais lui acheter un gros jouet à mâcher.

Elle regarda ensuite leurs mains jointes et se calma avant de les couvrir de sa main libre et de lever la tête pour croiser le regard plein d'attentes de Blake.

– J'ai reçu une offre d'emploi.

À ces mots, son regard se durcit.

– Comme photographe pour un film, à Los Angeles.

Blake devint tout à fait immobile, mais son visage reflétait la stupeur et la confusion et, comme elle détesta le constater, de l'inquiétude.

– Mais tu viens juste de dire…

– Que je t'aime, et c'est le cas.

– Alors pourquoi t'enfuis-tu encore une fois ?

– Je ne m'enfuis pas, pas cette fois. Je vais *vers* quelque chose, corrigea-t-elle en portant la main vers le visage de Blake pour repousser une mèche de son front. Vers toi.

– Je ne comprends pas, dit-il, inquiet.

— Blake, commença-t-elle avant de s'arrêter puis de le regarder dans les yeux. Je ne vais pas accepter cet emploi. Mais je serai honnête. Quand je me suis réveillée ce matin, je pensais que je te dirais le contraire. Tu sais que je me suis sentie perdue, ces derniers temps. Ma fausse couche était seulement une des raisons, d'ailleurs. Quand j'ai obtenu cet emploi, j'étais excitée, soulagée. Il y a longtemps que je n'ai pas eu de travail dans mon domaine. Je pensais que je devais l'accepter. Dieu sait que j'en ai besoin, pas seulement pour l'argent, mais aussi pour me refaire une réputation, une carrière, mon estime de moi-même.

— Mais tu ne l'acceptes pas ?

— Non. Je ne veux plus être seule. Maintenant, je n'ai plus peur.

— Et ce que tu me disais, que tu avais besoin de nager seule ? Le requin ?

— Quand j'ai laissé aller Delphine, c'est comme si, une nouvelle fois, elle avait chassé le requin.

C'était une de ces choses que Carson comprenait instinctivement tout en ayant de la difficulté à les formuler.

— Aujourd'hui, dans la crique, essaya-t-elle d'expliquer, quand Delphine m'a regardée, je n'ai pas vu de pardon. Pour elle, le passé était déjà oublié. Elle vit dans l'instant présent. Tout ce que j'ai vu dans ses yeux, c'était de l'amour, de l'acceptation et de la joie. Elle était heureuse d'être rentrée. Elle m'a montré ce que ça voulait dire de laisser aller. En la regardant, j'ai senti que je me libérais de mon passé, de mes peurs.

Blake l'écoutait sans l'interrompre.

Elle reprit en souriant.

— Je ne veux plus te repousser. Je veux rester ici, avec toi, où est ma place.

Blake laissa échapper une bouffée d'air puis il regarda la main de Carson et joua avec ses doigts, perdu dans ses pensées. Au bout d'un moment, il tourna la tête et la regarda.

– Je suis content que tu aies reçu cette offre d'emploi. C'est important.

– Oui.

– Je suis fier de toi.

– Merci. Je trouverai autre chose, déclara-t-elle avec un sourire ironique. Un jour…

Blake lui passa alors le bras autour de l'épaule et l'attira contre sa poitrine.

– Tu devrais l'accepter.

– Quoi ? Mais je pensais que tu serais content que je reste.

– Bien sûr que je suis content et que je veux que tu restes. Mais tu as mérité cette offre d'emploi. Et je pense que tu as raison. Tu devrais l'accepter pour toutes les raisons que tu as mentionnées. Mais… poursuivit-il en la regardant : ça serait pour combien de temps cette fois-ci ?

Carson se redressa et le regarda sérieusement.

– Pas longtemps. Peut-être quatre mois.

– Et dans quatre mois, tu reviendras ?

Elle prit une respiration, incapable de tout à fait croire où cette conversation se dirigeait.

– Oui, je te le promets. Je louerai un appartement mensuellement, rien de permanent. Puis, je sauterai dans un avion et je rentrerai directement, vers toi. Si tu m'attends, ajouta-t-elle avant de s'arrêter. Es-tu sûr que tu m'attendras ?

– Je t'attendrai, promit-il, un sourire dans la voix, tout en soupirant laborieusement.

– Merci, répondit Carson en fermant les yeux.

– Si…

À ces mots, les yeux de Carson s'ouvrirent brusquement et elle le regarda par en dessous, un sourcil soulevé.

– Si quoi ?

– Si, à ton retour, tu m'épouses.

– T'épouser ? s'exclama-t-elle.

Elle ne s'était pas attendue à une telle demande.

— Tu plaisantes ?

— Pas du tout. Je pense que c'est ma meilleure chance que tu dises oui.

Carson le regarda de nouveau, momentanément sous le choc. L'été qui venait de passer rejaillit dans sa mémoire, des mois de rapprochements, des mois à guérir, et à laisser aller. Pendant toute cette période tumultueuse, Blake avait affronté la tempête sans jamais hésiter, inébranlable dans son amour. C'était un amour sur lequel on pouvait bâtir un futur.

Carson plissa alors les lèvres et haussa les épaules.

— Tu as peut-être raison. Il vaut mieux que j'accepte.

À ces mots, les yeux de Blake s'écarquillèrent et il sourit.

— Tu as dit oui ?

— J'ai dit oui.

De nouveau, il la pencha dans ses bras pour l'embrasser, scellant ainsi sa promesse.

Elle se pelotonna dans ses bras tout en écoutant les battements de son cœur, dans les bras l'un de l'autre, aucun des deux ne voulant laisser aller l'autre.

CHAPITRE 24

– Eh bien, c'est fait ! s'exclama Mamaw en joignant les mains. Sea Breeze est maintenant officiellement à toi.

La poitrine de Harper se serra tandis qu'elle regardait sa signature. Juste là, au bas de l'acte de vente, se trouvait son nom dans son écriture verticale serrée : Harper Muir-James. Elle y était arrivée, ou plutôt, grand-mère James y était arrivée. Avec quelques manipulations et planifications prudentes, elle avait fait en sorte que Harper puisse acheter la maison. Ça lui paraissait irréel, comme si elle flottait dans un rêve dont on la réveillerait bientôt.

Mais c'était bien réel, pensa-t-elle avec étonnement tout en regardant autour d'elle, un peu étourdie, les visages souriants présents autour de la longue table brillante de la salle à manger de Sea Breeze. Il y avait tant de gens sur qui cette décision avait des conséquences : Taylor, bien sûr, Carson et Blake, Dora et Devlin.

Mais surtout, sur ses grands-mères. Mamaw et grand-mère James. Elle se trouvait entre elles et les regarda alternativement toutes les deux. Comme elle avait de la chance d'avoir ces deux femmes remarquables comme modèles dans sa vie.

Cette joie était partagée, tout le monde souriait. Harper porta une main tremblante à sa bouche. Avec une signature, elle avait réussi à apporter de la joie aux gens qu'elle aimait le plus au monde.

Taylor vint alors à ses côtés, lui mit les mains sur les épaules et se pencha pour l'embrasser sur la bouche. Ses lèvres étaient chaudes et fermes, possessives.

– Félicitations, chérie. Je sais que c'était important pour toi.

Elle le regarda cependant dans les yeux avec un sourire ironique.

– Je sais que tu serais tout aussi heureux d'habiter sur le *Miss Jenny.*

– Oh, je suppose que je pourrai me faire à Sea Breeze. Une fois que nous serons mariés.

Sur ce, le son bruyant d'un bouchon de champagne attira l'attention de tout le monde.

– Cette vente est une bonne raison de célébrer ! s'écria Devlin tout en remplissant des verres sur un plateau.

Dans les flûtes, les bulles s'élevèrent et débordèrent.

– Le brave homme, s'exclama grand-mère James.

– Attention, Dev, cria Dora en se dépêchant d'aller l'aider.

– Il y en a beaucoup plus, répondit-il avec un petit rire.

– Pourquoi es-tu si content ? le taquina Carson. Tu as perdu ta commission.

– Tu plaisantes ? demanda-t-il en lui donnant un verre. Je vis pour les jours comme aujourd'hui. Je viens tout juste de gagner de fantastiques nouveaux voisins.

Dora se chargea ensuite de distribuer les verres de champagne, le plateau en main. Taylor en saisit deux et en donna un à Harper. Ils les levèrent en échangeant un regard plein de promesses. Mais avant d'en prendre une gorgée, Harper perçut Mamaw et grand-mère James, toutes les deux à la fenêtre aux rideaux de soie. Mamaw portait une robe bleue éclatante assortie au bleu caractéristique de ses yeux. Quant à grand-mère James, elle était vêtue de son tailleur bleu marine au passepoil d'un blanc si pur. Elles étaient tout à fait élégantes, ensemble toutes les deux. *On aurait dit des conspiratrices,* pensa Harper avec joie en les regardant lever leur verre l'une pour l'autre en un toast silencieux, les choquer et, avec un sourire, prendre une gorgée de champagne.

Elle porta la flûte de champagne à sa bouche, sentit les bulles lui chatouiller le nez, en sentit le parfum sucré avec une note de levure, le parfum de la joie, de la grâce et de la célébration.

Elle regarda ensuite l'homme qui se trouvait à ses côtés. Avec ses larges épaules, il était aussi solide que le roc de ses traits. Son futur mari. Taylor, elle le savait, serait toujours à ses côtés, inébranlable dans son amour pour elle, à la protéger, elle, et les enfants qu'elle espérait avoir avec lui. Elle sourit en observant sa peau bronzée, ses cheveux bruns plus longs maintenant avec les reflets qu'y avait laissés le soleil. Il était son homme de la côte, et il faisait autant partie de cet endroit qu'elle considérait comme son chez soi que le sel dans l'air, l'odeur puissante de la boue des marais, les crevettes qu'ils avaient pêchées, les traditions et les valeurs. Il était son chez-elle.

Tout comme ses sœurs l'étaient, se dit-elle en regardant les visages souriants de Carson et Dora.

Harper prit une grande respiration. Elle était maintenant la maîtresse de Sea Breeze. Elle s'occuperait de cette maison avec amour, la protégerait des tempêtes qui viendraient, planterait des graines çà et là et les regarderait pousser. Sea Breeze serait toujours un havre pour sa famille. Elle garderait une lumière allumée, tout comme Mamaw avant elle.

Tandis qu'elle levait son verre, le silence se fit dans la salle à manger et tous les regards s'arrêtèrent sur elle.

— À la famille, lança-t-elle avec netteté. À Sea Breeze.

Une fois que tout le monde eut bu le vin, Harper regarda sa montre.

– Il faut nous dépêcher, grand-mère James, sinon tu vas manquer ton avion.

Avec l'agitation habituelle d'embrassades et de bons voyages, grand-mère James, Mamaw et Harper se hâtèrent vers l'entrée de la maison, où une voiture louée attendait, le moteur en marche.

Grand-mère James joignit les mains et cligna rapidement des yeux en ayant l'air réticente à partir. Elle regarda en direction du cottage avec désir.

– Je devrais aller au cottage vérifier que je n'ai rien oublié.

– Vous avez déjà vérifié deux fois, indiqua Mamaw en passant son bras sous le sien. Si vous avez oublié quelque chose, je vous l'enverrai par la poste.

– Non, ne vous donnez pas cette peine. Je reviendrai le chercher, précisa grand-mère James en esquissant un sourire.

– Je vous en prie.

Mamaw lui fit alors la bise avant de laisser aller son bras et de retourner vers la maison, laissant ainsi à la grand-mère et à sa petite-fille un moment d'intimité.

– Je ne pourrai jamais te remercier assez, admit Harper, pour tout ce que tu as fait.

– Inutile de me remercier. Je l'ai simplement fait parce que je t'aime.

– Si seulement ma mère ressentait la même chose pour moi.

Grand-mère James regarda alors Harper dans les yeux avec sincérité.

– Georgiana t'aime, aussi difficile que ça puisse parfois être à croire.

– Je ne crois pas qu'elle me pardonnera d'avoir acheté Sea Breeze. Ni à toi.

Grand-mère James laissa échapper un petit rire.

— Mais bien sûr que si. À qui d'autre peut-elle téléphoner pour bavarder ?

— Ni d'avoir écrit un roman. Penses-tu que je devrais le lui envoyer ? En même temps qu'une invitation à mon mariage ?

Grand-mère James fit mine de la gronder du regard.

— Une chose à la fois, ma chérie. Rome n'a pas été bâtie en un jour.

Puis, elle se pencha et fit la bise à sa petite-fille.

— Je lui téléphonerai et lui expliquerai ce qui s'est passé. Je suis sa mère, et j'ai toujours une certaine influence, même sur Georgiana.

— Tu vas me manquer, grand-mère James.

— Toi aussi, dit-elle, puis elle balaya la propriété du regard une dernière fois. Et Sea Breeze me manquera.

— Reviens bientôt.

— J'en ai bien l'intention ! convint grand-mère James avec son énergie habituelle. Par ailleurs, avec ce jeune homme bien charpenté que tu vas épouser, je m'attends à ce qu'il y ait des arrière-petits-enfants.

— Grand-mère ! s'exclama Harper en riant.

— Je suis tout à fait sérieuse. C'est que je ne rajeunis pas, moi.

Puis, elle claqua des mains :

— Et que ça saute !

~

Le matin suivant, Harper se leva et se dirigea sur la pointe des pieds jusqu'à la porte coulissante qui séparait sa chambre de celle de Mamaw. La porte grinça le long du cadre tandis qu'elle l'ouvrait.

Mamaw était réveillée, soutenue par des oreillers dans son immense lit à baldaquin.

— Ah, te voilà ! Je pensais justement à toi.

Harper ressentit de la joie palpiter en elle tandis qu'elle se hâtait de traverser la chambre pour se joindre à sa grand-mère dans son lit. Bien vite elle était appuyée contre les oreillers, à côté de Mamaw et en les étirant, passait les jambes sous les couvertures. C'était la deuxième fois en deux semaines qu'elles avaient un tel tête-à-tête. Elle espérait qu'il y en aurait beaucoup d'autres.

Harper ferma les yeux et fut enveloppée par un parfum légèrement oriental de bois exotique et d'épices.

– Humm, soupira-t-elle. J'aime ton parfum. Je le considère toujours comme ton odeur. Je l'ai essayé.

Elle plissa le nez.

– Ça ne sentait pas bon du tout. Mais sur Carson, il sent délicieux. Évidemment.

– Pourquoi évidemment ? s'enquit Mamaw en riant.

– Parce qu'elle est tellement comme toi. Grande, belle...

– Tu es tout aussi belle. Tu as d'ailleurs ta propre beauté qui est unique, tout comme Dora. C'est un peu comme les parfums. Chacune de vous a sa propre odeur distincte. Les parfums de qualité ne rivalisent jamais les uns avec les autres.

– Je n'ai pas ma propre odeur.

– Alors nous allons t'en trouver une. Je pense, commença Mamaw en se tapotant la joue, que Joy t'irait bien. C'est un autre parfum français. Il est *très* bon. Plus sucré et plus floral, mais avec des notes de fond très profondes. Et il est très difficile : il ne convient pas à n'importe qui.

Les pensées de Harper revinrent à Carson.

– Elle va vraiment à Los Angeles ?

– Oui, acquiesça Mamaw joyeusement sans la moindre marque d'inquiétude. Elle va de l'avant. Harper, c'est une bonne chose. Elle doit compléter ce cycle, boucler la boucle, comme tu l'as toi-même fait.

– Moi ? demanda Harper, surprise par ce commentaire.

– Mais oui. Cet été, tu t'es trouvée. Tu as écrit un livre !

– C'est vrai, concéda Harper, satisfaite d'elle-même.

– À ce propos, quels sont tes plans pour ton roman ?

– D'abord, je vais prendre un agent. J'en connais plusieurs qui sont bons et que j'aime beaucoup. Je suis sûre qu'au minimum, ils le liront. Ensuite, j'espère qu'il se vendra.

– Oh, il se vendra, la rassura Mamaw avec certitude. C'est très bon.

– Tu es ma grand-mère. Évidemment que tu l'aimes.

– Ce n'est pas vrai. Je n'étais pas une admiratrice du livre de ton père. Je suppose que tu trouves que c'est méchant de la part de sa mère de dire une chose pareille ?

– Non, répondit Harper en remuant la tête. C'est simplement une critique honnête.

– Mais ton livre est merveilleux et il se vendra. Tu verras. Je ne me trompe jamais sur ce genre de choses. Quant à Dora, elle est sur la bonne voie. J'aime bien Devlin. Il est tellement mieux que Calhoun Tucker. Cet homme ne vaut pas son pesant d'or.

– Et Carson ?

– Carson va très bien s'en sortir, reconnut-elle après avoir réfléchi un moment.

– Reviendra-t-elle ?

– Je l'espère, admit Mamaw pensivement avant de sourire. Je pense que oui. C'est ici chez elle.

– Et c'est chez toi, renchérit Harper en tournant la tête pour regarder sa grand-mère appuyée contre ses oreillers. Cette maison sera toujours à toi. Le fait que j'ai acheté Sea Breeze ne change rien.

– Mais, ça change tout ! Ce sera de nouveau une maison familiale avec de jeunes enfants en train de courir dans les pièces, comme ça devrait être le cas. Il est temps que la vieillesse cède place à la jeunesse.

Harper s'assit sur le lit pour faire face à Maman. Cette question était trop importante pour en bavarder simplement.

— Tu ne quitteras pas Sea Breeze, refusa-t-elle fermement. C'est ta maison.

— Je te suis reconnaissante de l'affirmer, mais je devrais vraiment vous donner de l'espace, à Taylor et à toi. Vous ne voudriez pas d'une vieille femme toujours parmi vous.

— Ne sois pas bête. Bien sûr que si. Mamaw, Sea Breeze, c'est *toi*. Tu ne le sais donc pas ?

Les yeux de Mamaw devinrent humides à ces mots et ses lèvres tremblèrent d'émotion. Elle regarda ensuite ses mains sur ses cuisses. Le gros diamant taillé qui avait été sa bague de fiançailles brillait en contraste avec sa peau claire.

— Mais j'ai fait des plans…

— Eh bien, change-les. N'est-ce pas toi qui nous dis toujours d'accueillir le changement ? Tu avais seulement prévu de partir parce que tu ne pouvais plus t'occuper de Sea Breeze. Maintenant, tu n'as plus besoin de t'en occuper. Je suis là et, une fois que nous serons mariés, Taylor habitera ici. Sea Breeze est entre de bonnes mains. Tu n'as plus aucune raison de t'inquiéter. Reste, Mamaw, avec nous. Ta place est ici.

Les yeux de Mamaw étaient aussi brillants que ceux d'un oiseau.

— Si je restais, je ne peux garder cette chambre. C'est la chambre principale, là où ton mari et toi devriez dormir.

— Ce sera toujours ta chambre.

— Non, protesta Mamaw en secouant fermement la tête. Plus maintenant, je ne me sentirais pas à l'aise ici, surtout une fois que tu seras mariée. De plus, ajouta-t-elle alors qu'une lueur d'amusement illuminait ses yeux, j'ai toujours pensé que ta chambre ferait une excellente pouponnière.

— Une pouponnière…

Cette idée la fit sourire.

— Mais Mamaw…

— Pas de discussion là-dessus. J'y tiens. Cependant…

Harper se rapprocha de sa grand-mère.

– Puisque tu veux que je reste, je dois reconnaître que cela me rendrait très heureuse. Rester à Sea Breeze serait un tel réconfort, admit-elle avant qu'une lueur de coquetterie brille dans ses yeux. Et ça me garderait près de Girard.

– Mamaw…

– Peut-être pourrais-je proposer un compromis. Je pourrais m'installer dans le cottage.

C'était une possibilité que Harper n'avait pas considérée. Dans son esprit, en effet, Mamaw était toujours calée dans la maison principale, sa maison. Le cottage avait été à Lucille, et Harper avait supposé qu'elle continuerait de l'utiliser pour les visiteurs. Pourtant, pensa-t-elle, un tel arrangement était, d'un certain point de vue, un heureux hasard.

– Tu es certaine ? Je ne veux pas que tu aies l'impression de devoir quitter la maison.

– Tout à fait certaine. De toute manière, j'ai toujours adoré ce cottage. De plus, en habitant là, j'aurais une certaine intimité, tout comme vous.

– Nous serons tout près, et tu te joindras à nous pour le dîner.

– Pour certains dîners, répliqua Mamaw avec sagesse avant de sourire avec une expression contemplative.

– Alors, c'est réglé.

– Si tu insistes, accepta-t-elle en souriant. Et maintenant, poursuivit-elle en joignant les mains, j'ai quelque chose pour toi, indiqua-t-elle en baissant le regard sur ses mains. Je sais comme tu aimes cette bague, reprit-elle en indiquant le diamant à son doigt. Il est dans la famille depuis des générations. On croit que c'est la bague que le gentilhomme pirate, ton ancêtre, a donnée à Claire. Tu ne trouveras jamais de diamant plus pur que lui. Il est sans défaut, ajouta-t-elle en souriant chaleureusement à Harper. Tout comme toi.

Mamaw retira alors la bague de son doigt.

– Quand, au début de l'été, je vous ai demandé à chacune de choisir une chose que vous aimiez provenant de Sea Breeze, je me souviens que c'était tout ce que tu désirais. Comme tu n'as pas de bague de fiançailles… Voilà.

Et elle plaça la bague dans la main de Harper.

– Je veux te la donner.

Harper poussa un cri de surprise.

– Mais je ne peux l'accepter, j'ai déjà Sea Breeze.

– Tu as sauvé Sea Breeze pour nous toutes.

– Ce ne serait pas juste pour les autres.

– Harper, pour une fois, pense à toi, la rabroua Mamaw en lui glissant la bague au doigt.

Le diamant à multiples facettes brilla à la lumière du matin.

– L'aimes-tu ?

– Oh, oui, acquiesça Harper en contemplant sa main.

– Alors, ma chère petite, elle est à toi. Avec tout mon amour.

– Merci, répondit Harper, qui faillit se mettre à pousser des cris aigus avant de se laisser retomber sur les oreillers tout en regardant avec joie la bague à son doigt.

Mamaw, enfoncée dans ses oreillers, reprit avec satisfaction :

– Inutile de me remercier. Imogene et moi, nous en avions déjà discuté.

Harper fit alors la grimace avant de se tourner vers sa grand-mère.

– Grand-mère James ne sera pas contente que tu t'installes dans le cottage. Elle l'adore. Elle va se battre avec toi pour l'avoir.

Le rire de Mamaw résonna avec pureté, aussi plein de lumière et de mystère que les prismes de couleurs que projetait le diamant et qui dansaient sur les murs.

– J'y compte bien.

CHAPITRE 25

Les sacs de Carson étaient près de la porte d'entrée à côté de quelques cartons contenant les affaires de Dora, prêts à être transportés dans sa nouvelle maison. L'heure était au départ. Mais ce soir, les femmes de Sea Breeze avaient un dîner d'adieu, et les hommes n'étaient pas invités.

Mamaw se promenait dans la maison, allumant, regardant la lumière dorée se répandre sur le bois verni et projeter des ombres sur les murs. Elle avait passé tant d'années dans cette chère maison. Elle avait tant de souvenirs. Elle erra dans les pièces, passant un doigt sur un meuble, son regard apercevant une de ses peintures favorites, un abat-jour, une figurine, tandis qu'elle se dirigeait vers la véranda arrière.

Elle s'attendait à trouver les filles assises dans les fauteuils d'osier noir en train de déguster des cocktails en bavardant comme des pies. Elles ne semblaient jamais manquer de sujet de conversation, pensa-t-elle avec un petit rire. Mais en arrivant sur la véranda, elle s'arrêta, la main sur la porte. Des bougies étaient allumées sur la table, mais il n'y avait personne. Mais où donc étaient-elles encore allées ?

Soudain, des rires aigus attirèrent son attention. Regardant au-delà de la véranda vers le quai, elle aperçut regroupées là les formes des trois femmes dans l'ombre. Elles étaient en train de rire et de bavarder, aussi libres que possible. Tout en souriant, Mamaw alla se placer au bord de la véranda pour les regarder.

Ses filles de l'été, pensa-t-elle, sa poitrine se gonflant.

C'était qu'elles ne se doutaient pas que, pendant tout l'été, elle les avait regardées avec soin, comme elle l'avait fait chaque été depuis qu'elles étaient petites. Mais cet été spécialement. Elle continua de les regarder tandis que les trois femmes s'aventuraient sur le quai inférieur et glissaient leurs jambes longues et fines dans l'eau. Mamaw ne savait pas de quoi elles parlaient, et elle n'en avait nul besoin. Il lui suffisait de savoir qu'elles partageaient leurs problèmes et leurs difficultés, leurs espoirs et leurs rêves les unes avec les autres, toutes ensemble sous les étoiles du Sud.

Ah, les filles, pensa-t-elle en portant la main à son visage. Pourraient-elles jamais savoir la joie que lui apportait le son de leurs rires ?

Autrefois, elle pensait à ses filles de l'été se tenant la main sur la plage et courant dans les vagues, mais maintenant, quand elle pensait à elles toutes ensemble, elle les voyait toujours assises sur le quai, épaule contre épaule, en train de regarder vers la crique. Comme elles le faisaient ce soir.

Mamaw sentit son cœur se gonfler pour assimiler la vue d'un autre coucher de soleil magnifique. Y en avait-il de plus beaux où que ce soit ailleurs dans le monde ? se demanda-t-elle. Elle ne le croyait pas. Un coucher de soleil sur la côte était sensuel et mélancolique. Les rouges teintaient le ciel comme du sang après les combats de la journée. Les dorés étaient transcendants et s'installaient à l'horizon tels les ourlets des anges. Certains disaient que ces couleurs étaient surréelles à cause des gaz émanant des détritus abandonnés dans les marais, mais Mamaw ne le croyait pas. Chaque fois qu'elle en voyait un, elle avait l'impression que c'était un don de Dieu à Ses enfants préférés, ceux à qui Il avait donné la bénédiction de vivre au paradis. Ce spectacle avait le pouvoir de remplir son âme entière de lumière scintillante et elle, d'espoir.

Tandis que le ciel s'assombrissait, la crique serpentait à travers les spartines pleines d'ombre comme un serpent transparent, lisse et séduisant, plein de mystère. Elle huma l'air, touchée par l'odeur puissante du sel, du poisson et de la boue des marais avaleuse d'âmes teintée de minéraux.

Levant la tête pour faire face au coucher de soleil, Mamaw récita une action de grâce tandis que la terre se taisait autour d'elle sous cette bénédiction du crépuscule.

— Merci, Seigneur, de m'avoir permis de vivre un jour de plus.

Puis, elle sourit avec introspection.

— Un été de plus.

Car cet été était terminé. Mais cette fin n'avait rien de triste. C'était le début d'une nouvelle ère. Mamaw joignit les mains. Il y aurait de nouveau de la joie dans cette maison, des noces et des baptêmes, des anniversaires de naissance et de mariage et, elle le savait aussi, des funérailles. Mais le fait de savoir que son souvenir vivrait longtemps et grouillerait autant de vie que ces baies sinueuses dans les cœurs de Dora, Carson et Harper la réconfortait. Sa famille, elle le savait, était le plus grand trésor qu'elle pouvait laisser derrière elle.

Mais aujourd'hui, c'était un jour pour les vivants !

En effet, des rires bruyants et des cris aigus attirèrent de nouveau son attention sur le quai. Elle plissa les yeux dans la pénombre. Les trois femmes couraient le long du quai inférieur en riant. Eudora, Carson et Harper. En dépit de toutes ses idées capricieuses, Parker avait été sage de nommer ses filles en l'honneur de grandes auteures. Chacune avait donc quelque chose à la hauteur de quoi elle devait vivre. Et dans son livre à elle, ses petites-filles étaient ses héroïnes. Jamais n'avait-elle connu de femme ayant plus de cœur ou qui comprenait si pleinement où se trouvait leur foyer.

Elle continua de les regarder tandis qu'elles étaient au bord du quai, la main dans la main, avec un coucher de soleil sur la côte devant elles. Mamaw retint son souffle en sachant qu'elle se souviendrait de cette image à jamais. Puis, avec un cri joyeux, les filles sautèrent ensemble dans la crique.

Le rire de Mamaw se joignit au leur pour être emporté au loin par une brise et rejoindre l'univers.

– Nous avons réussi, Lucille. Notre travail de cet été est terminé.

Soudain, elle se sentit de nouveau jeune, libérée de son fardeau. Comme la jeune fille qu'elle avait été naguère et qui avait descendu cette même pente en courant pour bondir dans la crique. Retirant ses chaussures et relevant sa jupe, elle se dépêcha de la descendre pour se joindre à ses petites-filles.

– Attendez-moi, mes chéries ! J'arrive !

REMERCIEMENTS

Avec la fin de la trilogie Les étés sur la côte, je remercie de nouveau docteure Pat Fair de la NOAA pour son mentorat relatif à tout ce qui a trait au grand dauphin de l'Atlantique. Je la remercie aussi d'avoir lu mon manuscrit avec attention, d'avoir réfléchi avec moi aux avenues possibles, et surtout pour l'expérience incroyable qu'a représentée la surveillance de la santé des dauphins du centre. La scène finale avec Delphine a été inspirée par cette merveilleuse remise en liberté dans l'estuaire de Charleston.

Mes remerciements les plus cordiaux à mon équipe locale : Angela May, Kathie Bennett, Buzzy Porter, Marjory Wentworth ainsi que Lisa Minnick pour son soutien sans faille, de même qu'à mes sœurs : Marguerite Martino, pour avoir discuté avec moi de mes personnages, James Cryns, et Ruth Cryns parce qu'elle est la Thelma de la Louise que je suis.

Un remerciement particulier au South Carolina Aquarium. Votre soutien dévoué est toujours grandement apprécié. Merci aussi à tous mes amis et bien-aimés dauphins du Dolphin Research Center, en Floride. Je suis fière d'être associée aux deux institutions.

Je suis aussi chanceuse de pouvoir compter sur le soutien brillant de la fabuleuse équipe de Gallery Books : Lauren McKenna, Louise Burke, Jennifer Bergstrom, Michele Martin, Liz Psaltis, Jean Anne Rose, Elana Cohen, Diana Velasquez et tous ceux qui ont soutenu cette trilogie. Un remerciement particulier à mes agents du Trident Media Group : les incomparables Kimberly Whalen et Robert Gottlieb, Sylvie Rosokoff, Adrienne Lombardo, Laura Paverman et Tara Carberry, ainsi qu'à Joseph Veltre de Gersh.

Un remerciement spécial enfin à Judy Fairchild de Dewees Island, à Shane et Morgan Ziegler de Barrier Island Eco Tour, et à Amy Sottile de Wild Dunes.

Comme toujours, je termine en remerciant Markus. N'éteins pas la lumière.